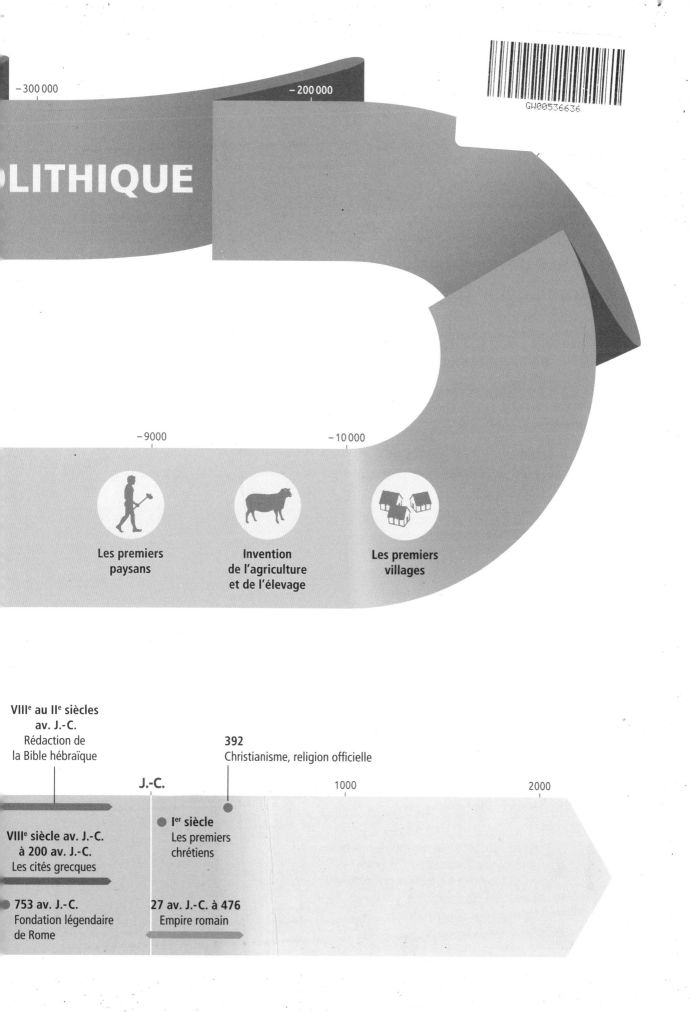

−300 000

−200 000

...LITHIQUE

−9000

−10 000

Les premiers paysans

Invention de l'agriculture et de l'élevage

Les premiers villages

VIIIe au IIe siècles av. J.-C.
Rédaction de la Bible hébraïque

392
Christianisme, religion officielle

J.-C.

1000

2000

VIIIe siècle av. J.-C. à 200 av. J.-C.
Les cités grecques

Ier siècle
Les premiers chrétiens

753 av. J.-C.
Fondation légendaire de Rome

27 av. J.-C. à 476
Empire romain

Un manuel et un site à ton service !

Sur ton site élève collegien.nathan.fr/hg6, retrouve de nombreuses ressources pour t'accompagner toute l'année !

Enregistre ce lien dans les favoris de ton navigateur internet et prends l'habitude de le consulter régulièrement !

▌ Tous les **liens vers les vidéos et les sites** présentés dans le manuel

▌ Plus de **80 exercices interactifs** pour vérifier tes connaissances

▌ Tous les **fonds de carte** et les **frises vierges** pour réviser

▌ **Des outils interactifs** : frises chronologiques et cartes mentales à compléter

▌ Tous les textes du manuel **disponibles dans une version spécialement adaptées aux élèves DYS**

Les pages **Apprendre à apprendre** pour réviser chez toi !

Apprendre, tout le monde en est capable ! Il suffit juste de trouver les bonnes méthodes et de créer les bons outils. Ces pages vont t'aider à comprendre comment tu mémorises le mieux tes leçons.

Pour commencer, rends-toi sur le site Nathan et effectue le test proposé !

As-tu plutôt une mémoire visuelle, auditive, corporelle ? Ce test te permettra de mieux connaître ton type de mémoire, et donc ta manière d'apprendre !

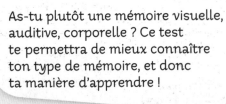

Histoire Géographie

6e CYCLE 3

Enseignement moral et civique

Nouveau programme 2016

Histoire

Sous la direction de :

Anne-Marie Hazard-Tourillon
Agrégée d'histoire
Académie de Créteil (94)

Sébastien Cote
Agrégé d'histoire
Lycée Joffre, Montpellier (34)

Relecture pédagogique :

Céline Dhers
Certifiée d'histoire-géographie
Collège Simone-de-Beauvoir,
Créteil (94)

Par :

Lisa Adamski
Agrégée d'histoire-géographie
Collège Barbara, Stains (93)

Maria Aeschlimann
Agrégée d'histoire
Collège François-Truffaut, Asnières (92)

Jérôme Chastan
Agrégé d'histoire-géographie
Lycée Eugène-Hénaff, Bagnolet (93)
Formateur à l'ESPE de Créteil (94)

Julien Ferrant
Agrégé d'histoire
Université Paris-Sorbonne (75)

Gérard Martin
Agrégé de géographie
Collège François-Couperin, Paris (75)

Pascale Monnet-Chaloin
Agrégée d'histoire-géographie
Formatrice à l'ESPE de Créteil (94)

Caroline Normand
Certifiée d'histoire-géographie
Collège Louis-Issaurat, Créteil (94)

Grégoire Pralon
Certifié d'histoire-géographie
Collège Beaumarchais, Paris (11e)

Fabienne Vadrot
Certifiée d'histoire-géographie
Collège Pierre-de-Ronsard,
Saint-Maur-des-Fossés (94)

Géographie

Sous la direction de :

Armelle Fellahi
Agrégée d'histoire
Académie de Rennes (35)

Patrick Marques
Agrégé d'histoire-géographie
Collège Pierre-Brossolette, Bruz (35)

Relecture pédagogique :
Lisa Adamski

Par :

Sandrine Calvez
Certifiée d'histoire-géographie
Collège Jean-Monnet, Janzé (35)
Formatrice à l'ESPE de Bretagne

Isabelle Le Ferrec
Certifiée d'histoire-géographie.
Collège Le Bocage, Dinard (35)
Formatrice à l'ESPE de Bretagne

Marie-Pierre Saulze
Certifiée d'histoire-géographie
Collège François-Truffaut, Betton (35)

Annyvonne Viellard
Certifiée d'histoire-géographie
Collège Jacques-Brel,
Noyal-sur-Vilaine (35)

Enseignement moral et civique

Sous la direction de :

Anne-Marie Hazard-Tourillon
Agrégée d'histoire
Académie de Créteil (94)

Arlette Heymann-Doat
Professeure émérite de droit public
Université de Paris-Sud (75)

Par :

Maria Aeschlimann
Agrégée d'histoire
Collège François-Truffaut, Asnières (92)

Annie Lambert
Agrégée d'histoire-géographie

Caroline Normand
Certifiée d'histoire-géographie
Collège Louis-Issaurat, Créteil (94)

Fabienne Vadrot
Certifiée d'histoire-géographie
Collège Pierre-de-Ronsard,
Saint-Maur-des-Fossés (94)

Eric Zdobych
Agrégé d'histoire-géographie
Collège Jacques-Offenbach,
Saint-Mandé (94)

À la découverte de votre manuel

Ouvertures de chapitre
- Une petite « frise de cycle » pour replacer le chapitre étudié dans les apprentissages du cycle 3.
- Deux grandes images pour entrer dans le thème.
- Une anecdote pour interpeller les élèves.

Je me repère (en histoire)
- La frise chronologique du chapitre et une petite frise pour se situer dans le programme.
- Les grandes cartes du chapitre.
- Des questions pour se repérer dans le temps et dans l'espace.

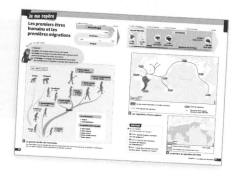

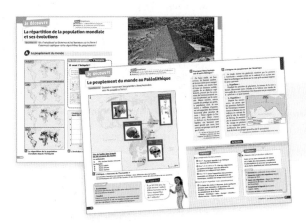

Je découvre
- Un travail sur documents qui propose **2 itinéraires différenciés** (questions de prélèvement, bilan à rédiger, exposé à préparer, carte mentale à compléter…).

J'enquête
- Des propositions de **tâches complexes** avec une consigne et un « Coup de pouce ».
- Des **missions à mener en équipes**.

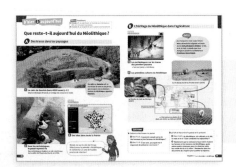

D'hier à aujourd'hui (en histoire)
- Des documents et un questionnaire pour **comprendre que le passé éclaire le présent**.

Études de cas (en géographie)

- Des **études de cas** avec des **itinéraires différenciés** : prélèvement d'informations ou réalisation d'un schéma.

Des dossiers « Et demain ? » (en géographie)

- Un travail en équipes pour aborder de façon **simple et ludique** la prospective avec les élèves.

Des études de cas... au monde (en géographie)

- Une activité pour **mettre en perspective** les études de cas et **changer d'échelle**.
- Un grand planisphère pour **passer à l'échelle mondiale**.

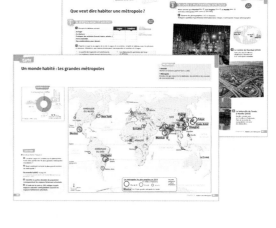

Parcours

- **Des parcours en lien avec les nouveaux programmes,** en 1 ou 2 pages : Parcours Arts et culture (PEAC), Parcours Citoyen.

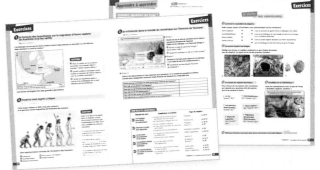

Leçon

- Un cours simple, accessible.
- Un schéma de synthèse et les repères du chapitre pour réviser.

Apprendre à apprendre et Exercices

- Des pages pour apprendre sa leçon, vérifier et mobiliser ses connaissances.
- Un «**bilan de compétences**» pour faire le points sur les compétences acquises ou à perfectionner.

Sommaire

Histoire

Enseignement moral et civique

Mes outils pour apprendre

Mon cahier de compétences

Retrouve plein de conseils pour t'aider à mémoriser ton cours !

Apprendre à apprendre

En histoire

En géographie

Le site de la collection

- Retrouve sur ton site **collegien.nathan.fr/hg6** tous les liens vers les vidéos et de nombreuses ressources complémentaires (fonds de cartes, exercices interactifs...), signalées par ce picto dans le manuel site élève
⬇ exercices interactifs

Histoire–Géographie

Programme de 6ᵉ • Bulletin officiel spécial n°11, 26 novembre 2015

Compétences travaillées	Domaines du socle
→ Se repérer dans le temps : construire des repères historiques	1, 2, 5
→ Se repérer dans l'espace : construire des repères géographiques	1, 2, 5
→ Raisonner, justifier une démarche et les choix effectués	1, 2
→ S'informer dans le monde du numérique	1, 2
→ Comprendre un document	1, 2
→ Pratiquer différents langages en histoire et en géographie	1, 2, 5
→ Coopérer et mutualiser	2, 3

Histoire

Thème 1

La longue histoire de l'humanité et des migrations

- Les débuts de l'humanité
- La « révolution » néolithique
- Premiers États, premières écritures

Thème 2

Récits fondateurs, croyances et citoyenneté dans la Méditerranée antique au Iᵉʳ millénaire avant J.-C.

- Le monde des cites grecques
- Rome, du mythe à l'histoire
- La naissance du monothéisme juif dans un monde polythéiste

Thème 3

L'empire romain dans le monde antique

- Conquêtes, paix romaine et romanisation
- Des chrétiens dans l'Empire
- Les relations de l'Empire romain avec les autres mondes anciens : l'ancienne route de la soie et la Chine des Han

Géographie

Thème 1

Habiter une métropole

- Les métropoles et leurs habitants
- La ville de demain

Thème 2

Habiter un espace de faible densité

- Habiter un espace a forte(s) contrainte(s)naturelle(s) ou/et de grande biodiversité
- Habiter un espace de faible densité à vocation agricole

Thème 3

Habiter les littoraux

- Littoral industrialo-portuaire, littoral touristique

Thème 4

Le monde habité

- La répartition de la population mondiale et ses dynamiques
- La variété des formes d'occupation spatiale dans le monde

→ **Le programme intégral est disponible sur le site** collegien.nathan.fr/hg6

Enseignement moral et civique

Programme du cycle 3 • Bulletin officiel spécial n°6, 25 juin 2015

La sensibilité : soi et les autres

① Identifier et exprimer en les régulant ses émotions et ses sentiments.
② S'estimer et être capable d'écoute et d'empathie.
③ Se sentir membre d'une collectivité.

1/a – Partager et réguler des émotions, des sentiments dans des situations et à propos d'objets diversifiés.
1/b – Mobiliser le vocabulaire adapté à leur expression.
2/a – Respecter autrui et accepter les différences.
2/b – Manifester le respect des autres dans son langage et son attitude.
3/a – Comprendre le sens des symboles de la République.
3/b – Coopérer.

Le droit et la règle : des principes pour vivre avec les autres

① Comprendre les raisons de l'obéissance aux règles et à la loi dans une société démocratique.
② Comprendre les principes et les valeurs de la République française et des sociétés démocratiques.

1/a – Comprendre les notions de droits et devoirs, les accepter et les appliquer.
1/b – Respecter tous les autres et notamment appliquer les principes de l'égalité des femmes et des hommes.
2/a – Reconnaître les principes et les valeurs de la République et de l'Union européenne.
2/b – Reconnaître les traits constitutifs de la République française.

Le jugement : penser par soi-même et avec les autres

① Développer les aptitudes à la réflexion critique : en recherchant les critères de validité des jugements moraux ; en confrontant ses jugements à ceux d'autrui dans une discussion ou un débat argumenté.
② Différencier son intérêt particulier de l'intérêt général.

1/a – Prendre part à une discussion, un débat ou un dialogue : prendre la parole devant les autres, écouter autrui, formuler et apprendre à justifier un point de vue.
1/b – Nuancer son point de vue en tenant compte du point de vue des autres.
1/c – Comprendre que la laïcité accorde à chacun un droit égal à exercer librement son jugement et exige le respect de ce droit chez autrui.
1/d – Prendre conscience des enjeux civiques de l'usage de l'informatique et de l'internet et adopter une attitude critique face aux résultats obtenus.
2 – Distinguer son intérêt personnel de l'intérêt collectif.

L'engagement : agir individuellement et collectivement

① S'engager et assumer des responsabilités dans l'école et dans l'établissement.
② Prendre en charge des aspects de la vie collective et de l'environnement et développer une conscience citoyenne, sociale et écologique.

1/a – S'engager dans la réalisation d'un projet collectif (projet de classe, d'école, communal, national...).
1/b – Pouvoir expliquer ses choix et ses actes.
2/a – Savoir participer et prendre sa place dans un groupe.
2/b – Expliquer en mots simples la fraternité et la solidarité.

Histoire

Théâtre antique de Leptis Magna construit sous le règne de l'empereur romain Auguste (27 avant J.-C. - 14 après J.-C.), site classé au Patrimoine mondial de l'Humanité par l'Unesco, actuelle Libye.

1 Les débuts de l'humanité

→ Où et quand les premiers êtres humains sont-ils apparus ?

→ Comment ont-ils peuplé la Terre ?

À l'école primaire

Au CM1, j'ai étudié les traces de la Préhistoire dans mon environnement proche.

Ce que je vais découvrir

Les premiers êtres humains sont apparus en Afrique, puis ils se sont déplacés et ont peuplé la planète.

1 **Reconstitutions d'hominidés, nos plus lointains ancêtres**

Reconstitution par Élisabeth Daynès, sculptrice en Préhistoire (2013).
Ces reconstitutions s'appuient sur des travaux scientifiques.

2 **Peintures dans la « grotte des Mains », vers -9000.**

Grotte *Cueva de las manos* (Argentine). Elle est inscrite au Patrimoine mondial de l'humanité par l'Unesco.

Les premiers êtres humains et les premières migrations

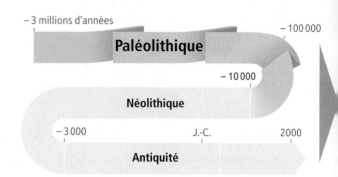

− 3 millions d'années

Paléolithique

− 100 000

− 10 000

Néolithique

− 3 000   J.-C.   2000

Antiquité

Qu'est-ce qui fait...

L'HUMAIN ?

Les pieds : Un humain marche sur ses deux pieds.

Les mains : Un humain a les mains libres avec un pouce qui lui permet de fabriquer des outils, de chasser...

Le langage : Le langage articulé permet de transmettre des connaissances, d'organiser le groupe dans lequel on vit.

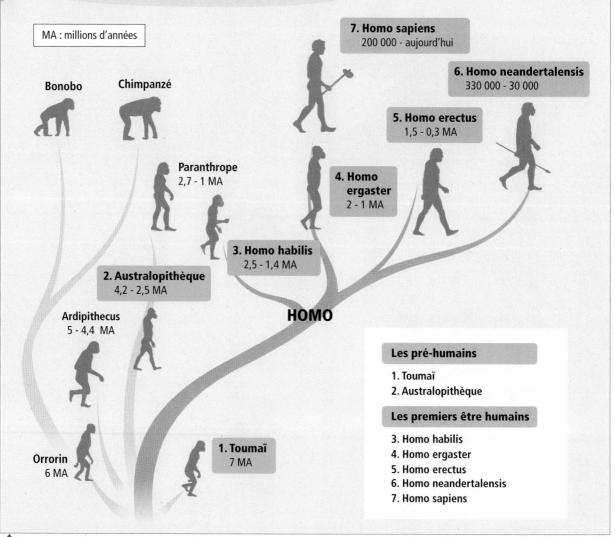

MA : millions d'années

Bonobo

Chimpanzé

7. Homo sapiens
200 000 - aujourd'hui

6. Homo neandertalensis
330 000 - 30 000

5. Homo erectus
1,5 - 0,3 MA

Paranthrope
2,7 - 1 MA

4. Homo ergaster
2 - 1 MA

3. Homo habilis
2,5 - 1,4 MA

2. Australopithèque
4,2 - 2,5 MA

Ardipithecus
5 - 4,4 MA

HOMO

Les pré-humains

1. Toumaï
2. Australopithèque

Les premiers être humains

3. Homo habilis
4. Homo ergaster
5. Homo erectus
6. Homo neandertalensis
7. Homo sapiens

Orrorin
6 MA

1. Toumaï
7 MA

1 **La grande famille des hominidés**

Les hominidés sont la famille des grands singes dont font partie les humains, le gorille, le chimpanzé... Sur cet arbre, chaque nœud représente un ancêtre commun.

| – 7 millions d'années | – 3 millions d'années | – 2 millions d'années | – 1 million d'années | – 10 000 |

Les pré-humains

Les humains

– **450 000** ●
Maîtrise du feu

– **7 Ma**
Toumaï

– **3,2 Ma**
Lucy

Afrique

– **2,5 Ma**
Homo habilis

– **2 Ma**
Homo erectus

Migrations hors d'Afrique

– **200 000**
Homo sapiens

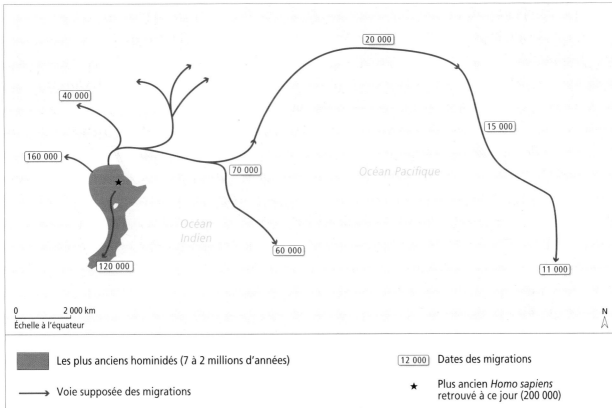

20 000

40 000

160 000

15 000

70 000

Océan Pacifique

Océan Indien

120 000

60 000

11 000

0   2 000 km
Échelle à l'équateur

N

⬛ Les plus anciens hominidés (7 à 2 millions d'années)

⟶ Voie supposée des migrations

12 000   Dates des migrations

★   Plus ancien *Homo sapiens* retrouvé à ce jour (200 000)

2 Les migrations d'homo sapiens

QUESTIONS

▶ **Je me repère dans le temps et l'espace**

❶ **Frise.** Quand l'espèce humaine est-elle apparue ?

❷ **Doc 2.** Où ont vécu les êtres humains de l'époque du Paléolithique ?

❸ **Doc 1.** Quel être humain est notre ancêtre direct ? Quand a-t-il vécu ?

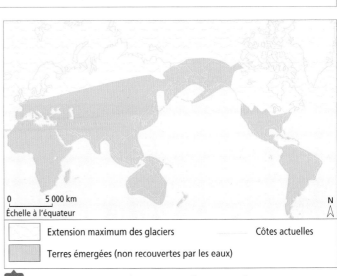

0   5 000 km
Échelle à l'équateur

N

☐ Extension maximum des glaciers

▭ Terres émergées (non recouvertes par les eaux)

⎯ Côtes actuelles

3 La dernière ère glaciaire (20 000)

SOCLE Compétences
- Domaine 5 : je me repère dans le temps long de la Préhistoire.
- Domaine 4 : j'émets des hypothèses et je les vérifie.

Le peuplement du monde au Paléolithique

Question clé Quand et comment les premiers êtres humains ont-ils peuplé la Terre ?

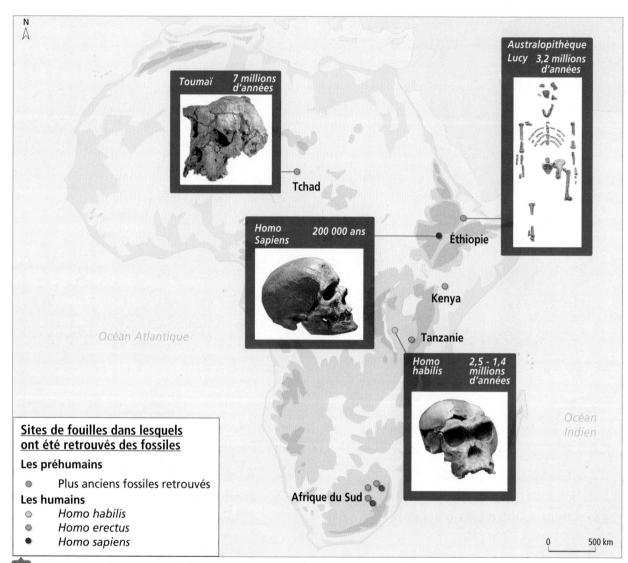

1 L'Afrique, « berceau de l'humanité »

Les premiers humains sont apparus en Afrique : dans différents sites de fouilles, les archéologues ont retrouvé des fossiles et des ossements, traces des plus anciens de nos ancêtres.

VOCABULAIRE

▸ **Archéologue**
Personne qui effectue des fouilles pour retrouver les traces des populations du passé.

▸ **Fossiles**
Traces ou restes de plantes ou d'animaux conservés dans les anciennes couches du sol. Les fossiles humains sont étudiés par des scientifiques comme les paléoanthropologues.

Le sais-tu ?

Il y a 50 000 ans, il y avait environ 1 million d'êtres humains sur la Terre. Aujourd'hui, nous sommes plus de 7 milliards !

2 Pourquoi l'être humain est-il sorti d'Afrique ?

De bons outils, un bon cerveau, de bonnes jambes, de bonnes dents pour manger de la viande, ces atouts font d'*Homo* un chasseur mobile, capable de se déplacer rapidement, poussé par les pressions de l'environnement ou, tout simplement, par la curiosité. Mieux nourrie, mieux capable de protéger ses petits, la population croît. Et vers moins 2 millions d'années, on voit apparaître des formes beaucoup plus proches de nous : *Homo ergaster* (« l'artisan ») puis *Homo erectus* (« debout »). Parfaitement bipèdes, ces hommes sont aussi grands que nous, leur cerveau est presque aussi gros que le nôtre.

■ « Le jour où l'homme est sorti d'Afrique », entretien avec Yves Coppens, *Les collections de l'Histoire*, n° 46 (janvier-mars 2010.

3 L'énigme du peuplement de l'Amérique

Les études récentes des généticiens montrent que les premiers « Américains » seraient arrivés sur le continent il y a 23 000 ans. Mais les archéologues sont divisés sur la route qu'ils auraient empruntée pour y parvenir.

a. Hypothèse 1
Pendant les périodes de glaciation, le niveau de la mer a baissé, découvrant entre l'Alaska et la Sibérie une bande de terre gelée de 2 000 kilomètres. Des humains ont pu emprunter à « pied sec » ce pont naturel.

b. Hypothèse 2
Depuis les années 2000, on pense que les premiers habitants de l'Amérique seraient venus en bateau (ou en radeau) en suivant de près la côte du détroit de Béring. Ils auraient pu se nourrir le temps du voyage en pêchant et en capturant éventuellement des proies lors de brefs accostages quand la côte le permettait.

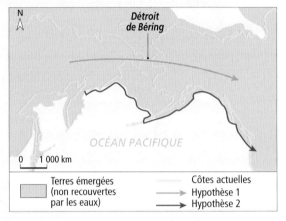

■ « Les premiers Américains », www.hominides.com, 2015.

Activités

Question clé | **Quand et comment les premiers êtres humains ont-ils peuplé la Terre ?**

ITINÉRAIRE 1

▶ **Je comprends les documents**

❶ **Doc 1.** Pourquoi appelle-t-on l'Afrique le « berceau de l'humanité » ?

❷ **Doc 1, 2 et carte p. 15.** Cite les migrations qui partent d'Afrique vers les différents continents en indiquant leurs dates.

❸ **Doc 1 à 3.** Entre l'apparition des premiers hominidés en Afrique et le peuplement de l'Amérique, combien de temps s'est écoulé ?

▶ **J'écris pour organiser mes connaissances**

❹ À l'aide des mots ci-dessous, écris quelques phrases pour répondre à la question clé. N'oublie pas de dater les différents moments du peuplement de la Terre.
Afrique – Amérique – Asie – Europe – fossiles – Homo erectus – Homo sapiens

ITINÉRAIRE 2

OU ▶ **J'élabore une production collective**

Avec un ou une camarade de classe et à l'aide des documents, complétez le planisphère du premier peuplement de la Terre distribué par votre professeur.

MÉTHODE

▶ **Nommez** les continents et les océans.

▶ **Tracez les trajets des migrations** depuis l'Afrique de l'Est.

▶ **Datez ces migrations** : départ de l'Afrique – peuplement de l'Asie – de l'Europe – de l'Amérique.

▶ **Construisez la légende** de la carte : trajets ; dates.

▶ Donnez **un titre** et une **orientation** à la carte.

 **J'enquête** *EN ÉQUIPES !*

SOCLE Compétences
▶ **Domaine 1 :** je sais extraire des informations pertinentes de documents.
▶ **Domaine 2 :** je travaille en équipes.

Vivre au Paléolithique

CONSIGNE

Comment vivaient les humains du Paléolithique ?
Comme des archéologues, vous disposez des traces de leur passé et vous allez reconstituer leur vie quotidienne. Chaque équipe présente son travail, puis vous devrez ensemble réaliser un dossier commun, intitulé « La vie quotidienne des humains au Paléolithique ».

VOCABULAIRE

▶ **Nomade**
Personne qui se déplace pour se nourrir (chasse, cueillette, pêche) et qui n'a pas d'habitat fixe.

Habiter

 ÉQUIPE 1

Votre matériel : des reconstitutions d'habitats faites à partir de découvertes provenant de différents chantiers de fouilles.

❶ Comment ces abris permettent-ils de supposer que les premiers êtres humains étaient des nomades ?
❷ À votre avis, comment se déroule la journée de ces humains ?

1 Reconstitution d'une hutte en os de mammouth

INFOS

Vers 450 000 ans, avec l'apparition du feu, la vie des humains changent. Grâce à sa lumière, ils pénétrent dans les cavernes. Grâce à sa chaleur, ils migrent vers des zones au climat plus froid. Le feu permet aussi de cuire la nourriture, réduisant ainsi les maladies.

2 Reconstitution d'un abri-sous-roche au Paléolithique
Illustration de M. Grenet, 2004.

Se nourrir

Votre matériel : une scène reconstituée à partir des découvertes archéologiques dans différents sites, et une présentation du régime alimentaire des humains du Paléolithique par un préhistorien.

❶ Pourquoi peut-on dire que les humains du Paléolithique sont des « chasseurs-cueilleurs » ?
❷ Comment le sait-on ?

4 Que mangeaient nos ancêtres du Paléolithique ?

Les humains du Paléolithique étaient plus carnivores que nous. Cependant, on a trouvé des restes de pollens et de végétaux ainsi que des pierres chauffées indiquant qu'ils mangeaient des plantes, et pas seulement crues. Pour les faire cuire à l'eau, comme ils n'avaient pas de récipients allant au feu, ils plongeaient des pierres brûlantes dans le liquide pour le réchauffer. C'est grâce à l'analyse de restes d'animaux près des foyers, d'échantillons de sol révélant des traces de graisse, de marques sur l'émail des dents et de l'analyse des os de fossiles humains que les chercheurs peuvent reconstituer le régime alimentaire des hommes préhistoriques.

■ D'après Pascale Pisani, *Sciences et avenir*, HS n° 183, sept.-oct. 2015.

3 Une scène de chasse en Afrique
Les humains du Paléolithique chassent en groupe grâce à des épieux ou des sagaies.

Fabriquer

Votre matériel : des outils préhistoriques, une statuette de femme.

❶ À quoi servent les outils fabriqués par les humains du Paléolithique ?
❷ Comment les fabriquent-ils ?
❸ Que pensez-vous de leur maîtrise des techniques de fabrication d'objets ?

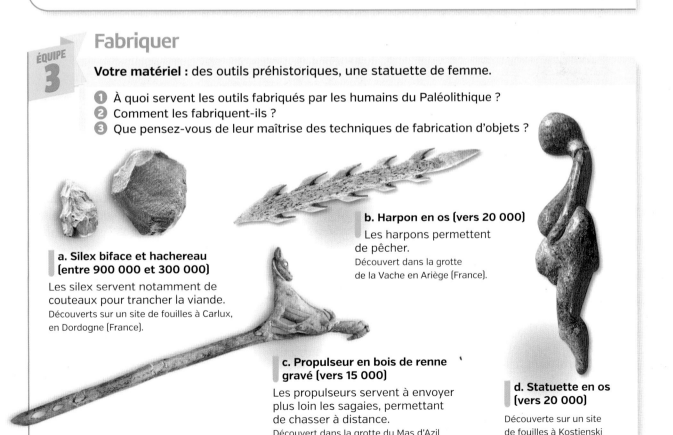

a. Silex biface et hachereau (entre 900 000 et 300 000)
Les silex servent notamment de couteaux pour trancher la viande.
Découverts sur un site de fouilles à Carlux, en Dordogne (France).

b. Harpon en os (vers 20 000)
Les harpons permettent de pêcher.
Découvert dans la grotte de la Vache en Ariège (France).

c. Propulseur en bois de renne gravé (vers 15 000)
Les propulseurs servent à envoyer plus loin les sagaies, permettant de chasser à distance.
Découvert dans la grotte du Mas d'Azil en Ariège (France).

d. Statuette en os (vers 20 000)
Découverte sur un site de fouilles à Kostienski (Russie).

Il y a 36 000 ans, la grotte Chauvet

FRANCE

Grotte Chauvet
Ardèche

Question clé **Pourquoi la grotte Chauvet fait-elle partie du Patrimoine mondial de l'humanité ?**

Rends-toi sur le site de la grotte Chauvet qui propose une visite virtuelle de la grotte… comme si tu y étais ! Découvre la grotte et admire les peintures réalisées il y a 36 000 ans.

archeologie.culture.fr/chauvet/fr

Il y a 36 000 ans
la **Grotte**
Chauvet-Pont d'Arc
ARDÈCHE

RÉPUBLIQUE FRANÇAISE

Culture
Communication

1 Le point de vue d'un préhistorien

Dans la grotte Chauvet, 1000 dessins, dont 425 figures animales. On trouve les animaux les plus redoutables et les moins chassés : ours et lions des cavernes, rhinocéros laineux, mammouths…

Cette grotte n'était pas un lieu de vie, donc ces œuvres ne sont pas un décor. Par ailleurs, les plus belles fresques se situent au fond de la grotte, à l'endroit le plus dangereux d'accès. Ces humains avaient des torches, des outils, de la peinture. Tout cela avait un sens pour eux, ils ne le faisaient pas pour s'amuser. Était-ce pour guérir des maladies, pour avoir des enfants, pour avoir la santé ?

■ D'après Jean Clottes, interview réalisée par *20 minutes* : « Il était une fois une grotte », avril 2015.

mémo **ART**

▶ **La découverte de la grotte Chauvet**
En 1994, en Ardèche, des spéléologues découvrent une grotte dont les parois sont recouvertes de **peintures exceptionnelles**, vieilles de **36 000 ans**.

▶ Pour les préserver, la grotte est fermée au public, mais une réplique est réalisée à proximité de la grotte originale. En 2014, la grotte Chauvet est inscrite au **Patrimoine mondial de l'humanité par l'Unesco**.

▶ **Les peintures rupestres**
Plusieurs techniques de peinture sont employées :
– gravures et dessins au **fusain de charbon de bois** ;
– **estompe** : couleur écrasée avec les doigts ;
– illusion de mouvement des animaux créée par **la superposition de peintures** ;
– **perspective**, pour donner l'impression de profondeur.

▶ **Qui sont ces artistes ?**
Une étude datant de 2013, basée sur l'analyse des traces de mains sur les parois des grottes, permet de penser que **les artistes préhistoriques seraient des femmes**.

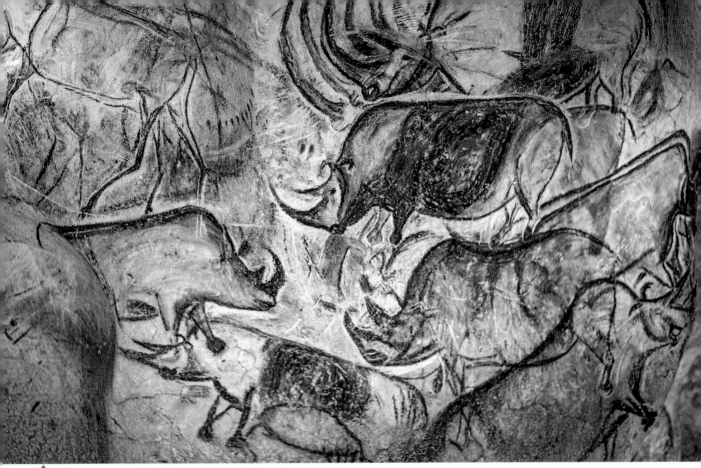

2 Panneau des rhinocéros, salle du fond de la grotte

3 La reconstitution de la grotte :
un exploit scientifique et artistique

Un peintre reproduit les peintures de la grotte Chauvet
dans son atelier (2014).

QUESTIONS

J'exprime mes sentiments

❶ Face à la découverte de la grotte Chauvet, quels mots te viennent à l'esprit pour exprimer ce que tu es en train de découvrir ?

J'analyse l'œuvre

❷ **Doc 1 et 2.** Qu'est-ce qui est représenté sur les parois de la grotte ?

❸ **Mémo Art.** Quelles techniques ont été utilisées par les humains du Paléolithique ?

❹ **Doc 1.** Quel pouvait être le sens de ces représentations ?

Je fais le lien entre art et histoire

❺ À ton avis, pourquoi la grotte Chauvet fait-elle partie du Patrimoine mondial de l'humanité ?

❻ **Doc 3.** Qu'est-ce qui montre qu'elle est préservée ?

SOCLE Compétences
▶ **Domaine 3** : je respecte les autres et j'accepte les différences.
▶ **Domaine 5** : je comprends que le passé éclaire le présent.

Que nous apprennent les scientifiques sur les débuts de l'humanité ?

A Le *Genographic Project*

Le Genographic Project

Lancé en avril 2005, son but est d'analyser des échantillons d'ADN prélevés sur plus de 100 000 personnes à travers les cinq continents afin de réaliser une carte des migrations humaines. Cette enquête a permis de remonter le temps jusqu'à 60 000 ans et de retrouver en Afrique une femme qui serait l'ancêtre maternel commun de tous les êtres humains d'aujourd'hui.

1 Retrouver les migrations de nos ancêtres

La trace génétique, expliquent les auteurs de l'enquête, remonte la piste de l'aventure humaine jusqu'à 60 000 ans en arrière, quelque part au nord-est de l'Afrique, là où se trouverait le berceau de l'humanité. Des changements climatiques obligent alors les humains à bouger. La sécheresse rend le centre de l'Afrique peu confortable.

Certains humains sont partis vers l'est et ont traversé la mer Rouge. D'autres sont partis bien avant, il y a 100 000 ans, et ont gagné le sud du continent africain. Les auteurs affirment avoir retrouvé leur descendance chez les actuels chasseurs-cueilleurs du sud de l'Afrique, que l'on appelle les San (et qui se reconnaissent notamment aux claquements faisant partie des sons de leur langage).

■ Jean-Luc Goudet, *Futura-Sciences*, 28 sept. 2009.

2 Un projet à la recherche de nos origines

Un technicien extrait l'ADN de l'os d'un homme de Neandertal dans le cadre du *Genographic Project*.
Leipzig (Allemagne), 2008.

VOCABULAIRE

▶ **ADN**
Molécule, présente dans toutes les cellules, qui contient l'information génétique permettant le fonctionnement des êtres vivants.

▶ **Génétique**
Science qui étudie les caractères héréditaires des individus, leur transmission au fil des générations et leurs évolutions.

▶ **Génome**
Ensemble des chromosomes et des gènes d'une espèce ou d'un individu.

B Une même humanité

3 Différents en apparence, pareils en réalité

a. Des ancêtres communs

Au fil de [la longue histoire de l'humanité], les peaux se sont éclaircies chez certains, d'autres ont replié leurs paupières supérieures, les tailles ont varié, la pilosité s'est modifiée, mais tous ces changements ne reposent que sur une infime partie du génome. Aujourd'hui, à 99,9 %, les humains sont génétiquement identiques tandis que de minuscules marqueurs témoignent en nous de l'histoire complexe de nos ancêtres.

■ Jean-Luc Goudet, *Futura-Sciences*, 28 sept. 2009.

4 La couleur de la peau, du Paléolithique à aujourd'hui

Les humains originaires d'Afrique ont la peau foncée à cause d'une forte production de mélanine, un pigment responsable de la coloration de la peau et protecteur contre l'ultraviolet (UV), très présent en Afrique en raison du fort ensoleillement.

Dans les pays à faible ensoleillement, ce pigment anti-UV devient nuisible. La sélection a donc fait que dans ces pays, les femmes et les hommes à peau moins foncée survivaient mieux. De génération en génération, le teint s'est alors éclairci. L'homme a donc évolué en seulement quelques dizaines de milliers d'années. Il s'est adapté à son environnement, au climat et à la nourriture.

■ Interview d'Alain Froment, anthropobiologiste, pour l'émission *E = M6* « L'origine de la vie terrestre », diffusée sur M6 le 21 avril 2013.

site élève
⬇ lien vers la vidéo

b. La diversité des hommes et des femmes sur la Terre

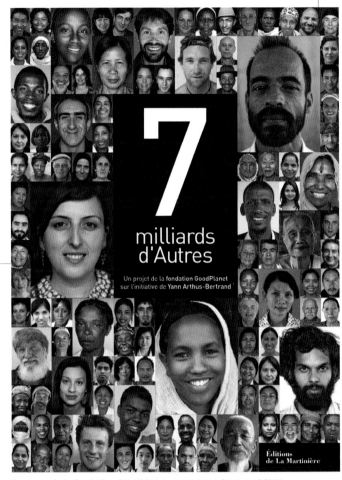

Ouvrage de la fondation GoodPlanet, en partenariat avec l'ONU, pour sensibiliser à la diversité humaine et culturelle dans le monde, 2012.

QUESTIONS

▶ **J'observe les traces du passé**

❶ **Doc 2.** Comment les généticiens recherchent-ils les traces du passé de l'humanité ?

❷ **Doc 1.** Qu'ont-ils découvert ?

▶ **Je fais le lien entre le passé et le présent**

❸ **Doc 3 et 4.** Pourquoi peut-on affirmer que nous sommes tous semblables aux premiers êtres humains, et en même temps tous différents ?

❹ **Doc 3 et 4.** D'après ce que j'ai appris sur l'humanité d'hier et d'aujourd'hui, pourquoi est-ce que je dois respecter les autres et accepter leurs différences ?

Les débuts de l'humanité

→ **Que savons-nous aujourd'hui des débuts de l'humanité et du peuplement de la Terre ?**

A L'Afrique, « berceau de l'humanité »

1. On sait aujourd'hui que nos ancêtres sont apparus en **Afrique** il y a plusieurs millions d'années. Les **archéologues** y ont retrouvé les plus anciens **fossiles préhumains** : **Toumaï** au Tchad (7 millions d'années) et les **australopithèques** dans l'Est de l'Afrique (3 millions d'années).

2. Les plus anciens êtres humains, appelés **« Homo »**, apparaissent il y a **2,5 millions d'années**. Un climat froid et sec fait disparaître la forêt. Certains s'adaptent à leur nouveau milieu et se redressent (*Homo erectus*). Ils deviennent **bipèdes** et transforment leurs pattes avant en bras et en mains. Ils ont un cerveau suffisamment développé pour fabriquer des **outils** (*Homo habilis*), **parler**, vivre en **groupes** (*Homo sapiens*). Nous descendons directement d'eux.

B Les humains peuplent la Terre

1. Les archéologues pensent que les premiers humains ont quitté l'Afrique il y a environ **2 millions d'années**. Des **fossiles** et des outils datant de ces **premières migrations** ont été découverts sur **tous les continents**.

2. À partir des traces retrouvées, les archéologues ont reconstitué la vie des premiers humains. Ils étaient des **nomades**, vivant de **chasse**, de **pêche** et de **cueillette**. Leurs **habitats** étaient **temporaires** (huttes ou entrées de grottes). Ils fabriquaient des **outils en pierre taillée, en os, en bois**... Leur alimentation se composait essentiellement de viande, consommée crue jusqu'à **l'invention du feu, il y a 450 000 ans**. Les **peintures rupestres** retrouvées dans des grottes, ainsi que des statuettes, laissent penser qu'ils avaient des **croyances**.

C Que reste-t-il aujourd'hui du Paléolithique ?

1. Il y a 40 000 ans, les êtres humains du **Paléolithique** ont réalisé des **peintures sur les parois des grottes** partout dans le monde. Elles sont aujourd'hui classées au **Patrimoine mondial de l'Unesco**.

2. Grâce à la **génétique**, on sait aujourd'hui que **tous les humains descendent du même ancêtre**. L'analyse d'échantillons d'**ADN** prélevés sur des milliers de personnes à travers les cinq continents permet d'affirmer que **99,9 % des êtres humains sont génétiquement identiques**. Nous appartenons tous à une seule espèce, l'espèce **humaine**, quelle que soit notre couleur de peau.

D'où vient le mot...

PALÉOLITHIQUE ?

Du grec *paleo*, « ancien », et *lithos*, « pierre ». Période de la « pierre ancienne », ou taillée. Cette période commence à l'époque où les humains créent les premiers outils, il y a environ 3 millions d'années, et s'achève au Néolithique (âge de la pierre polie), vers 10 000 ans avant J.-C.

VOCABULAIRE

▸ **ADN**
Molécule, présente dans toutes les cellules, qui contient l'information génétique permettant le fonctionnement des êtres vivants.

▸ **Archéologue**
Personne qui effectue des fouilles pour retrouver les traces des populations du passé.

▸ **Fossiles**
Traces ou restes de plantes ou d'animaux conservés dans les anciennes couches du sol. Les fossiles humains sont étudiés par des scientifiques comme les paléoanthropologues.

▸ **Génétique**
Science qui étudie les caractères héréditaires des individus, leur transmission au fil des générations et leur évolution.

▸ **Nomade**
Personne qui se déplace pour se nourrir (chasse, cueillette, pêche) et qui n'a pas d'habitat fixe.

Les débuts de l'humanité : le paléolithique

Quand ?

- **7 millions d'années** : les hominidés.
- **2 millions d'années** : l'espèce *Homo*.
- **200 000 ans** : *Homo sapiens*, l'être humain d'aujourd'hui.

Où ?

- En **Afrique**, « berceau de l'humanité ».
- Ensuite sur **tous les continents**, par des **migrations** depuis l'Afrique.

Les premiers humains

- Une vie nomade
  - Des chasseurs-cueilleurs-pêcheurs
  - Habitats temporaires (huttes, entrées de grottes)
  - Vie en **groupes**

- **Des inventions**
  - **Outils** en pierre taillée, en os et en bois
  - **Feu** (vers 450 000)
  - **Premiers arts** : peintures rupestres des grottes, statuettes

Nos ancêtres

- Des traces aujourd'hui : **fouilles archéologiques** et analyse des **fossiles** humains par des paléontologues.

- Analyse de leur ADN par les **généticiens** : sa comparaison avec la nôtre **montre qu'ils sont identiques.**

- Nous appartenons à la même espèce, **L'espèce humaine :** différents en apparence, mais **identiques** en réalité.

● **Je vérifie que je connais les principaux repères du chapitre.**

Je sais définir et utiliser dans une phrase :

- paléolithique
- *Homo sapiens*
- peinture rupestre

site élève
⬇ fond de cartes et frise

Je sais situer et localiser :

▶ **dans le temps, sur une frise :**
- l'apparition des premiers humains ;
- l'apparition *de l'Homo sapiens* ;
- l'invention du feu.

▶ **dans l'espace, sur une carte :**
- le « berceau de l'humanité » ;
- les migrations des humains du Paléolithique ;
- deux grands sites paléolithiques.

Je sais expliquer :

▶ comment on connaît les débuts de l'humanité.

▶ comment les humains du Paléolithique ont peuplé la Terre.

▶ quelle est la vie quotidienne des femmes et des hommes du Paléolithique.

Comment apprendre ma leçon ?

J'organise mes révisions en fonction de ma façon d'apprendre

Apprendre, tout le monde en est capable ! Il suffit juste de trouver les bonnes méthodes, de savoir créer les bons outils et surtout d'apprendre à se connaître.

Si je retiens mieux ce que je vois et écris, j'ai plutôt une mémoire visuelle.

Pour réviser efficacement, je peux...
- ➡ **Souligner** les mots importants dans ma fiche de révision.
- ➡ Organiser ce que je dois apprendre sous forme de **schéma, carte mentale**.
- ➡ Regarder **des vidéos**.

❗ Ne surcharge pas trop tes documents (textes, images) et travaille dans un **endroit calme**.

Si je retiens mieux lorsque je suis en activité et en mouvements, j'ai plutôt une mémoire corporelle.

Pour réviser efficacement, je peux...
- ➡ **Me déplacer** lorsque je révise (dans ma chambre, dehors).
- ➡ Apprendre en **associant des idées à des mouvements** ou des gestes.
- ➡ Reproduire ce que j'ai appris sous forme de **maquette, d'affiche**...

❗ Ne reste pas assis des heures si tu ne retiens rien !

Si je retiens mieux ce que j'entends, j'ai plutôt une mémoire auditive.

Pour réviser efficacement, je peux...
- ➡ **Lire à voix haute** la leçon, les consignes...
- ➡ **Répéter** à une autre personne ce que j'ai appris et compris.
- ➡ **M'enregistrer** lorsque je lis la leçon, puis écouter plusieurs fois mon enregistrement.

❗ Fais attention au bruit qui peut te déranger.

Le cerveau nous réserve de belles surprises ! Il est capable de s'adapter aux nouvelles expériences. Tu peux apprendre à travailler d'une façon différente de ton habitude et ainsi développer ta capacité de mémorisation.

site élève
⬇ quiz interactif

Retrouve un quiz sur le site Nathan qui te permettra de mieux connaître ton type de mémoire, et donc ta manière d'apprendre !

collegien.nathan.fr/hg6

Je vérifie mes connaissances

1 Je révise le vocabulaire du chapitre.

Relie chaque espèce d'hominidé à une caractéristique qui lui correspond.

Homo sapiens ●   ● Il est le premier du genre *Homo* à fabriquer des outils.

Australopithèque ●   ● Il est sorti d'Afrique et s'est établi en Asie et en Europe
il y a 2 millions d'années.

Homo habilis ●   ● C'est la seule espèce humaine sur Terre aujourd'hui.

Homo erectus ●   ● Les archéologues n'en ont retrouvé qu'en Afrique.

2 Je raconte à partir des images.

**Rédige une phrase ou explique oralement ce que chaque document,
issu du chapitre, t'a appris sur la vie des premiers humains.**

a.

b.

c.

3 Je connais les repères historiques.

**Pour chacun de ces repères, fais une phrase
qui réponde aux questions afin de montrer
que tu as compris ta leçon.**

● **Le feu :**
Quand ? Qui ?

● **Australopithèque :**
Qui ? Quand ? Où ?

● **Les premiers
êtres humains :**
Quand ? Où ?

● **Homo sapiens :**
Qui ? Quand ? Où ?

● **Peintures
rupestres :**
Où ? Quand ?
Qui ?

● **Migrations
des premiers
êtres humains :**
Où ? Quand ? Qui ?

4 Incollable sur le Paléolithique ?

**Teste tes connaissances avec le quiz de l'Inrap
« Évolution, espèces, ancêtres ».**

www.inrap.fr/archeologie-preventive/Ressources/Quiz/
p-19748-Evolution-especes-ancetres.htm

Evolution, espèces, ancêtres

De Lucy, Toumaï ou Cro-magnon, lequel est le plus
ancien ?
À vous de le découvrir !

JOUEZ ›

5 Retrouve d'autres exercices sous forme interactive sur le site Nathan.

site élève
exercices interactifs

Exercices

1 Je formule des hypothèses sur la migration d'*Homo sapiens* en Australie et je les vérifie

↳ SOCLE : Domaine 4

L'archéologie prouve que les *Homo sapiens* étaient déjà présents en Australie il y a **60 000 ans**. **Mais comment s'y sont-ils rendus ?**

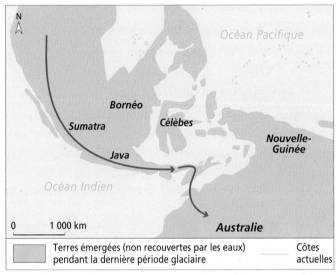

Les terres émergées lors des grandes glaciations

QUESTIONS

❶ Pour se rendre sur le continent australien, quel chemin fallait-il prendre ? Quels moyens utiliser ?

❷ Quelle condition climatique aurait facilité la migration de l'Homo sapiens vers le continent australien ?

❸ Vérifie tes hypothèses grâce à l'article d'un archéologue sur le sujet distribué par ton professeur.

2 J'exerce mon esprit critique

↳ SOCLE : Domaine 3

Cette image réalisée en 1965, n'est pas conforme à ce que nous savons aujourd'hui de l'évolution des humains.

Une représentation erronée de l'évolution des humains

❶ Chimpanzé
❷ Australopithèque
❸ Homme de Neandertal
❹ *Homo sapiens*, Cro-Magnon
❺ Homme moderne

QUESTIONS

Grâce à ce que tu as appris dans ce chapitre, trouve trois erreurs commises par le dessinateur en 1965. Pour cela, complète les phrases suivantes.

1. *Le dessin me fait penser que le chimpanzé est notre ancêtre. C'est faux, car* ....

2. *Le dessin me fait penser que* .... *C'est faux, car l'homme de Neandertal a vécu en même temps que l'Homo sapiens.*

3. *Les hommes représentés ont tous la peau blanche. C'est faux, car* ....

③ Je m'informe dans le monde du numérique sur l'homme de Tautavel

↳ SOCLE : Domaine 2

▶ **Étape 1**

Rends-toi sur le site du ministère de la Culture consacré à l'homme de Tautavel.
Clique sur la rubrique « La Caune de l'Arago ».

❶ Qu'est-ce que la Caune de l'Arago ?
Où se situe-t-elle ?

❷ Quand et comment ce site a-t-il été occupé ?

▶ **Étape 2**

Reviens à l'accueil, puis clique sur la rubrique « Le mode de vie et le comportement ».

❸ Comment se nourrissait l'homme de Tautavel ?

▶ **Étape 3**

Grâce à tes découvertes et à tes réponses aux questions 1 à 3, recopie et complète le tableau suivant pour comprendre comment vivait l'homme de Tautavel il y a 450 000 ans.

Quels sont les avantages de cette grotte pour l'homme de Tautavel ?	
Que sait-on du climat à son époque ?	
Que sait-on de la faune à son époque ?	
Que sait-on de son alimentation ?	
Que sait-on des outils qu'il utilisait ?	
Que sait-on de ses déplacements autour de son campement ?	

MON BILAN DE COMPÉTENCES

Domaine du socle	Compétences travaillées	Pages du chapitre
D1 Les langages pour penser et communiquer	• Je sais extraire les informations pertinentes d'un document • Je comprends le langage des arts	J'enquête .... p. 18-19 Parcours arts .... p. 20-21
D2 Méthodes et outils pour apprendre	• Je sais travailler en groupe • Je sais utiliser des outils de recherche numériques • J'organise mon travail personnel	J'enquête .... p. 18-19 Exercice 3 .... p. 29 Apprendre à apprendre ...... p. 26
D3 La formation de la personne et du citoyen	• Je respecte les autres et j'accepte les différences • J'exerce mon esprit critique	D'hier à aujourd'hui .... p. 22-23 Exercice 2 .... p. 28
D4 Les systèmes naturels et les systèmes techniques	• Je sais formuler et vérifier des hypothèses	Je découvre .... p. 16-17 Exercice 1 .... p. 28
D5 Les représentations du monde et l'activité humaine	• Je sais me repérer dans le temps et dans l'espace • Je comprends que le passé éclaire le présent	Je me repère .... p. 14-15 Je découvre .... p. 16-17 D'hier à aujourd'hui .... p. 22-23

2 La « révolution » néolithique

→ Au cours de la Préhistoire, comment la vie des populations est-elle transformée par l'invention de l'agriculture et de l'élevage ?

À l'école primaire

Au CM1, avec ma classe, j'ai mené l'enquête pour retrouver des traces des populations de la Préhistoire dans mon environnement proche.

En 6ᵉ

Chapitre 1
J'ai étudié le peuplement de la Terre et la vie des chasseurs-cueilleurs au Paléolithique.

Ce que je vais découvrir

Au Néolithique, les femmes et les hommes deviennent des paysans et se regroupent en villages.

1 Les populations se regroupent en villages...

Le village de Chalain (Jura, France) a été fondé vers 3000 avant J.-C.

1 Poteaux en bois d'origine sur lesquels reposaient les maisons.

2 Maison reconstituée. Le village était entouré d'une palissade en bois.

Chalain
France

Grottes de
Tassili des Ajjer
Algérie

Le sais-tu ?

Dès la Préhistoire, les femmes et les hommes apprivoisent les animaux, pas seulement pour les consommer. Le chien est le premier animal domestiqué par les humains !

2 **... et pratiquent des activités agricoles**

Peinture sur la roche des grottes du Tassili des Ajjer (Sahara, actuelle Algérie), vers 4000 avant J.-C.

Le Néolithique, une « révolution » mondiale

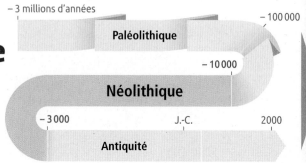

- 3 millions d'années — 100 000

Paléolithique

- 10 000

Néolithique

- 3 000   J.-C.   2000

Antiquité

D'où vient le mot...
NÉOLITHIQUE ?
Du grec *neo*, « nouveau »,
et *lithos*, « pierre ». Période
de la « pierre nouvelle », où
apparaissent des outils en
pierre polie (alors qu'au
Paléolithique, elle était
seulement taillée)
et où l'agriculture et
l'élevage sont
inventés.

VOCABULAIRE

▸ **« Révolution » néolithique**
Passage progressif d'un mode
de vie nomade basé sur la chasse
et la cueillette à un mode de vie
sédentaire, fondé sur l'agriculture,
l'élevage et la fabrication d'outils
en pierre polie.

QUESTIONS

▸ **Je me repère dans le temps
et dans l'espace**

❶ Quand la « révolution » néolithique
se déroule-t-elle ? Combien de temps
dure-t-elle environ ?

❷ Où apparaissent les premiers
foyers d'invention de l'agriculture
et de l'élevage ?

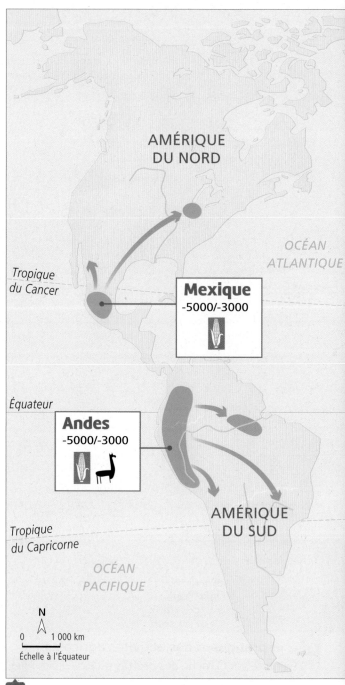

AMÉRIQUE
DU NORD

OCÉAN
ATLANTIQUE

Tropique
du Cancer

Mexique
-5000/-3000

Équateur

Andes
-5000/-3000

AMÉRIQUE
DU SUD

Tropique
du Capricorne

OCÉAN
PACIFIQUE

N

0   1 000 km

Échelle à l'Équateur

1 L'apparition de l'agriculture et de l'élevage

−12 000	−11 000	**−10 000**	−9 000	−8 000	−7 000	−6 000	−5 000	−4 000	−3 000

Néolithique

Premiers villages

Domestication (plantes et animaux)

Premiers paysans

Révolution néolithique

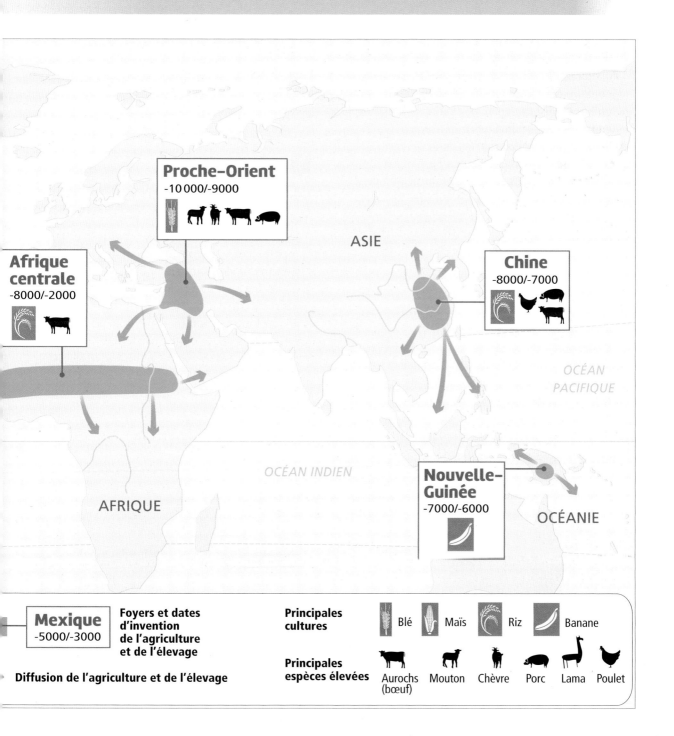

Proche-Orient
-10 000/-9 000

ASIE

Afrique centrale
-8000/-2000

Chine
-8000/-7000

OCÉAN PACIFIQUE

OCÉAN INDIEN

Nouvelle-Guinée
-7000/-6000

AFRIQUE

OCÉANIE

Mexique
-5000/-3000

Foyers et dates d'invention de l'agriculture et de l'élevage

Diffusion de l'agriculture et de l'élevage

Principales cultures : Blé, Maïs, Riz, Banane

Principales espèces élevées : Aurochs (bœuf), Mouton, Chèvre, Porc, Lama, Poulet

Je découvre

SOCLE Compétences
- ▶ **Domaine 1 :** je m'exprime à l'oral et à l'écrit.
- ▶ **Domaine 5 :** j'identifie des activités humaines au cours d'une période de l'histoire.

Les premiers paysans de l'humanité

Question clé Comment les êtres humains du Néolithique deviennent-ils des paysans ?

1 Domestiquer la nature

On pense que l'agriculture est très ancienne et puise ses origines dans des pratiques antérieures au Néolithique. Par exemple, on sait que vers 12 500 avant J.-C., les chasseurs-cueilleurs[1] du Proche-Orient utilisent des céréales sauvages pour faire de la farine. Plus tard, ils mettent en pratique ce qu'ils ont appris en observant la nature : ils plantent les graines pour les faire pousser. À la moisson, les épis de blé les plus résistants sont sélectionnés. C'est ainsi qu'en l'espace de deux mille ans sont nées les espèces domestiques de céréales et la pratique de l'agriculture.

■ D'après Anne Augereau et Loïc Méhée, *Le Néolithique à petits pas*, Actes Sud Junior, 2014.

1. Voir chapitre 1 p.24.

2 Domestiquer les animaux sauvages

Un long processus est mis en œuvre pour domestiquer certains animaux, choisis d'abord pour leur caractère assez calme : de temps à autre, des moutons, des chèvres, des aurochs sont attrapés et mis dans des enclos, d'abord pour servir de réserve de chasse ; puis parmi eux, certains jeunes animaux sont choisis pour être apprivoisés.

■ D'après Anne Augereau et Loïc Méhée, *Le Néolithique à petits pas*, Actes Sud, 2014.

1,80 m
1,50 m
1,30 m

❶ Aurochs sauvage du Néolithique.

❷ Aurochs domestiqué (bœuf) du Néolithique.

VOCABULAIRE

▶ **Agriculture**
Travail de la terre pour produire des plantes et élever des animaux.

▶ **Élevage**
Activité humaine qui consiste à élever des animaux.

3 Défricher les forêts

« Défricher » signifie détruire la végétation avant de mettre une terre en culture.

Pour bâtir leurs villages, cultiver et faire paître leurs troupeaux, les hommes et les femmes néolithiques ont eu besoin d'espace. Par le feu et la hache à lame de pierre, ils ont troué les forêts. [...]

L'Homme modifie le paysage pour la première fois de sa longue existence.

■ D'après Jean Guilaine, « L'héritage néolithique », *Sciences Humaines*, n° 227, juin 2011.

POUR ALLER PLUS LOIN

● **Film**

site élève
⬇ lien vers la vidéo

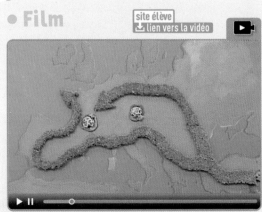

L'invention de l'agriculture
C'est pas sorcier, France TV Éducation, 26 mars 2014.

4 La fabrication de nouveaux outils

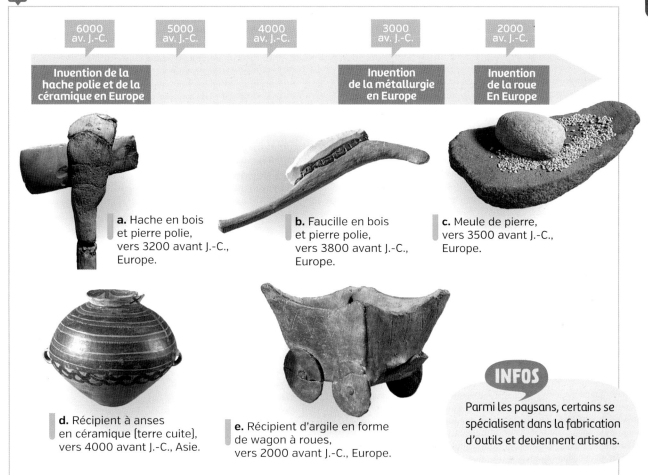

6000 av. J.-C. **5000 av. J.-C.** **4000 av. J.-C.** **3000 av. J.-C.** **2000 av. J.-C.**

Invention de la hache polie et de la céramique en Europe

Invention de la métallurgie en Europe

Invention de la roue En Europe

a. Hache en bois et pierre polie, vers 3200 avant J.-C., Europe.

b. Faucille en bois et pierre polie, vers 3800 avant J.-C., Europe.

c. Meule de pierre, vers 3500 avant J.-C., Europe.

d. Récipient à anses en céramique (terre cuite), vers 4000 avant J.-C., Asie.

e. Récipient d'argile en forme de wagon à roues, vers 2000 avant J.-C., Europe.

INFOS

Parmi les paysans, certains se spécialisent dans la fabrication d'outils et deviennent artisans.

Activités

Question clé : Comment les êtres humains du Néolithique deviennent-ils des paysans ?

ITINÉRAIRE 1

OU

ITINÉRAIRE 2

▶ **Je prélève des informations dans les documents**

❶ **Doc 1 et 3.** Comment les humains du Néolithique ont-ils agi sur la nature pour devenir des agriculteurs ?

❷ **Doc 2 et 3.** Comment sont-ils devenus des éleveurs ?

❸ **Doc 4.** À quoi peut servir chacun de ces outils pour le paysan ? Utilise les verbes suivants : *stocker, moudre, défricher, récolter, transporter*.

▶ **J'argumente à l'écrit**

❹ À l'aide des questions 1 à 3, réponds en quelques phrases à la question clé.

▶ **Je m'exprime à l'oral**

En groupe, à l'aide des documents, préparez un exposé pour répondre à la question clé.

MÉTHODE

Réalisez un diaporama qui servira de support à votre exposé. Vous pouvez suivre le plan suivant :

Écran 1. Devenir un agriculteur (Doc 1 et 3)

Écran 2. Devenir un éleveur (Doc 2 et 3)

Écran 3. De nouveaux outils (Doc 4)

TÂCHE COMPLEXE

SOCLE Compétences
▶ **Domaine 1 :** j'extrais des documents les informations pertinentes.
▶ **Domaine 2 :** je comprends le sens d'une consigne.

Au Néolithique, un nouveau mode de vie

CONSIGNE

À la manière d'un reporter, tu pars à la découverte du mode de vie des paysans du Néolithique. Pour mener ton enquête, tu te rends sur des lieux de fouilles archéologiques et tu utilises les informations que t'ont transmises des archéologues spécialistes de cette période.

Sous la forme d'un article, tu présentes ton enquête : « Le nouveau mode de vie des paysans du Néolithique ».

VOCABULAIRE

▶ **Sédentaire**
Personne qui vit dans un habitat fixe, à la différence du nomade.

1 Vestiges d'un village au Proche-Orient

a. Vestiges du village néolithique de Khirokitia (île de Chypre), construit vers 7000 avant J.-C.

b. Reconstitution du village de Khirokitia.

INFOS

En raison de leurs activités agricoles, les paysans du Néolithique deviennent sédentaires, **se regroupent en villages et forment des familles**. Chacune dispose d'une maison.

❶ Foyer qui apporte lumière et chaleur.
❷ Espace de rangement.
❸ Espaces de couchage.

2 Pièce centrale d'une maison néolithique en Europe

Vestiges du village néolithique de Skara Brae (Écosse), fondé vers 3500 avant J.-C.

4 Faire la guerre

Reconstitution du corps retrouvé par les archéologues, musée de Bolzano (Italie).

3 Honorer les morts

Les défunts les plus riches sont honorés. Ils semblent avoir été assimilés à des divinités qui veillent sur la communauté.

Tombe d'un chef, vers 4500 avant J.-C., retrouvée à Varna (actuelle Bulgarie).

INFOS

En 1991, le corps momifié et congelé d'un homme du Néolithique (vers 4000 avant J.-C.), a été découvert dans les Alpes, à plus de 3 000 m d'altitude. Il a été surnommé « Ötzi ». L'examen de son corps a montré qu'il a sans doute été tué par une flèche reçue dans l'épaule.

site élève
↧ lien vers le site

http://www.culture.gouv.fr/culture/arcnat/chalain/fr/index2.html

LE VILLAGE
L'ESPACE VILLAGEOIS

5 Un village en Europe (vers 3500 avant J.-C.)

Consulte le site du ministère de la Culture intitulé « Les Hommes des lacs. Vivre à Chalain et à Clairvaux il y a 5000 ans », qui décrit le quotidien des femmes et des hommes du Néolithique et la vie de leur village.

COUP DE POUCE

Pour t'aider à rédiger ton enquête, recopie et complète le tableau suivant.

	Doc 1	Doc 2	Doc 3	Doc 4	Doc 5
Où vivent les paysans du Néolithique ?			–	–	
Comment vivent-ils ensemble ?	–			–	
Quelles traces archéologiques témoignent de violences entre eux ?	–	–	–		–

Que reste-t-il aujourd'hui du Néolithique ?

A Des traces dans les paysages

INFOS

Un **cairn** ou **tumulus** est un monticule de terre ou de pierres, qui recouvre une ou plusieurs tombes du Néolithique, appelées **dolmens**.

1 **Le cairn de Gavrinis (vers 4000 avant J.-C.)**
Situé en Bretagne (France), ce vestige est conservé et visité.

2 **Avec les archéologues, le passé reprend vie**
Des archéologues fouillent un site néolithique de la vallée de l'Euphrate (Syrie), en 2006.

site élève
↪ lien vers le site

www.inrap.fr/archeozoom

3 **Des sites dans toute la France**

Rends-toi sur le site de l'Inrap. Sélectionne la période « Néolithique » et recherche un site de fouilles proche de chez toi !

B L'héritage du Néolithique dans l'agriculture

site élève
⬇ lien vers la vidéo

4 Les archéologues sur les traces des premiers paysans
« Sur nos traces », Arte/Inrap.

5 Les premières cultures du Néolithique

INFOS

Que mangeons-nous aujourd'hui ?
Notre alimentation végétale est basée sur les **trois principales céréales** : le blé, le riz, le maïs. La viande que nous mangeons provient essentiellement **d'animaux domestiqués**.

b. Un champ de blé au Proche-Orient (2015).

a. Récolte du maïs au Mexique (2007).

→ doc 1 p. 32-33

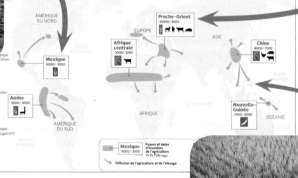

c. Une paysanne plante du riz dans une rizière au Vietnam (2010).

QUESTIONS

▶ J'observe les traces du passé

❶ Doc 1 à 3. Comment connaît-on la vie des hommes et des femmes du Néolithique ?

❷ Doc 1 à 3. À ton avis, pourquoi est-il important de préserver ces traces ?

▶ Je fais le lien entre le passé et le présent

❸ Doc 4 et 5. Au Néolithique, où cultivait-on le blé, le maïs et le riz ? Que constates-tu aujourd'hui ?

❹ Maintenant que tu connais la façon dont vivaient les femmes et les hommes du Néolithique, quels autres points communs peux-tu observer entre leur mode de vie et le nôtre ? Recherche dans les documents du chapitre pour justifier ta réponse.

La « révolution » néolithique

→ Au cours de la Préhistoire, comment la vie des populations est-elle transformée par l'invention de l'agriculture et de l'élevage ?

A Les premiers paysans de l'humanité

1. Au **Paléolithique**, les hommes et les femmes sont des **nomades chasseurs-cueilleurs** [→ **Chapitre 1**]. Vers **10 000 avant J.-C.**, ils commencent à récolter des graines dans la nature, qu'ils **sèment et cultivent**. Ils **apprivoisent des animaux sauvages** et les **élèvent**. Ainsi, ils produisent leur nourriture et deviennent **agriculteurs et éleveurs**. C'est une « **révolution** ».

2. Mieux nourries, les populations du Néolithique augmentent et se répandent à travers le monde. Entre 9000 et 5000 avant J.-C., **l'agriculture et l'élevage** se développent, d'abord au **Proche-Orient**, puis sur **tous les continents**. Les paysans cultivent des **céréales** [blé, riz, maïs, millet...] et des **légumes** [haricot, pomme de terre...]. Ils élèvent des **animaux** [bœufs, porcs, moutons...].

B La vie sédentaire

1. En raison de leurs activités agricoles, les populations se regroupent en villages : elles deviennent **sédentaires**. Elles défrichent les forêts pour exploiter la terre et construisent des **villages** qui peuvent atteindre plusieurs milliers d'habitants. Les **maisons**, en pierre ou en bois, réunissent les premières **familles**.

2. Parmi les paysans, certains deviennent **artisans**. Ils inventent de nouveaux **outils en silex poli** : **haches** pour couper le bois et défricher, **faucilles** pour récolter les céréales, **araires** pour travailler la terre... Ils inventent la **roue** et fabriquent des **poteries en céramique** pour stocker les aliments.

C Une nouvelle vie en société

1. Dans le village, des **règles** sont mises en place pour **vivre ensemble**. Des **inégalités** apparaissent, visibles dans les tombes où les chefs se distinguent par la présence d'**objets de prestige** [bijoux...]. Entre les communautés villageoises, des tensions existent, dont témoignent les fouilles archéologiques : **fortifications** autour des villages, **armes** en pierre ou en métal, traces de **violences** sur les corps retrouvés.

2. Les **paysans du Néolithique** nous ont transmis leurs **méthodes agricoles**, que nous avons modernisées. Nous nous nourrissons toujours de **céréales**, de **viande** et de **légumes**, les **villages** sont toujours présents. Dans les paysages, des **traces du Néolithique** demeurent, par exemple les **mégalithes** et l'**art rupestre**, qui sont peut-être le signe de **croyances religieuses**.

Le sais-tu ?

En histoire, on appelle « **révolution** » une évolution lente du mode de vie qui aboutit à un **changement complet de la manière de vivre**. Pour le Néolithique, on parle de « révolution » car les nomades chasseurs-cueilleurs du Paléolithique sont devenus **des sédentaires agriculteurs-éleveurs**.

VOCABULAIRE

▸ **Agriculture**
Travail de la terre pour produire des plantes et élever des animaux.

▸ **Art rupestre**
Peinture ou gravure réalisée en plein air sur des parois rocheuses.

▸ **Artisan**
Personne qui fabrique des objets à la main.

▸ **Mégalithe**
Du grec *mega*, « grand », et *lithos*, « pierre ». Pierres dressées [menhir] ou énormes tables de pierre correspondant à des tombes collectives. Elles sont la preuve d'une main-d'œuvre nombreuse et organisée.

▸ **Sédentaire**
Personne qui vit dans un habitat fixe, à la différence du nomade.

La « révolution » néolithique

Quand ?
- À la **fin de la** **Préhistoire.**
- Entre **10 000** et **5000** avant J.-C.

Où ?
- D'abord au **Proche-Orient.**
- Puis sur **tous les continents.**

Les premiers paysans de l'humanité

- **Naissance de l'agriculture :** les humains font pousser leur nourriture (céréales, légumes…).

- **Naissance de l'élevage :** les humains élèvent leurs propres animaux (aurochs, mouton, porc…).

- **Naissance de l'artisanat :** invention de nouveaux outils (hache en pierre polie, roue…).

Une vie nouvelle, sédentaire

- **Sédentarisation :** regroupement en villages, par familles.

- **Une nouvelle société :** premières règles pour vivre ensemble et apparition des inégalités (chefs à la tête des villages).

- Des **croyances** (mégalithes) et des **œuvres d'art** (art rupestre).

Je révise chez moi

● **Je vérifie que je connais les principaux repères du chapitre.**

Je sais définir et utiliser dans une phrase :
- agriculture
- élevage
- sédentaire

Je sais situer :
- ▶ **dans le temps :** l'invention de l'agriculture et de l'élevage
- ▶ **dans l'espace :** les foyers d'apparition de l'agriculture dans le monde

site élève
⬇ fond de carte et frise

Je sais expliquer :
- ▶ comment les hommes et les femmes du néolithique deviennent des paysans.
- ▶ pourquoi et comment ils se regroupent en villages.
- ▶ ce qu'est la « révolution néolithique ».

Comment apprendre ma leçon ?

J'apprends à réaliser une carte mentale

**Une carte mentale est un très bon outil pour mémoriser une leçon.
C'est une représentation visuelle de tout ce qui a été appris.**

▶ Étape 1

- Prends une feuille au format paysage.
Écris au centre **le titre du chapitre**.

En construisant ta carte
mentale, tu réfléchis pour
comprendre le cours :
cela va t'aider à le mémoriser !

▶ Étape 2

- Dessine des branches
qui représentent les principaux
thèmes du chapitre. Tu peux choisir
une couleur différente par branche.

▶ Étape 3

- Complète ta carte mentale
grâce à la boîte à idées ci-contre
et à ce que tu as appris
avec ton professeur.

- Tu peux écrire ou dessiner les mots
importants : choisis ce qui t'aide
le mieux à retenir.

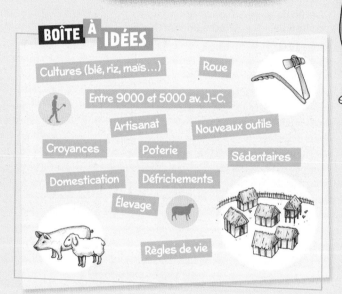

BOÎTE À IDÉES

Cultures (blé, riz, maïs…) Roue
Entre 9000 et 5000 av. J.-C.
Artisanat Nouveaux outils
Croyances Poterie Sédentaires
Domestication Défrichements
Élevage
Règles de vie

💡 Sur un même sujet, plusieurs cartes mentales
sont possibles : il peut y avoir autant de cartes
mentales que d'élèves.

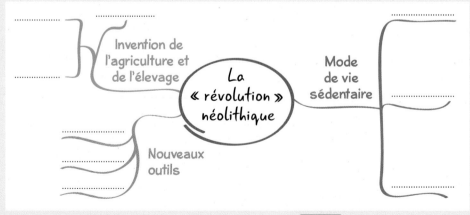

Invention de
l'agriculture et
de l'élevage

Mode
de vie
sédentaire

La
« révolution »
néolithique

Nouveaux
outils

Un exemple de carte mentale à compléter.

site élève
⬇ carte mentale
à compléter

Je vérifie mes connaissances

1 Je révise le vocabulaire en complétant ces mots croisés.

site élève
↧ grille à imprimer

1. Monument de pierre.

2. Personne qui vit dans un habitat fixe.

3. Personne qui recherche et étudie les traces du passé.

4. Personne qui fabrique des objets à la main.

5. Activité humaine qui consiste à cultiver la terre.

6. Activité humaine qui consiste à élever des animaux.

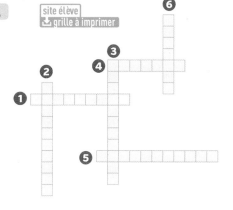

2 Je raconte à partir d'images.

Rédige une phrase ou explique oralement ce que chaque document, issu du chapitre, t'a appris sur la vie des hommes et des femmes du Néolithique.

a. b. c.

3 J'indique la ou les bonne(s) réponse(s).

1. Le premier foyer d'apparition de l'agriculture et de l'élevage est :
- [a] l'Amérique.
- [b] le Proche-Orient.
- [c] la Chine.

2. Les hommes et les femmes du Néolithique :
- [a] inventent l'écriture.
- [b] ont des croyances.
- [c] ont des chefs.

3. Comment se nourrit-on au Néolithique ?
- [a] De la chasse et de la cueillette uniquement.
- [b] De céréales.
- [c] De la viande des animaux domestiques.

4 Aide cet élève à améliorer son devoir.

Recopie chacune des phrases suivantes et ajoute un complément d'information pour justifier le mot souligné.

Ex : On peut dire que les hommes et les femmes du Néolithique sont des artisans.
> *On peut dire que les hommes et les femmes du Néolithique sont des artisans car ils inventent et fabriquent de nouveaux objets.*

a. On peut dire que les hommes et les femmes du Néolithique sont sédentaires.

b. On peut dire que les hommes et les femmes du Néolithique deviennent des paysans.

c. On peut dire que le Néolithique est une révolution.

5 Retrouve d'autres exercices sous forme interactive sur le site Nathan.

site élève
↧ exercices interactifs

1 J'étudie un site de fouilles archéologiques

↳ **Socle** : Domaine 5

FRANCE

Montpellier
Hérault

1 Un site de fouille dans l'Hérault

Un archéologue fouille une fosse datant de la fin du Néolithique (environ 2900 avant J.-C.) sur le site de la Cavalade (près de Montpellier), 2013

a. Fragments de vase en céramique décorée

b. Perle en calcaire.

c. Fragments de couteaux en silex

2 Objets retrouvés lors de cette fouille en 2013

QUESTIONS

❶ **Doc 1.** Où cette photographie a-t-elle été prise ?

❷ **Doc 2.** De quand datent ces objets ?

❸ **Doc 2.** Décris les différentes photographies.

❹ **Doc 2.** Que nous apprennent ces objets sur les activités pratiquées par les habitants de ce site à la fin du Néolithique ?

❺ À ton avis, quel est l'intérêt de fouiller des sites du Néolithique ?

2 J'utilise un outil numérique sur la révolution néolithique en France

↳ SOCLE : Domaine 2

Rends-toi sur le site de l'Inrap et fais défiler la frise jusqu'au Néolithique.

❶ Quand la « révolution » néolithique commence-t-elle en France et quand se termine-t-elle ?

❷ Quand les premiers villages sédentaires apparaissent-ils ?

Clique sur « En savoir plus ».

❸ Lis l'article « Subsistance, économie, commerce ».
De quoi vivent les humains du Néolithique en France ?

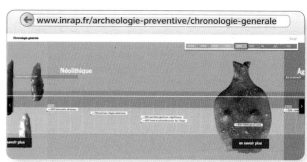

❹ Consulte le thème « Occupations, habitats, logements ».
À quoi ressemblent les maisons du Néolithique dont les traces ont été retrouvées en France ?

3 J'extrais des informations du texte d'un archéologue sur Ötzi

↳ SOCLE : Domaine 1

On l'a d'abord cru mort de froid mais on s'est ensuite rendu compte qu'il avait reçu dans l'épaule un projectile mortel. Il semble aussi qu'il se soit battu avec plusieurs personnes.

On suppose aujourd'hui qu'Ötzi aurait pu être tué à basse altitude et sa dépouille placée dans une tombe provisoire. Plus tard, son corps aurait été transporté sur un sommet alpin (peut-être sur un territoire revendiqué par les siens) et mis en terre avec tout son équipement, celui-ci étant pour partie symbolique (son arc et la plupart de ses flèches n'étaient pas fonctionnels).

◼ D'après Laurent Testot, « L'héritage néolithique. Entretien avec Jean Guilaine », *Sciences Humaines*, n°227, juin 2011.

QUESTIONS

❶ Reporte-toi au **doc 4 p. 37**. Pourquoi les archéologues ont d'abord pensé qu'Ötzi était mort de froid ?

❷ À ton avis, pourquoi Ötzi a-t-il été enterré avec son équipement ?

❸ Que t'apprend ce texte sur la façon dont les humains enterrent leurs morts au Néolithique ?

MON BILAN DE COMPÉTENCES

Domaine du socle	Compétences travaillées	Pages du chapitre
D1 Les langages pour penser et communiquer	• Je sais m'exprimer à l'écrit ou à l'oral • Je sais extraire des documents des informations pertinentes	Je découvre .... p. 34-35 J'enquête .... p. 36-37 Exercice 3 .... p. 45
D2 Méthodes et outils pour apprendre	• Je comprends le sens d'une consigne • Je sais sélectionner les informations d'une ressource numérique • Je sais utiliser les méthodes et outils pour apprendre	J'enquête .... p. 36-37 D'hier à aujourd'hui ... p. 38-39 Apprendre à apprendre ... p. 42 Exercice 2 .... p. 45
D5 Les représentations du monde et l'activité humaine	• Je sais me repérer dans le temps et dans l'espace • Je comprends que le passé éclaire le présent • J'étudie un site de fouilles archéologiques	Je me repère .... p. 32-33 Je découvre .... p. 34-35 D'hier à aujourd'hui ... p. 38-39 Exercice 1 .... p. 44

3 Dans l'Orient ancien, premiers États et premières écritures

→ Pourquoi, au IVe millénaire avant J.-C., apparaissent les premiers États et les premières écritures ?

En 6e

Chapitre 2
J'ai étudié la révolution néolithique, période durant laquelle les humains se regroupent en villages et deviennent agriculteurs.

Ce que je vais découvrir

Au Proche-Orient, aux IVe et IIIe millénaires avant J.-C., en Mésopotamie et en Égypte, les premières civilisations de l'histoire apparaissent.

1 Les premières écritures

Une des 12 tablettes d'argile en écriture cunéiforme, qui relate l'épopée de Gilgamesh, récit légendaire d'un très ancien roi de la cité-État d'Uruk, en Mésopotamie, vers 2500 avant J.-C.
British Museum, Londres.

Le sais-tu ?

C'est le Français Jean-François Champollion (1790-1832) qui a été le premier à déchiffrer les hiéroglyphes. Il lui fallu 14 ans pour y parvenir. C'est lui qui a traduit le mot *pharaon* par le mot « roi ».

2 **Les premiers États, dirigés par des rois**

La déesse Hathor accueille le pharaon égyptien Séthi Ier (vers 1300 avant J.-C.).

Calcaire peint, vers 1200 avant J.-C., musée du Louvre, Paris.

L'Orient ancien (IVᵉ et IIIᵉ millénaires avant J.-C.)

– 3 millions d'années	– 100 000
Paléolithique	
– 10 000	
Néolithique	
– 5000 – 1000 J.-C.	2000
Antiquité	
– 3000	

D'où vient le mot...

MÉSOPOTAMIE ?

Ce mot est issu du grec *meso,* « milieu », et *potamos,* « fleuve » : c'est le pays entre les fleuves l'Euphrate et le Tigre.
Aujourd'hui, la Mésopotamie comprend l'Irak, ainsi qu'une partie de la Syrie et de la Turquie.

1 **La vallée du Nil en Égypte**

À partir du IVᵉ millénaire avant J.-C., les populations s'établissent le long des fleuves qui leur apportent l'eau pour cultiver les terres dans ces vallées fertiles.

2 **Gudéa, roi de la cité-État de Lagash en Mésopotamie (vers 2100 avant J.-C)**

Statue en dolérite, vers 2120 avant J.-C., musée du Louvre, Paris.

1 Bonnet royal.

2 Vase d'où jaillit l'eau, symbole de fertilité.

3 Inscription en écriture cunéiforme : « Gudéa a édifié le temple consacré à Ningishzidda, le gardien des enfers ».

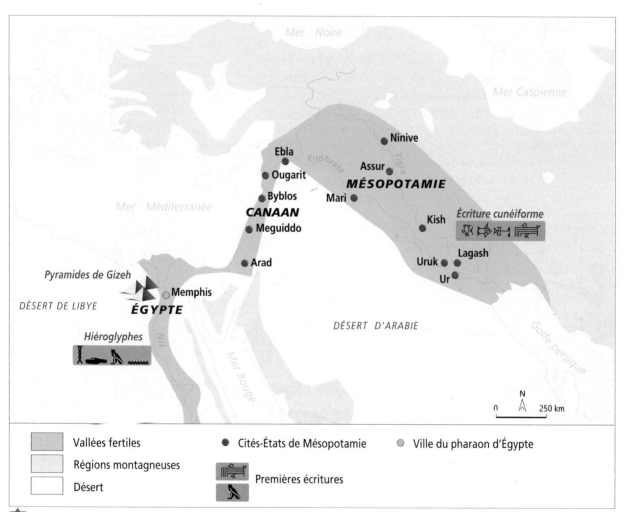

3 L'Orient ancien au IIIᵉ millénaire avant J.-C.

QUESTIONS

▶ **Je sais me repérer dans le temps et dans l'espace**

❶ Quelles régions composent l'Orient ancien ?

❷ À quelle époque apparaissent les premières écritures ? Dans quelles régions du monde ?

❸ À quelle époque apparaissent les premiers États de l'Orient ancien ? Qui les dirige ?

Ur, une puissante cité en Mésopotamie

Question clé Comment est organisée Ur, l'une des premières cités-États de l'histoire, au IIIe millénaire avant J.-C. ?

Ur
Orient ancien

1 Ur-Nammu, roi de la cité-État d'Ur (2112-2095 avant J.-C.)

Ur, cité de la destinée favorable, noble trône de la royauté, cité princière de Sumer, bâtie en un lieu pur... Je suis Ur-Nammu. Du ciel, la royauté est descendue vers moi. Uta, le dieu du soleil et de la justice, a placé le mot juste dans ma bouche. Je suis le protecteur de la ville et je veille pour mon peuple à l'abondance du bétail et à la fertilité des champs. Pour Nanna, le dieu-lune, j'ai bâti un temple.

■ Chant d'Ur-Nammu, roi d'Ur, vers 2100 avant J.-C.

INFOS

Au IIIe millénaire, à la suite des conquêtes du roi Ur-Nammu, la cité-État domine toute la région de Mésopotamie. Elle compte environ 30 000 habitants.

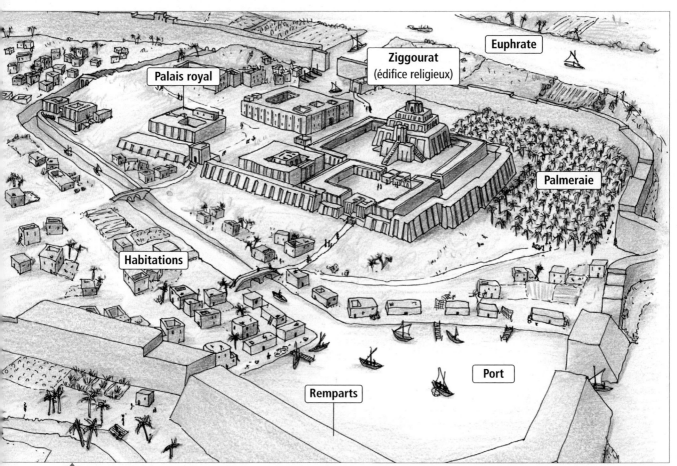

Euphrate

Ziggourat
(édifice religieux)

Palais royal

Palmeraie

Habitations

Port

Remparts

2 Reconstitution de la cité-État d'Ur

3 L'étendard d'Ur : le roi guerrier

Lue de bas en haut et de gauche à droite, chaque face de la caisse représente une histoire. Une face illustre la guerre, l'autre la paix.

Coffre en bois, lapis-lazuli, coquille et bitume, 48 x 27 cm, vers 2700 avant J.-C., British Museum, Londres.

① Les chars attelés d'Ur piétinent les soldats ennemis.

② Les soldats d'Ur (à gauche) conduisent les prisonniers nus (à droite) vers le roi.

③ Le roi reçoit les prisonniers de guerre. Dans l'art de Mésopotamie, la taille des personnages représente leur pouvoir et leur puissance.

4 Ur-Nammu et Nanna, le dieu-lune, protecteur de la cité

Les habitants d'Ur honorent plusieurs dieux.

Bas-relief de la fin du IIIe millénaire avant J.-C., musée d'Archéologie et d'Anthropologie de Philadelphie (USA).

① Le dieu-lune Nanna.

② Le roi Ur-Nammu verse un liquide en offrande à Nanna.

③ Nanna remet au roi les symboles du pouvoir : la corde et le bâton.

Activités

Question clé | Comment est organisée Ur, l'une des premières cités-États de l'histoire, au IIIe millénaire avant J.-C. ?

ITINÉRAIRE 1

▶ Je comprends les documents

① **Doc 1 et 4.** Qui est Ur-Nammu ? D'où lui vient son pouvoir ?

② **Doc 2.** Décris précisément la cité-État. Qui vit à Ur ?

③ **Doc 1 et 3.** Quels sont les pouvoirs du roi ?

▶ Argumente à l'écrit

④ À l'aide des questions 1 à 3, répond en quelques phrases à la question clé.

ou

ITINÉRAIRE 2

▶ Je complète un schéma

À l'aide des documents, réponds à la question clé en complétant le schéma ci-dessous.

Un territoire → Doc 2		Un roi à la tête de la cité → Doc 1, 3 et 4
	La cité-État d'Ur, c'est...	
Des habitants → Doc 2		Une religion → Doc 1 et 4

L'Égypte, un État puissant de l'Orient ancien

Question clé Au IIIᵉ millénaire avant J.–C., comment est organisée l'Égypte, l'un des premiers États de l'histoire ?

1 Le mythe d'Osiris

Osiris fut le premier des pharaons régnant sur l'Égypte. Il était bon, juste et sage. Son frère Seth, jaloux, voulut le tuer. Il organisa un banquet où il avait placé un coffre magnifique, qu'il avait fait fabriquer à la mesure du corps d'Osiris. Seth déclara qu'il offrirait ce coffre à celui qui, en s'y couchant, le remplirait parfaitement.

Lorsque Osiris s'y étendit, Seth rabattit rapidement le couvercle, le cloua, et le jeta dans le Nil. Isis, la femme d'Osiris, retrouva le cercueil et le ramena en Égypte. Mais Seth réussit à s'emparer du corps et le coupa en quatorze morceaux, qu'il dispersa. Isis rassembla les membres épars de son mari, reconstitua le corps avec l'aide du dieu Anubis, l'entoura de bandelettes et réussit à lui rendre vie.

Plus tard, Horus, le fils d'Osiris et d'Isis, vengea son père : il tua Seth et devint pharaon à son tour. Depuis ce jour, Osiris règne sur le royaume des morts et peut ouvrir, pour chaque Égyptien, après la mort, les portes de l'éternité.

▪ D'après les textes des pyramides, IIIᵉ millénaire avant J. C.

2 Le pharaon victorieux

Le pharaon Ramsès III (vers 1186-1155 avant J.-C.) capture un ennemi. Les prisonniers deviennent des esclaves au service du pharaon.
Bas-relief du temple de Ramsès III, vers 1167, Madinat Habu, Thèbes (Égypte).

3 Le pharaon Toutankhamon (vers 1336-1327 avant J.-C.), maître de l'Égypte

Selon les croyances égyptiennes, les dieux ont créé les rois pour qu'ils assurent l'ordre et l'équilibre du monde.
Le pharaon est considéré comme un dieu vivant.
Détail du sarcophage de Toutankhamon, vers 1320 avant J.-C., musée national d'Égypte, Le Caire.

Les attributs du pharaon

Le sceptre guide le peuple.

Le fouet menace les ennemis.

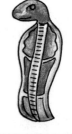
Le serpent cobra protège le pharaon.

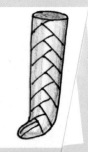
La barbe postiche symbolise l'immortalité.

4 Vestiges des pyramides de Gizeh, tombeaux des pharaons (2556-2480 avant J.-C.)

La pyramide de Khéops a necessité 30 ans de travaux, 30 000 ouvriers, 6 millions de blocs de pierre transportés. Chaque côté mesure 250 m et elle culmine à 147 m.

5 Le pharaon, propriétaire des terres

Le scribe, fonctionnaire de l'État, enregistre les récoltes des paysans qui seront prélevées pour l'impôt.
Détail d'une fresque du tombeau de Menna, IIe millénaire avant J.-C., Thèbes (Égypte).

Activités

Question clé Au IIIe millénaire avant J.–C., comment est organisée l'Égypte, l'un des premiers États de l'histoire ?

ITINÉRAIRE 1

▶ **Je prélève des informations dans les documents**

1 Doc 3. Quels sont les pouvoirs du pharaon ?

2 Doc 1. À l'oral, raconte le mythe d'Osiris. Que t'apprend-il sur le gouvernement de l'Égypte et les croyances des Égyptiens ?

3 Doc 1 et 4. Quelles relations y a-t-il entre le pharaon et les dieux ?

4 Doc 2 à 5. Quels sont les pouvoirs du pharaon ? Pourquoi peut-on affirmer qu'il est un personnage puissant ?

▶ **J'argumente à l'écrit**

5 À l'aide des questions 1 à 4, réponds en quelques phrases à la question clé.

ou

ITINÉRAIRE 2

▶ **Je complète un schéma**

À l'aide des documents, réponds à la question clé en complétant le schéma ci-dessous.

Un territoire → Doc 2 et 5

Un roi à la tête de l'État → Doc 3 et 5

L'Égypte antique, c'est...

Des habitants → Doc 2 et 5

Une religion → Doc 1, 3 et 4

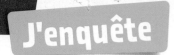

SOCLE Compétences
- Domaine 1 : j'argumente à l'oral de façon claire et organisée.
- Domaine 5 : je me pose des questions et je justifie mes réponses par des connaissances.

Dans l'Orient ancien, les premières écritures du monde

CONSIGNE

Tu es l'expert(e) invité(e) ce soir au journal télévisé pour parler des premières écritures apparues dans l'Orient ancien il y a 6 000 ans. Les téléspectateurs veulent tout savoir : comment s'appellent ces premières écritures ? Quand apparaissent-elles ? Sur quel support écrit-on ? Qui écrit ? Qu'est-ce qui est écrit ? Pour qui ?

N'oublie pas d'utiliser les images de ton manuel pour ton intervention.

1 Les premières écritures en Mésopotamie : les pictogrammes

Contrat de vente d'un champ, tablette d'argile retrouvée en Mésopotamie, vers 3000 avant J.-C., musée du Louvre, Paris.

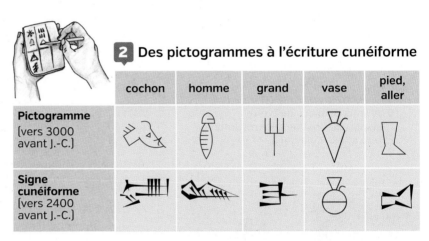

2 Des pictogrammes à l'écriture cunéiforme

	cochon	homme	grand	vase	pied, aller
Pictogramme (vers 3000 avant J.-C.)					
Signe cunéiforme (vers 2400 avant J.-C.)					

Les scribes écrivent sur des tablettes d'argile humide avec un roseau. Mais il n'est pas facile d'écrire sur ces supports : ils ont donc simplifié les dessins. Les pictogrammes (images) ont évolué en signes correspondant à des sons.

3 L'écriture cunéiforme en Mésopotamie

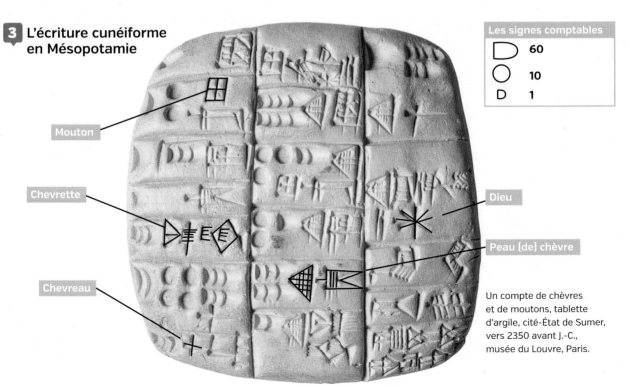

Mouton

Chevrette

Chevreau

Dieu

Peau (de) chèvre

Les signes comptables

60

10

1

Un compte de chèvres et de moutons, tablette d'argile, cité-État de Sumer, vers 2350 avant J.-C., musée du Louvre, Paris.

4 En Égypte, les hiéroglyphes

Les hiéroglyphes sont des images qui peuvent correspondre à un objet, un son, une idée. Cette écriture comporte plus de 5 000 signes et peut s'écrire dans 4 directions (droite-gauche, haut-bas).

a. Des hiéroglyphes sur un tombeau en pierre
Cartouche du roi Horemheb (1323-1295 avant J.-C.) peint sur le mur de son tombeau, vallée des Rois, Thèbes (Égypte)

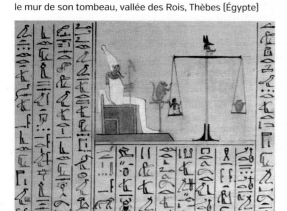

b. Des hiéroglyphes sur un papyrus
Osiris et la pesée du cœur, papyrus découvert à Thèbes (Égypte) vers 1450 avant J.-C, musée du Caire, Égypte.

 INFOS

En Mésopotamie et en Égypte, les scribes sont indispensables à la vie du pays car tout acte est l'objet d'un écrit. Ils suivent une longue formation et disposent d'un grand savoir qui les rend puissants.

VOCABULAIRE

▸ **Écriture cunéiforme**
Du latin *cuneus*, « clou, coin ». Écriture composée de signes en forme de clous ou de coins.

▸ **Hiéroglyphes**
Du grec *hieros*, « sacré », et *gluphein*, « graver ». Caractères formés d'images représentant un personnage, un objet, une action, un son...

▸ **Scribe**
Du latin *scribere*, « écrire ». Personne savante spécialiste de l'écriture et du calcul dans l'Antiquité.

5 Un scribe égyptien
Sculpture retrouvée dans un tombeau de Saqqara, vers 2500 avant J.-C., 54 cm de hauteur, musée du Louvre, Paris.

COUP DE POUCE

• Pour préparer ton intervention, recopie le tableau suivant et réponds aux questions en classant les informations relevées dans les documents. Tu peux t'aider des p.48-49.

	Quand ?	Où ?	Quel support ?	Qui écrit ?	Qu'est-ce qui est écrit ?	Pour qui ?
Écriture cunéiforme						
Hiéroglyphes						

Dans l'Orient ancien, premiers États et premières écritures

→ **Pourquoi, vers le IVᵉ millénaire avant J.-C., apparaissent les premiers États et les premières écritures ?**

A Naissance des premiers États dans l'Orient ancien

1. En **Mésopotamie** et en **Égypte**, à partir du **IVᵉ millénaire avant J.-C.**, les populations de plus en plus nombreuses se rassemblent dans des territoires plus vastes et plus organisés que les villages néolithiques. Elles créent les **premières villes** et les **premiers États**.

2. Les **cités-États** de Mésopotamie (Ur, Lagash…) et l'Égypte sont dirigés par des **rois** au **pouvoir absolu**. Ils gouvernent **au nom des dieux**. Ils sont aussi chefs de guerre, rendent la justice et font les lois. Pour administrer le territoire, qui leur appartient, ils s'entourent de **fonctionnaires**. Les habitants sont paysans, artisans, commerçants, ouvriers sur les **chantiers royaux** (palais, temples, pyramides).

B L'apparition des premières écritures

1. L'écriture apparaît en même temps que les premières villes. Les sociétés en ont besoin pour compter les récoltes et faire du commerce, établir des contrats, écrire les lois, raconter leur histoire.

2. Au départ, l'écriture inventée est formée de dessins désignant des objets, les **pictogrammes**. Puis, en Mésopotamie, dès **3300 avant J.-C.**, l'écriture prend la forme de **signes cunéiformes**, qui correspondent à des sons ou des mots. On écrit sur des tablettes d'argile. Vers **3200 avant J.-C.**, les Égyptiens inventent les **hiéroglyphes**, qu'ils sculptent dans la pierre ou inscrivent sur du papyrus. **Les scribes**, qui seuls maîtrisent l'écriture, **forment un groupe social puissant**.

C Des États unis par la religion

1. En Mésopotamie comme en Égypte, les sociétés sont **polythéistes**. Chaque cité-État de **Mésopotamie** est protégée par une divinité et lui rend hommage dans un temple, la **ziggourat**. On adore aussi les dieux du ciel, du vent, de l'eau.

2. **Les Égyptiens adorent de nombreux dieux** comme Rê (dieu du soleil), Osiris, Horus (dieu du ciel, protecteur du pharaon) et croient en une vie après la mort. Pour accéder à la vie éternelle, leur corps est transformé en **momie**. Considéré comme un dieu, le pharaon est enterré dans un gigantesque tombeau, d'abord la **pyramide**, puis une tombe creusée sous la falaise.

Le sais-tu ?

Aujourd'hui encore, nous utilisons des pictogrammes !

VOCABULAIRE

▸ **Cité-État**
Territoire comprenant une ville fortifiée et les campagnes qui l'entourent. Les habitants d'une cité-État obéissent au même gouvernement et aux mêmes lois.

▸ **Écriture cunéiforme**
Du latin *cuneus*, « clou, coin ». Écriture composée de signes en forme de clous ou de coins.

▸ **Fonctionnaire**
Personne qui travaille au service de l'État.

▸ **Hiéroglyphe**
Du grec *hieros*, « sacré », et *gluphein*, « graver ». Caractères formés d'images représentant un personnage, un objet, une action, un son…

▸ **Polythéiste**
Du grec *poly*, « plusieurs », et *theos*, « dieu ». Croyant en plusieurs dieux.

▸ **Scribe**
Du latin *scribere*, « écrire ». Personne savante spécialiste de l'écriture et du calcul dans l'Antiquité.

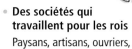

Premiers États et premières écritures

Quand ?

- Après la période du **Néolithique**
- À partir du **IVe millénaire av. J.-C.**

Où ?

- Dans l'**Orient ancien**, en **Mésopotamie** et en **Égypte**

L'apparition des États

- Accroissement de la population :
  - création des villes ;
  - organisation en **cités-États** (Mésopotamie) et en **royaume** (Égypte).
- **Des rois au pouvoir absolu**, au nom des dieux

- **Des sociétés qui travaillent pour les rois**
  Paysans, artisans, ouvriers, fonctionnaires…

L'apparition de l'écriture

- Les premières écritures :
  - écriture **cunéifome** en Mésopotamie ;
  - **hiéroglyphes** en Égypte.

- **Conserver des traces, gouverner**
  Chiffres de comptabilité, lois, oeuvres littéraires…
- **Les scribes**
  Les seuls à maîtriser l'écriture.

La religion, pour unir les sociétés

- **Des religions polythéistes**
- **Des croyances** : les dieux protègent et dominent ; immortalité (Égypte).

● **Je vérifie que je connais les principaux repères du chapitre.**

Je sais définir et utiliser dans une phrase :

- cité-État
- écriture cunéiforme
- hiéroglyphes
- scribe

Je sais situer sur une frise et sur une carte :

- **Dans le temps :**
  – la période des premiers États et des premières écritures
- **Dans l'espace :**
  – l'Orient ancien
  – la Mésopotamie
  – l'Égypte

site élève
⬇ fond de carte et frise

Je sais expliquer :

- comment sont dirigées les cités-États et l'Égypte.
- pourquoi les écritures sont apparues.

Comment apprendre ma leçon ?

Je fabrique mes outils de révision : les cartes mémoire

Pour réviser la leçon, il faut connaître les thèmes du chapitre et les idées importantes qui s'y rapportent.

▶ **Étape 1**

Observe ces 4 cartes :
elles représentent les grands thèmes du chapitre.

- Si tu as étudié la Mésopotamie avec ton professeur, regarde l'image du haut.

- Si tu as étudié l'Égypte, regarde l'image du bas.

▶ **Étape 2** site élève ⭳ carte à imprimer

Imprime ou reproduis les 4 cartes, puis découpe-les. Tu peux aussi créer ton propre dessin.

▶ **Étape 3**

Sur le verso de chaque carte, note les idées et les mots clés du thème.

Le Roi

La religion

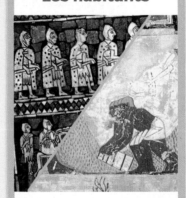

Les habitants

Les premières écritures

Le Roi

Le roi a un pouvoir absolu :

- pouvoir militaire : chef de guerre ;

- pouvoir religieux : c'est le représentant des dieux sur terre ;

- pouvoir législatif et judiciaire : il fait les lois et rend la justice.

À toi de jouer !

Tu peux ensuite utiliser tes cartes à chaque fois que tu veux réviser la leçon. Pense à les construire au fur et à mesure du chapitre.

Je vérifie mes connaissances

1 J'associe chaque mot clé ci-dessous à sa définition.

1. Cité-État ●
2. Fonctionnaire ●
3. Polythéiste ●
4. Scribe ●

● **a.** Personne qui travaille au service de l'État.

● **b.** Personne savante, spécialiste de l'écriture et du calcul dans l'Antiquité.

● **c.** Territoire comportant une ville fortifiée et les campagnes qui l'entourent.

● **d.** Croyant en plusieurs dieux.

2 Je raconte à partir d'images.

Rédige une phrase ou explique oralement ce que chaque document, issu du chapitre, t'a appris sur les premiers États et les premières écritures.

a.   b.   c.

3 J'indique la (les) bonne(s) réponse(s).

1. **Le polythéisme est :**
   - a. La croyance en un roi au pouvoir divin.
   - b. La croyance en plusieurs dieux.
   - c. Le contraire du monothéisme.

2. **Une pyramide est :**
   - a. Le temple pour honorer les dieux de Mésopotamie.
   - b. Le temple pour honorer les dieux égyptiens.
   - c. La tombe royale du pharaon.

3. **Un millénaire est composé de :**
   - a. 100 ans.
   - b. 1 000 ans.
   - c. 10 000 ans.

4. **L'écriture cunéiforme est :**
   - a. Une écriture composée de signes en forme de clous, de coins.
   - b. Une écriture composée d'images représentant un personnage, un objet...
   - b. Une écriture composée de pictogrammes.

4 Je maîtrise un vocabulaire historique précis.

Recopie le texte suivant en remplaçant les mots soulignés par les mots de la leçon proposés ci-dessous.

papyrus – scribes – tablettes d'argile – traces – hiéroglyphes

    Au IIIᵉ millénaire avant J.-C., <u>les spécialistes de l'écriture</u> étaient les seuls à pouvoir maîtriser l'écriture.

    En Mésopotamie, on écrivait sur des <u>supports en pierre molle</u>. En Égypte, les scribes inscrivaient des <u>images</u> sur du <u>papier</u> ou des murs en pierre.

    L'apparition de l'écriture a permis aux humains d'évoluer, de compter, d'archiver, de laisser des <u>preuves</u> et de communiquer.

5 Retrouve d'autres exercices sous forme interactive sur le site Nathan.

site élève
⬇ exercices interactifs

1 Je comprends le langage des arts : l'épopée de Gilgamesh

↳ **Socle :** Domaine 5

Le déluge

> *Le roi de Shuruppak raconte à Gilgamesh l'épisode où Enlil, le roi des dieux, aurait décidé de supprimer les humains devenus trop nombreux et trop bruyants.*

Tu connais Shuruppak, la ville sur le bord de l'Euphrate. Un jour, les grands dieux ont décidé de faire un déluge. Le dieu
5 Enkil s'adressa à moi :

« Ô roi de Shuruppak, démolis ta maison pour te faire un bateau ; renonce à tes richesses pour te sauver la vie ! » Le soir du septième jour,
10 le bateau était achevé. Le lendemain matin, j'embarquai mon or et mon argent, ma famille, ainsi que de petits et de gros animaux sauvages [...].

Le premier jour, la tempête souf-
15 fla si fort que personne ne voyait plus personne dans cette trombe d'eau. Les dieux étaient épouvantés par ce déluge. [...] Le septième jour, la mer se calma, l'Ouragan et le Déluge s'étant
20 interrompus ! Le silence régnait. Tous les hommes avaient été transformés en argile.

Je pris une colombe et la lâchai. La colombe s'en fut pour chercher les
25 hommes, mais ne trouvant que les eaux, et n'ayant rien vu où se poser, elle revint. Puis je lâchai un corbeau. Les eaux du déluge s'étant retirées, il picora, croassa, et ne revint plus. Alors
30 je fis un sacrifice. Les dieux, humant la bonne odeur, s'attroupèrent autour de moi.

■ *Épopée de Gilgamesh,*
fin du IIIe millénaire avant J.-C.

mémo ART

L'épopée de Gilgamesh : la plus vieille œuvre littéraire de l'humanité

▶ **L'histoire**
Au IIIe millénaire avant J.-C., **Gilgamesh aurait été le roi de la cité-État d'Uruk**. Il abuse de son pouvoir et les dieux lui créent un adversaire, Enkidu. Devenus amis, ils partent à l'aventure.

▶ **Un récit mythique très populaire**
Long de près de 3000 vers, ce récit poétique d'aventures héroïques parle du pouvoir des dieux sur les êtres humains, de la vie après la mort, de l'amour et de l'amitié. On raconte qu'il **servait à éduquer les jeunes princes** et que les élèves scribes s'en servaient comme **modèle pour apprendre à écrire**.

▶ Au départ, c'est une **histoire transmise oralement**, puis, avec l'apparition de l'écriture, les scribes l'inscrivent sur des tablettes d'argile. Il existe plusieurs versions de l'épopée de Gilgamesh.

QUESTIONS

▶ **J'exprime mes sentiments**

❶ **Doc 2.** Après avoir lu cette histoire, quels mots te viennent à l'esprit ?

▶ **J'identifie et je situe l'œuvre d'art**

❷ Qu'est-ce qu'une épopée, à ton avis ?

❸ Quand et où se situe-t-elle ?

❹ Qui concerne-t-elle ?

▶ **Je décris l'œuvre et j'en explique le sens**

❺ Que raconte cette épopée ? Sous quelle forme ?

❻ À ton avis, pourquoi a-t-il été décidé d'écrire cette épopée ?

2 Je m'informe dans le monde du numérique

↳ SOCLE : Domaine 2

Rends-toi sur le site du musée du Louvre
et recherche l'œuvre « Le scribe accroupi ».
Clique sur le lien « Les instruments du scribe ».

• Écoute la présentation en prenant des notes.

• Rédige quelques phrases sur ce que tu viens
d'apprendre au sujet des scribes et de l'écriture.

3 J'argumente : à quoi sert le code d'Ur-Nammu ?

↳ SOCLE : domaine 1

*Le code d'Ur-Nammu est le plus ancien recueil de lois. Il a été pro-
mulgué par le roi Ur-Nammu ou par son fils Shulgi.*

Ur-Nammu, le grand guerrier, roi d'Ur, de Sumer et d'Ak-
kad, par la toute-puissance du dieu-lune Nanna, seigneur de
la ville, par la volonté du dieu-soleil Utu, a établi l'égalité des
droits sur ses terres. Il repousse les malédictions, la violence et
les guerres. Il a fixé les offrandes du temple à 5 000 kilos d'orge,
30 moutons et 23 kilos de beurre par mois. Il a déterminé les uni-
tés de mesures et de poids et la valeur de l'argent [...].

« Si quelqu'un a commis un meurtre, on mettra cet homme
à mort. Si quelqu'un a fait du brigandage, on le mettra à mort.
Si quelqu'un a détenu arbitrairement[1] quelqu'un d'autre, cet
homme ira en prison et il payera 15 sicles[2] d'argent. »

■ D'après le Code de lois du roi d'Ur, vers 2100-2050 avant J.-C.

1. Décision injustifiée, qui dépend de la volonté de quelqu'un. **2.** 8 grammes.

QUESTIONS

❶ Présente ce document
(indique sa nature et sa date).

❷ Quel lien existe entre le roi
d'Ur et les dieux ?

❸ Qui fait les lois à Ur ?
Que penses-tu des peines
prononcées lorsque les lois
ne sont pas respectées ?

❹ À quoi sert ce Code de lois ?

MON BILAN DE COMPÉTENCES

Domaines du socle	Compétences travaillées	Pages du chapitre
D1 Les langages pour penser et communiquer	• Je sais argumenter à l'oral et à l'écrit de façon claire et organisée • J'ai compris le langage des Arts	J'enquête .... p. 54-55 Exercice 1 .... p. 60 Exercice 3 .... p. 61
D2 Méthodes et outils pour apprendre	• J'ai compris et je sais analyser des documents • Je sais utiliser des outils de recherche numériques	Je découvre .... p 50-53 Exercice 2 .... p. 61
D5 Les représentations du monde et l'activité humaine	• Je sais me repérer dans le temps et dans l'espace • Je sais formuler des hypothèses et raisonner • Je me pose des questions et je justifie mes réponses par des connaissances	Repères .... p. 48-49 Je découvre .... p 50-53 J'enquête .... p. 54-55

4 Le monde des cités grecques

→ Qu'est-ce qui unit les Grecs à partir du VIIIᵉ siècle avant J.-C. ?

À l'école primaire

En CM1, j'ai étudié les contacts entre les Gaulois et les Grecs sur le territoire qui est aujourd'hui la France.

En 6ᵉ

Chapitre 3
J'ai découvert les premières cités-États en Mésopotamie.

Ce que je vais découvrir

Les Grecs vivent dans des cités et partagent une culture commune.

1 Vue de l'Acropole en 2016

L'Acropole, « ville haute » en grec, est un rocher fortifié occupé par les premiers Athéniens pour se protéger de leurs ennemis. Au VIᵉ siècle avant J.-C., de nombreux temples y sont construits. L'Acropole devient la colline sacrée de la cité, dédiée à Athéna, déesse protectrice d'Athènes.

1 Parthénon, temple dédié à Athéna *Parthénos* (« jeune fille »).
2 Érechthéion, temple dédié à Athéna *Polias* (« protectrice »).
3 Propylées, entrée de l'Acropole.
4 Temple d'Athéna *Nikè* (« victorieuse »).

2 Entre les Grecs, une religion commune

Scène de sacrifice en l'honneur du dieu Apollon. Le sacrifice est le rituel le plus important de la religion grecque, car il unit les dieux et les humains.

Cratère athénien à figures rouges du peintre de Pothos, vers 430 avant J.-C., musée du Louvre, Paris.

1 Éphèbes (jeunes Athéniens âgés de 18 à 20 ans qui effectuent leur service militaire).
2 Prêtre.
3 Le dieu Apollon.

Le monde des cités grecques (Iᵉʳ millénaire avant J.–C.)

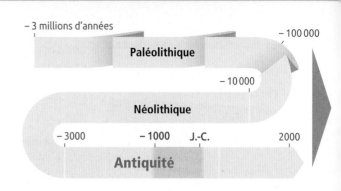

Le sais-tu ?

Le grand philosophe grec Platon disait que les Grecs vivaient « comme des grenouilles autour de la mer ».

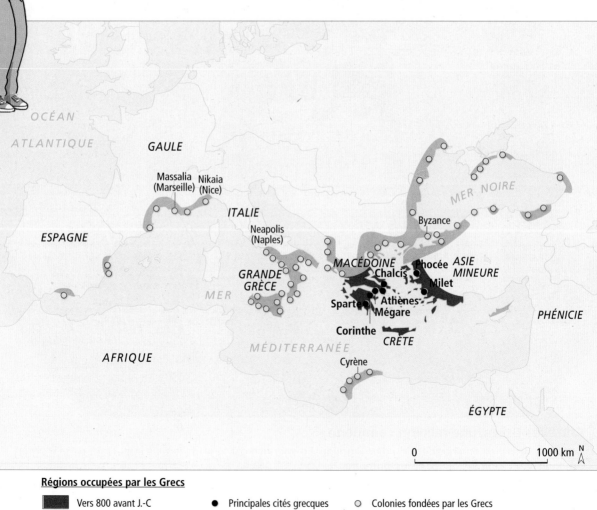

Régions occupées par les Grecs

- Vers 800 avant J.-C
- Vers 500 avant J.-C

● Principales cités grecques   ○ Colonies fondées par les Grecs

1 Les cités grecques (Vᵉ-IVᵉ siècles avant J.-C.)

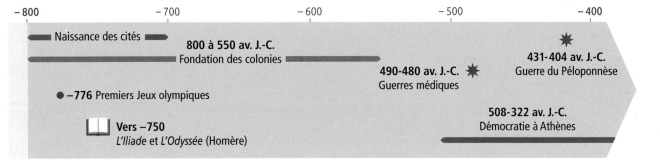

-800 — -700 — -600 — -500 — -400

Naissance des cités

800 à 550 av. J.-C.
Fondation des colonies

490-480 av. J.-C.
Guerres médiques

431-404 av. J.-C.
Guerre du Péloponnèse

● **-776** Premiers Jeux olympiques

📖 **Vers -750**
L'Iliade et L'Odyssée (Homère)

508-322 av. J.-C.
Démocratie à Athènes

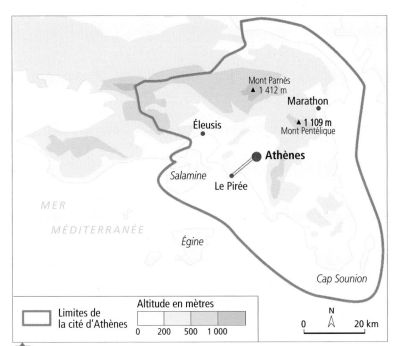

2 La cité d'Athènes au Vᵉ siècle avant J.-C.

VOCABULAIRE

▶ **Cité**
Du grec *polis*. État indépendant s'étendant sur un territoire constitué d'une ville, souvent fortifiée, et de sa campagne. Chaque cité possède ses propres lois, sa monnaie et son armée.

▶ **Colonie**
Cité nouvelle fondée par des Grecs.

▶ **Guerres médiques**
Guerres opposant les Grecs aux Perses.

▶ **Guerre du Péloponnèse**
Guerre opposant la cité d'Athènes à celle de Sparte.

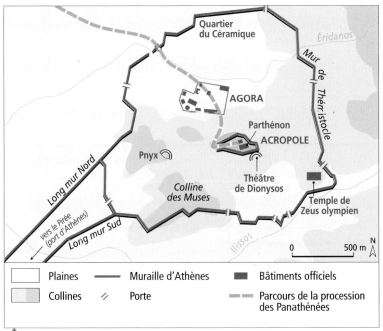

3 Les lieux de la démocratie à Athènes

QUESTIONS

▶ **Je me repère dans le temps et dans l'espace**

❶ **Frise.** Quand les premières cités grecques sont-elles nées ?

❷ **Frise.** Quand la démocratie est-elle instaurée à Athènes ?

❸ **Doc 1.** Autour de quelle mer sont dispersées les cités grecques ?

❹ **Doc 3.** À Athènes, quel est le nom des lieux de la vie religieuse, de la vie politique, de la vie économique ?

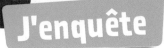 J'enquête TÂCHE COMPLEXE

SOCLE Compétences
▶ **Domaine 2** : je comprends les documents.
▶ **Domaine 5** : je comprends ce qu'est une civilisation.

Les Grecs, unis par une culture commune

CONSIGNE

À Olympie, tous les quatre ans, des concours sportifs en l'honneur de Zeus sont organisés. Les Grecs de toutes les cités font la trêve pour y assister ou y concourir. Tu aimerais y participer, mais pour cela, il faut que tu sois de culture grecque. À toi de retrouver et de présenter à l'oral ou à l'écrit tous les éléments qui composent l'identité commune des Grecs. Et tu seras prêt pour les Jeux olympiques !

VOCABULAIRE

▶ **Mythe**
Récit mettant en scène les dieux et les exploits des héros.

▶ **Panhellénique**
Qui est commun à tous les Grecs.

▶ **Sanctuaire**
Espace sacré dédié à un ou plusieurs dieux.

1 La langue grecque

" Quant à la nation hellénique, depuis son origine elle a toujours parlé la même langue ; du moins cela me parait ainsi. "

Hérodote, *Histoires*, I-58.

Détail des Lois de la cité de Gortyne, en Crète, Ve siècle avant J.-C., musée du Louvre, Paris.

2 Un mythe à l'origine de la religion des Grecs

Rhéa donna de glorieux enfants à Cronos. Mais, ses enfants, le grand Cronos les dévorait car il savait que son destin était de succomber un jour sous son propre fils.

Le jour vint où Rhéa mit au monde Zeus, père des dieux et des humains ; elle supplia alors ses parents, Terre (Gaïa) et Ciel étoilé (Ouranos), de former avec elle un plan qui permit d'enfanter son fils en cachette. Gaïa le cacha dans une caverne, le nourrit et le soigna.

Rapidement croissaient ensemble la fougue et les membres du jeune prince Zeus. Il sortit de sa cachette et, par l'adresse et la force, fit recracher par Cronos tous ses enfants. Ses frères n'oublièrent pas de reconnaître ses bienfaits : ils lui donnèrent le tonnerre, la foudre fumante et l'éclair, sur lesquels Zeus désormais s'assure pour commander à la fois aux mortels et aux immortels.

■ Hésiode, *Théogonie*.

3 Une religion polythéiste
Amphore grecque à figures rouges, VIe siècle avant J.-C., Musée antique, Munich (Allemagne).

1 Zeus, dieu du ciel.

2 Héra, femme de Zeus, déesse du mariage.

3 Athéna, fille de Zeus, déesse de l'intelligence.

4 Poséidon, frère de Zeus, dieu de la mer.

5 Hermès, frère d'Athéna, dieu du commerce.

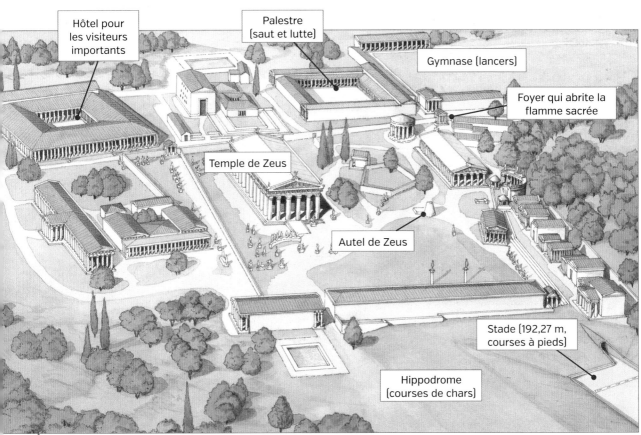

4 Reconstitution du sanctuaire panhellénique d'Olympie (fin du IVᵉ siècle avant J.-C.)

Labels on the image:
- Hôtel pour les visiteurs importants
- Palestre (saut et lutte)
- Gymnase (lancers)
- Foyer qui abrite la flamme sacrée
- Temple de Zeus
- Autel de Zeus
- Stade (192,27 m, courses à pieds)
- Hippodrome (courses de chars)

5 Cinq jours en l'honneur des dieux

1er jour

Processions, prières, sacrifices.

2e jour

Course de chars à l'hippodrome.
Les cinq épreuves du pentathlon :
– course à pieds (200 mètres)
– lutte
– saut en longueur
– lancer de disque
– lancer de javelot

3e jour

Le matin
– Procession et hécatombe (sacrifice de cent bœufs)
– banquet

L'après-midi
Concours sportifs des « juniors » (12-18 ans).

4e et 5e jours

Sports violents
boxe, lutte...

Course de 400 mètres
accomplie par des guerriers en armes.

■ D'après Claude Mossé, « Tout commence à Olympie », *Les Collections de l'Histoire,* n° 40, « Les Jeux olympiques, d'Athènes à Pékin », juillet-août 2008.

6 L'autel de Zeus et les sacrifices

On amène les victimes jusqu'à la balustrade : là, on les égorge. On en prend les cuisses, et on les porte en haut pour les faire rôtir sur l'autel. De là jusqu'au haut de l'autel, ce sont des marches faites avec la cendre des victimes. Les femmes et les filles peuvent approcher jusqu'à la balustrade aux jours qu'il leur est permis d'être à Olympie ; mais il n'y a que les hommes qui puissent monter jusqu'à l'autel.

■ Pausanias, *Le Tour de la Grèce,* livre V, chapitre 13.

COUP DE POUCE

Pour présenter l'identité commune des Grecs, montre, grâce aux documents, que les Grecs partagent :
• une même langue (→ doc 1) ;
• des mythes (→ doc 2) ;
• plusieurs dieux (→ doc 3) ;
• des pratiques religieuses (→ doc 4 à 6).

SOCLE Compétences
▶ **Domaine 1** : je m'exprime pour penser et argumenter.
▶ **Domaine 2** : je construis un outil personnel de travail.

Cités et citoyens dans le monde grec

Question clé Qu'est-ce qu'une cité grecque ?

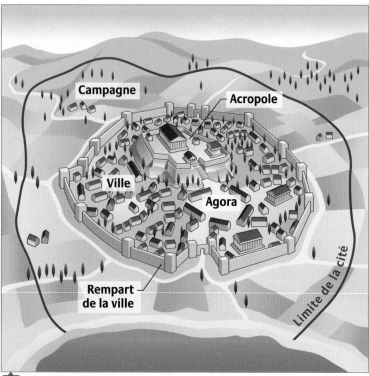

1 La cité grecque

a. Athéna, déesse protectrice de la cité d'Athènes, symbolisée par la chouette.

b. Apollon, dieu protecteur de la cité de Delphes.

2 Dans chaque cité, une monnaie, un dieu protecteur
Pièces d'argent des VIe et Ve siècles avant J.-C.

VOCABULAIRE

▶ **Cité**
Voir définition p. 65.

▶ **Citoyens**
Ceux qui habitent la cité et possèdent des droits civiques, politiques et juridiques.

▶ **Hoplite**
Du grec *hoplon*, « bouclier ».
Guerrier grec combattant à pied et lourdement armé.

3 Entre les cités, des échanges commerciaux
La cité de Cyrène (Afrique du Nord) reçoit de l'huile, du vin, des céramiques... des autres cités grecques. Elle leur envoie du blé et du sylphion, une plante qui sert de médicament et d'épice.

Coupe grecque, VIe siècle avant J.-C., BnF, Paris.

4 Défendre la cité, une obligation pour les jeunes citoyens

Après avoir accompli leur formation militaire au service de la cité (éphébie), les futurs citoyens, après la remise d'un bouclier et d'une lance, prêtent serment.

Je ne déshonorerai pas les armes sacrées ; je n'abandonnerai pas mon compagnon de combat là où je serai en ligne ; je combattrai pour la défense de ce qui est demandé par les dieux et par les hommes ; je ne laisserai pas ma patrie affaiblie, mais plus grande et plus forte, dans la mesure de mes forces et avec l'aide de tous ; j'obéirai à ceux qui, tour à tour, exercent le pouvoir avec sagesse, aux lois établies et à celles qui seront établies avec sagesse. Si quelqu'un veut renverser ces lois, je ne le permettrai pas mais je les défendrai dans la mesure de mes forces et avec l'aide de tous et je respecterai les cultes anciens.

■ D'après une inscription grecque du IVe siècle avant J.-C.

5 Un hoplite athénien

Détail d'un vase du Ve siècle avant J.-C., musée du Louvre, Paris.

1 Casque en bronze.
2 Cuirasse en bronze.
3 Lance.
4 Bouclier.
5 Épée courte.
6 Tunique.

Activités

Question clé Qu'est-ce qu'une cité grecque ?

ITINÉRAIRE 1

ou

ITINÉRAIRE 2

▶ **Je prélève des informations dans les documents**

1 Doc 1 et 2. Quels éléments composent une cité grecque ? Qu'est-ce qui montre que la cité est un État indépendant ?

2 Doc 1 et 3. Quelles relations les cités ont-elles établies entre elles ?

3 Doc 1 à 4. Comment les cités se protègent-elles ? Qu'est-ce qu'un hoplite ?

▶ **Je rédige un lexique historique**

4 Pour chaque document, trouve un mot qui le résume et rédige la définition de ce mot.

▶ **Je sais organiser mes idées**

Pour répondre à la question clé, construis un tableau dans lequel tu classes ce que tu as appris sur la cité grecque.

MÉTHODE

Recopie et complète le tableau suivant.

Thèmes	Documents utilisés	Informations tirées des documents
Un territoire délimité et protégé par les dieux		
Un État possédant sa monnaie et son armée		
Une cité en relation avec les autres cités.		

Les poèmes de l'*Iliade* et de l'*Odyssée*

Question clé Comment les poèmes de l'*Iliade* et de l'*Odyssée* unissent-ils tous les Grecs ?

Pâris, fils du roi de Troie, a enlevé Hélène, l'épouse du roi grec de Sparte. Les Grecs (ou Achéens) partent alors en guerre contre la cité de Troie. Zeus demande aux dieux de partir au combat et de choisir leur camp. Pendant 10 ans, les deux camps s'affrontent. Le héros principal de L'Iliade est Achille, un excellent guerrier.

1 Le combat d'Achille l'Achéen contre Hector, le Troyen

Lors du siège de Troie par les Achéens, le guerrier Achille se dispute avec le roi Agamemnon. Il décide de ne plus combattre. Les Achéens sont vaincus et Patrocle, le meilleur ami d'Achille, est tué par Hector. Achille décide de le venger.

« Cette fois, dit Athéna, je crois bien qu'à nous deux, grand Achille, héros aimé de Zeus, nous allons apporter une grande victoire aux Grecs. » Achille jette sa lance, mais Hector se baisse et la lance se plante dans
5 le sol. Athéna la prend aussitôt et la rend à Achille sans être vue. Hector jette alors sa lance et il atteint Achille au milieu de son bouclier. Mais la lance est rejetée bien loin et il n'en a plus d'autre ! Hector, alors, comprend dans son cœur et dit : « Hélas ! point de doute, les dieux m'appellent à la mort.
10 Athéna m'a trompé ! À cette heure, elle est là pour moi toute proche, la cruelle mort. C'est donc là le bon plaisir de Zeus et d'Apollon, ceux qui naguère me protégeaient si volontiers. Et voici maintenant que le destin me tient. Eh bien ! Non, je ne veux pas mourir sans gloire, ni sans quelque exploit qui
15 sera raconté aux hommes à venir. » Il dit, tire son glaive et prend son élan. Achille aussi bondit : il cherche des yeux le point du cou où la vie se laisse détruire au plus vite ; c'est là qu'il pousse sa lance contre Hector. Et cependant qu'Hector s'écroule dans la poussière, le divin Achille triomphe.

■ D'après Homère, *L'Iliade*, chant XXII.

2 La fin de la guerre de Troie

Amphore grecque en terre cuite, du VIIᵉ siècle avant J.-C., Musée archéologique, Mykonos.

Pour mettre fin à la guerre, Ulysse l'Achéen fait construire un cheval de bois dans lequel se cachent des soldats. Les Troyens traînent le cheval à l'intérieur de la ville. Dans la nuit, les Achéens sortent du cheval et détruisent Troie.

❶ La déesse Athéna.   ❸ Le dieu Apollon.
❷ Achille.   ❹ Hector.

Vase du Vᵉ siècle avant J.-C., British Museum, Londres.

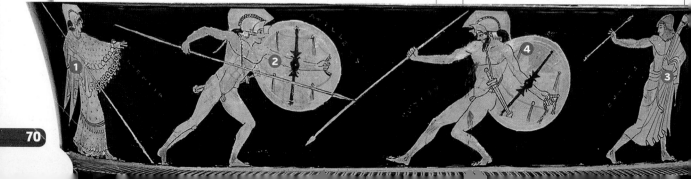

L'Odyssée raconte les aventures du Grec Ulysse, roi de la cité d'Ithaque, lors de son retour de la guerre de Troie. Courageux et rusé, le héros triomphe de tous les dangers, 10 ans après avoir quitté Troie.

Vase du IVe siècle avant J.-C., musées d'État de Berlin.

3 Ulysse et les sirènes

Tandis que j'apprenais à mes compagnons tous ces détails, nous apercevons l'île des Sirènes ; car notre navire était poussé par un vent favorable...

5 Aussitôt je tire mon glaive et je divise en morceaux une grande masse de cire que j'introduis dans les oreilles de tous mes guerriers. Ceux-ci m'attachent les pieds et les mains au mât avec de fortes cordes. Quand, dans sa course rapide, le vaisseau ne peut plus échapper aux regards des Sirènes, elles font entendre ce chant mélodieux :

10 « Viens, Ulysse, viens, héros fameux, toi la gloire des Achéens ; arrête ici ton navire et prête l'oreille à nos accents. Jamais aucun mortel n'a paru devant ce rivage sans avoir écouté les harmonieux concerts qui s'échappent de nos lèvres. » [...]

Tel est le chant mélodieux des Sirènes, que mon cœur dési-
15 rait entendre. Aussitôt, j'ordonne à mes compagnons de me délier ; mais au lieu d'obéir ils se couchent et rament encore avec plus d'ardeur. [...] Quand nous avons laissé derrière nous ces rivages et que nous n'entendons plus le chant mélodieux des Sirènes, mes compagnons enlèvent la cire qui bouche leurs oreilles et me dégagent de mes liens.

■ Homère, *L'Odyssée*, chant XII.

mémo ART

L'*Iliade* et l'*Odyssée*

▶ *L'Iliade* et l'*Odyssée* sont **deux longs poèmes épiques** du VIIIe siècle avant J.-C. attribués par les Grecs à Homère. Les jeunes Grecs apprennent à lire avec ces poèmes et sont capables d'en réciter des centaines de vers.

▶ Pour les Grecs, l'*Iliade* et l'*Odyssée* racontent **leur histoire**, celle de leurs **ancêtres**, qui aurait eu lieu dans un **passé très ancien. Aujourd'hui, les historiens doutent de la réalité** de ces récits. Si la ville de Troie a bien existé, rien ne prouve qu'une longue guerre ait eu lieu à l'époque mise en scène par Homère.

QUESTIONS

J'analyse l'œuvre

❶ Quels mots te viennent à l'esprit pour exprimer ce que tu viens de lire ?

❷ **Doc 1.** Qui sont les personnages de ce combat ? Comment les dieux interviennent-ils ?

❸ **Doc 2 et 3.** Qui est Ulysse ? Que veulent les sirènes ? Comment parvient-il à leur échapper ?

Je fais le lien entre art et histoire

❹ Pourquoi les récits d'Homère sont-ils si importants pour les Grecs de l'Antiquité ? Qu'en pensent les historiens ?

SOCLE Compétences
- Domaine 1 : j'argumente et je justifie mes choix.
- Domaine 3 : je comprends ce que signifie être citoyen.

Athènes et la naissance de la démocratie

CONSIGNE

Athènes, berceau de la démocratie ! Cette phrase est sans cesse répétée, mais est-elle vraie ? Que représente exactement la démocratie pour des Grecs ? Tu vas devoir expliquer le fonctionnement de ce régime politique et montrer ses limites.

VOCABULAIRE

▶ **Démocratie**
Du grec *demos*, « le peuple », et *kratos*, « le pouvoir ». Régime politique dans lequel le pouvoir appartient aux citoyens.

▶ **Magistrat**
Responsable de la cité élu par les citoyens.

1 La démocratie à Athènes selon Périclès

Comme les décisions sont prises par le plus grand nombre et non par une minorité, notre cité est une démocratie. Nous intervenons tous personnellement dans le gouvernement de la cité au moins par notre vote ou même en présentant nos idées. Nous choisissons les magistrats qui se succèdent à la tête de la cité en fonction du mérite de chacun et nous les surveillons. L'égalité est assurée à tous face à la loi. Même sans fortune, un homme peut rendre service à la cité. Nous nous gouvernons dans un esprit de liberté.

■ Périclès, d'après Thucydide, *La Guerre du Péloponnèse*, Vᵉ siècle avant J.-C.

Périclès (498-429 avant J.-C.) est élu stratège pendant 15 ans.

2 La définition du citoyen selon Aristote

Le citoyen n'est pas citoyen par le seul fait d'habiter un territoire puisque métèques et esclaves ont en commun avec le citoyen le droit à domicile. [...]

Un citoyen au sens absolu se définit par la participation à la justice et aux fonctions publiques en général.

■ D'après Aristote, *La Politique*, Livre 3.

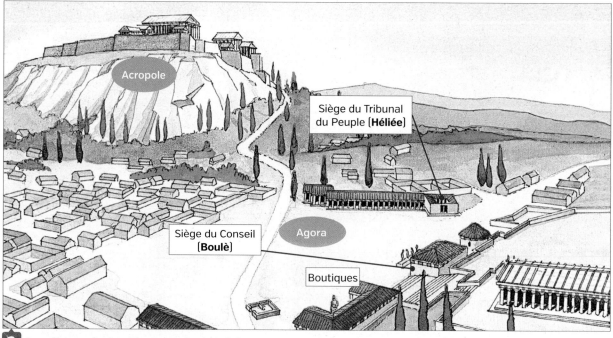

Acropole

Siège du Tribunal du Peuple (**Héliée**)

Siège du Conseil (**Boulè**)

Agora

Boutiques

3 Les lieux de la démocratie à Athènes

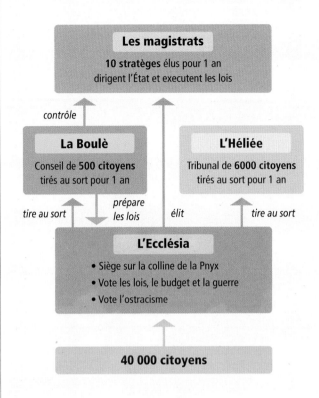

Les magistrats

10 stratèges élus pour 1 an
dirigent l'État et executent les lois

contrôle

La Boulè

Conseil de **500 citoyens**
tirés au sort pour 1 an

L'Héliée

Tribunal de **6000 citoyens**
tirés au sort pour 1 an

tire au sort   *prépare les lois*   *élit*   *tire au sort*

L'Ecclésia

• Siège sur la colline de la Pnyx
• Vote les lois, le budget et la guerre
• Vote l'ostracisme

40 000 citoyens

4 Les institutions athéniennes

LIBRES / NON LIBRES

40 000 citoyens

110 000 femmes et enfants de citoyens

40 000 métèques (étrangers libres de la cité)

100 000 à 150 000 esclaves

NON CITOYENS exclus de la vie politique

Population totale de l'Attique :
300 000 à 340 000 habitants

5 Les habitants d'Athènes au Vᵉ siècle avant J.-C.

6 Les femmes exclues de la citoyenneté

Les dieux, selon moi, ont adapté la nature de la femme aux travaux et aux soins de l'intérieur et celle de l'homme aux travaux du dehors. Toi qui es une femme, tu devras rester à la maison, faire partir ensemble ceux des serviteurs dont le travail est au-dehors et surveiller ceux qui doivent rester à la maison.

■ D'après Xénophon, *L'Économique*, IVᵉ siècle avant J.-C.

COUP DE POUCE

Pour expliquer le fonctionnement de la démocratie à Athènes, tu dois justifier ces affirmations à l'aide des informations des documents.
• Tous les citoyens participent au gouvernement de la cité (doc 1 à 4).
• Tous les citoyens peuvent s'exprimer et voter librement (doc 1, 3 et 4).
• La démocratie ne concerne en réalité qu'une toute petite partie de la population d'Athènes (doc 4, 5 et 6).

Vase attique à figures noires, vers 540 avant J.-C., Metropolitan Museum of Art, New York.

Une séance à l'assemblée

A L'Ecclésia, l'assemblée qui réunit les citoyens

Acropole — Citoyens — Orateur — Autel de Zeus — Tribune — Horloge à eau — Vote à mains levées — Scribes — Gardien de l'ordre

1 Une séance de l'Ecclésia, sur la colline de la Pnyx

Vote la loi, l'ostracisme, la paix et la guerre et contrôle les magistrats.
Si tous les citoyens peuvent assister et prendre la parole à l'Ecclésia, seuls quelques milliers le font régulièrement.

2 Un jour à l'assemblée

Dicéopolis est citoyen athénien.

C'est jour d'Assemblée. Voici le matin et la Pnyx est encore déserte malgré la convocation matinale. Les citoyens bavardent sur l'Agora, et de tous côtés cherchent à fuir le contact de la corde teinte en rouge[1]. [...] Pour moi, qui viens toujours le premier à l'assemblée, je m'assois. Aujourd'hui, je ne viens pas pour rien. Je suis prêt à crier, à injurier les orateurs, s'il en est qui parle d'autre chose que de la paix. Mais voici les Prytanes[2], il est midi. Ils se bousculent pour gagner les premiers rangs.

■ Aristophane, extrait des *Acharniens*, IVe siècle avant J.-C.

1. Les gendarmes tendent des cordes enduites de couleur rouge au travers des rues et poussent les gens vers la Pnyx. Les retardataires sont marqués de rouge au dos et peuvent être punis d'une amende.

2. Magistrats qui convoquent et président l'assemblée.

3 Les objets du vote

Tesson demandant l'exil de Périclès, Ve siècle avant J.-C., musée de l'Agora, Athènes.

a. Le tesson d'ostracisme

Les citoyens réunis sur l'Agora écrivaient le nom du citoyen qu'ils souhaitaient bannir d'Athènes sur un morceau de poterie. Celui qui était le plus souvent nommé devait partir.

b. L'horloge à eau

L'horloge à eau mesure le temps de parole d'un orateur. Quand le vase du bas est rempli, le temps de parole est écoulé.

Résultat des votes

Président de l'Assemblée

Orateur

Rédacteurs des débats

Huissiers (contrôle des accès)

Députés

4 Une séance à l'Assemblée nationale (2015)

INFOS

En France, l'Assemblée nationale est composée de **577 député(e)s** élu(e)s **au suffrage universel par les citoyens et les citoyennes**. **Elle vote la loi** et **contrôle l'action du gouvernement**.

5 Voter à l'Assemblée nationale
Les députés utilisent un boîtier électronique situé à leur place à l'Assemblée nationale : c'est le vote à scrutin public. Ils votent aussi à main levée.

QUESTIONS

J'observe les traces du passé

❶ Doc 1 et 2. Qui est présent à l'Ecclésia ?

❷ Doc 1 à 3. Comment se déroule une séance ?

❸ Doc 1 et 3. Comment votent les citoyens à l'Ecclésia ?

Je fais le lien entre le passé et le présent

❹ Quels points communs relèves-tu entre l'Ecclésia et l'Assemblée nationale ?

❺ Quelles différences notes-tu ?

Le monde des cités grecques

→ Qu'est-ce qui unit les Grecs à partir du VIIIᵉ siècle avant J.-C. ?

(A) Une histoire et une religion communes

1. Les Grecs parlent la **même langue** et utilisent la **même écriture**. Ils apprennent à lire et écrire avec les poèmes attribués à **Homère**, **L'Iliade** et **L'Odyssée** (VIIIᵉ siècle avant J.-C.). Pour les Grecs, ces récits, plus ou moins légendaires, racontent leur **histoire commune**.

2. Les Grecs sont polythéistes. Ils adorent de nombreux dieux, à l'apparence humaine mais immortels, et croient qu'ils interviennent dans leur vie en fixant leur destin. Les **mythes** racontent leurs histoires et celles des héros aussi célébrés. Pour obtenir leur protection, on leur rend un **culte** dans le cadre de la maison ou **dans des temples**. **Prières et sacrifices** rythment la vie de tous les jours. Plus exceptionnellement, des célébrations réunissent les Grecs dans **de grands sanctuaires panhelléniques** comme à Olympie ou Delphes.

(B) Une Méditerranée grecque

1. La Grèce antique est un **territoire méditerranéen** divisé en de **très nombreuses cités**. Chacune est un **petit État indépendant** qui a ses propres lois, sa monnaie et son armée de **citoyens**. Elle se compose d'un **territoire rural** et d'une **ville souvent fortifiée**, siège des institutions communes. De fréquents **conflits** opposent les cités entre elles : ainsi, Sparte et Athènes s'affrontent pendant 27 ans au Vᵉ siècle avant J.-C.

2. Du VIIIᵉ au VIᵉ siècle avant J.-C., les Grecs, devenus trop nombreux, **quittent leur cité** de Grèce. Ils partent à la recherche de nouvelles terres autour de la Méditerranée et fondent des **colonies**, comme à Marseille.

(C) Athènes, une cité démocratique

1. À la fin du VIᵉ siècle avant J.-C., Athènes se dote d'un régime politique qui donne le pouvoir aux **citoyens** : c'est la **démocratie**. Réunis à l'**Ecclesia**, les citoyens discutent ; **votent les lois et élisent les magistrats** de la cité. Ils doivent prendre part à la **défense d'Athènes**, siéger au **tribunal de l'Héliée** par tirage au sort et **contribuer à l'organisation des fêtes religieuses et civiques**.

2. Athènes est peuplée d'environ **300 000 habitants**. Les **citoyens y sont minoritaires**. La **citoyenneté n'est accordée** ni aux **femmes**, écartées de la vie politique, ni aux **étrangers**, appelés **métèques**, qui pourtant payent des taxes. Quant aux **esclaves**, ils sont considérés comme des **objets**.

D'où vient le mot...
DÉMOCRATIE ?
Du grec ancien *demokratía* : *demos*, « peuple » et *kratos*, « pouvoir ». C'est donc un régime politique dans lequel le pouvoir appartient aux citoyens.

VOCABULAIRE

▸ **Cité**
Du grec *polis*. État indépendant s'étendant sur un territoire constitué d'une ville, souvent fortifiée, et de sa campagne. Chaque cité possède ses propres lois, sa monnaie et son armée.

▸ **Citoyens**
Ceux qui habitent la cité et possèdent des droits civiques, politiques et juridiques. À Athènes, il faut être né de mère et de père athéniens.

▸ **Colonie**
Cité nouvelle fondée par des Grecs.

▸ **Culte**
Rites destinés à honorer les dieux afin d'obtenir leur protection (offrandes, prières...).

▸ **Mythe**
Récit mettant en scène les dieux et les exploits des héros.

▸ **Panhellénique**
Qui est commun à tous les Grecs.

▸ **Sanctuaire**
Espace sacré dédié à un ou plusieurs dieux.

Une histoire commune

- **Une même langue** : le grec.

- **La Méditerranée**, espace grec : commerce, colonies.

- L'*Iliade* et l'*Odyssée* (VIIIe siècle) : poèmes attribués à **Homère**, récits vrais pour les Grecs, base de toute éducation.

Une organisation en cités-états

- **La cité**
  - **Le territoire** : ville, campagnes, port.
  - **La société** : citoyens, métèques, esclaves.
  - **Les fonctions** : politiques (Agora), religieuses (Acropole), économiques.

- **Des cités rivales** De nombreux conflits

Le monde des cités grecques au Ier millénaire avant J.-C.

Des croyances communes

- **Une religion polythéiste** Des dieux et des déesses qui interviennent dans la vie des Grecs.

- **Un culte rendu aux dieux**
  - Prières et sacrifices
  - Des lieux : maison, temple des cités, **sanctuaires panhelleniques**.

Athènes, une cité démocratique

- **Le pouvoir aux citoyens**
  - **L'Ecclesia, assemblée des citoyens** : vote des lois, élection des magistrats, …
  - **L'Héliée**, tribunal où siègent les citoyens par tirage au sort.

- **Les exclus de la vie politique** Les femmes, les métèques, les esclaves, c'est-à-dire la **majorité de la population**.

- **Des fêtes civiques** Les Panathénées

Je révise chez moi

● **Je vérifie que je connais les principaux repères du chapitre.**

Je sais définir et utiliser dans une phrase :

- cité
- démocratie
- citoyen

Je sais situer sur une frise et un planisphère :

▶ **Dans le temps :**
– l'*Iliade* et l'*Odyssée* ;
– la naissance de la démocratie à Athènes.

▶ **Dans l'espace :**
– le monde grec sur une carte du Bassin méditerranéen au VIIIe et VIIe siècle avant J.-C. ;
– la cité d'Athènes.

Je sais expliquer :

▶ ce qui unit les Grecs.
▶ comment les Grecs pratiquent leur religion.
▶ ce qu'est une cité grecque.
▶ le fonctionnement de la démocratie athénienne.

site élève
⬇ fond de carte et frise

Apprendre à apprendre

Comment apprendre ma leçon ?

J'apprends grâce à des images

Pour mémoriser la leçon, on peut visualiser des images et les lier aux informations importantes du chapitre.

▶ **Étape 1**

- Choisis une ou deux images qui correspondent à une partie de la leçon, puis associe les mots importants, les définitions ou les dates de la leçon à ces images.

Une histoire et une religion communes

L'Iliade et l'Odyssée
VIIIᵉ siècle avant J.-C.
Homère – polythéistes – culte – sanctuaires – panhelléniques – Olympie
- Sanctuaire : espace sacré dédié à un ou plusieurs dieux.
- Panhellénique : qui est commun à tous les Grecs.

Des cités autour de la Méditerranée

Monnaie – Citoyens – Hoplite
- Cité grecque : territoire comprenant une ville et les campagnes qui l'entourent.
- Colonie : cité nouvelle fondée par des Grecs.

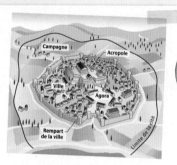

Athènes, une cité démocratique

Athènes
300 000 habitants – Ecclésia – citoyenneté – Héliée – femmes – esclaves – étrangers.
- Démocratie : régime politique où le pouvoir appartient à l'ensemble des citoyens

---

▶ **Étape 2**

- Explique à l'oral ce que chaque image t'a appris sur le chapitre. Fais des phrases complètes et cohérentes, comme si tu récitais ta leçon.

> En visualisant les images, tu vas te souvenir des notions liées à chacune d'entre elles.

Je vérifie mes connaissances

1 Je sais utiliser un vocabulaire historique précis.

Recopie le tableau ci-dessous. Place dans la colonne de droite les mots ou expressions de la liste suivante qui correspondent à chaque thème étudié.

religion polythéiste – mythes – rites religieux – Jeux olympiques – langue – citoyens – dieu protecteur – Agora – Acropole – hoplite – commerce – Ecclésia – magistrats – Pnyx – vote à main levée – orateur – horloge à eau

Les thèmes étudiés	Le vocabulaire historique que je dois utiliser
L'unité du monde grec	
Citoyens et cités dans le monde grec	
Athènes et la naissance de la démocratie	

2 Je raconte à partir d'images.

Rédige une phrase ou explique oralement ce que chaque document, issu du chapitre, t'a appris sur les cités grecques.

a.

b.

c.

3 Qui suis-je ?

Trouve qui se cache derrière chaque définition.

Je suis un guerrier grec, je combats à pied avec ma lance, mon épée et mon bouclier pour défendre ma cité, je suis...

Je suis considéré comme un objet, car je ne suis pas libre et j'appartiens à un maître pour lequel je travaille, je suis...

À l'Ecclésia, je débats puis je vote à main levée pour décider des lois et pour élire les dirigeants de la cité, je suis...

À Athènes, je suis exclue de la citoyenneté, je dois rester à la maison où je m'occupe du travail des esclaves, je suis...

À Olympie, je vais participer aux sacrifices et offrandes avant de concourir pour la course de chars, je suis...

4 Retrouve d'autres exercices sous forme interactive sur le site Nathan.

site élève
exercices interactifs

1 Je comprends le langage des arts : les grandes Panathénées, fête civique d'Athènes

↳ SOCLE : Domaine 1

Frise

1 Le temple du Parthénon

Le temple dédié à Athéna sur l'Acropole d'Athènes, construit au Vᵉ siècle avant J.-C..

2 La procession des Athéniens

a. Taureaux conduits au sacrifice

b. Remise du peplos à la déesse Athéna

Le but de la procession est de porter à Athéna sa nouvelle tunique, le péplos, brodé par des jeunes-filles athéniennes.

Bas-reliefs de la frise des Panathénées (Vᵉ siècle avant J.-C.).

mémo ART

▶ Chaque année a lieu à Athènes la fête des **Panathénées**, en l'honneur d'**Athéna**, déesse protectrice de la cité. Tous les quatre ans, une fête grandiose qui dure six jours lui est dédiée, **les grandes Panathénées**.

▶ La fête rassemble les **citoyens** d'Athènes, leurs femmes et leurs enfants, ainsi que les **métèques**.

▶ Le temple du Parthénon et la frise en **bas-reliefs** des Panathénées ont été réalisés par le **sculpteur Phidias**.

QUESTIONS

Parcours arts

▶ J'exprime mes sentiments

❶ Quels mots te viennent à l'esprit pour exprimer ce que tu es en train de découvrir ?

▶ J'identifie et je situe l'œuvre d'art

❷ Où cette œuvre d'art a-t-elle été réalisée ? Selon quelle technique artistique ?

❸ Quand et par qui cette œuvre a-t-elle été réalisée ?

▶ Je décris l'œuvre et j'en explique le sens

❹ À ton avis, pourquoi peut-on affirmer que la fête des Panathénées exprime l'unité de la cité d'Athènes ?

2 Je formule des hypothèses et je les vérifie

↳ SOCLE : Domaine 4

QUESTIONS

❶ Décris cette scène. Que ressens-tu devant la représentation des deux personnages ?

❷ À ton avis, qui peuvent être ces deux personnages ?

❸ À l'aide de tes connaissances, choisis l'hypothèse qui explique la manière dont ces deux personnages sont représentés.

Les habitants d'une cité grecque
Vase grec du Ve siècle, musée de Copenhague, Danemark.

MON BILAN DE COMPÉTENCES

Domaine du socle	Compétences travaillées	Pages du chapitre
D1 Les langages pour penser et communiquer	• Je sais m'exprimer à l'écrit et à l'oral pour penser et argumenter	Je découvre .... p. 68-69
	• Je comprends le langage des Arts et je sais l'expliquer	Parcours Arts .... p. 70-71
	• Je sais argumenter et justifier mes choix.	J'enquête .... p. 72-73
		Exercice 1 .... p. 80
D2 Méthodes et outils pour apprendre	• Je sais extraire des informations pertinentes pour comprendre des documents	J'enquête .... p. 66-67
	• Je sais construire un outil personnel de travail, un lexique	Je découvre .... p. 68-69
D3 La formation de la personne et du citoyen	• J'ai compris ce que signifie être citoyen	J'enquête .... p. 72-73
	• Je comprends le sens de l'engagement dans la vie politique	Passé-présent .... p. 74-75
D4 Les systèmes naturels et les systèmes techniques	• Je sais formuler des hypothèses et les vérifier.	Exercice 2 .... p. 81
D5 Les représentations du monde et l'activité humaine	• Je sais me repérer dans le temps et dans l'espace	Repères .... p. 64-65
	• Je comprends ce qu'est une civilisation, le monde grec	J'enquête .... p. 66-67
	• Je comprends que le passé éclaire le présent	Passé-présent .... p. 74-75

5 Rome, du mythe à l'histoire

→ Comment Rome, cité aux origines mythiques, affirme-t-elle sa domination en Méditerranée au Ier millénaire avant J.-C. ?

À l'école primaire

Au CM1, j'ai étudié l'influence des Romains en Gaule et les contacts que les Gaulois ont eus avec les civilisations méditerranéennes.

En 6^e

Chapitre 4
J'ai découvert que les Grecs de l'Antiquité vivent dans des cités dispersées autour de la Méditerranée.

Ce que je vais découvrir

La cité de Rome, fondée au VIIIe siècle avant J.-C., étend sa domination sur tout le Bassin méditerranéen.

1 **Le mythe de la fondation de Rome**

Les jumeaux Romulus et Remus nourris par la louve sur les rives du Tibre. Selon la légende, Romulus et Remus, abandonnés au bord du Tibre, auraient été recueillis par une louve, puis découverts et élevés par des bergers.

Mosaïque, vers 300 après J.-C., Leeds City Museum (Royaume-Uni).

2 **Des archéologues recherchent des traces laissées par les anciens Romains sur le Forum**
Fouilles, 2013.

Rome, une cité conquérante (Ier millénaire avant J.–C.)

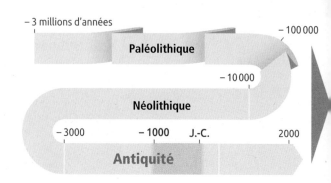

− 3 millions d'années   − 100 000

Paléolithique

− 10 000

Néolithique

− 3000   − 1000   J.-C.   2000

Antiquité

D'où vient le mot...

ROME ?

Pour les Romains, pas de doute, le mot « Rome » vient de son fondateur Romulus !

Et pourtant, « Rome » viendrait peut-être de la langue des Étrusques et signifierait « mamelle », dans le sens où la ville serait née en hauteur, sur le Palatin. Une autre étymologie associe *Rümo*, l'ancien nom du Tibre, au grec ancien *rheûma*, « le flux ».

GAULE CISALPINE

Mer Ligurienne

Rome

Mer Adriatique

Mer Tyrrhénienne

MER MÉDITERRANÉE

0   100 km

Le territoire romain

En 500 avant J.-C.	Vers 250 avant J.-C
Vers 300 avant J.-C	Vers 200 avant J.-C

1 **Rome à la conquête de l'Italie**

QUESTIONS

▶ **Je me repère dans le temps et dans l'espace**

❶ Quand la cité de Rome a-t-elle été fondée ? Quand devient-elle une république ?

❷ Quels territoires la ville de Rome contrôle-t-elle à la fin du IIIe siècle avant J.-C. ? Et à la fin du Ier siècle avant J.-C. ?

❸ Quel constat fais-tu : comment a évolué le territoire de Rome au Ier millénaire avant J.-C. ?

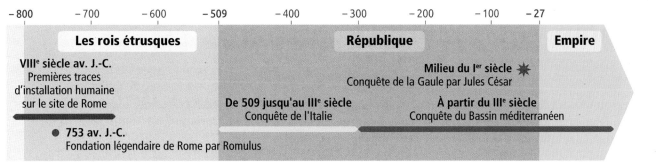

| −800 | −700 | −600 | −509 | −400 | −300 | −200 | −100 | −27 |

Les rois étrusques **République** **Empire**

VIIIᵉ siècle av. J.-C.
Premières traces
d'installation humaine
sur le site de Rome

● **753 av. J.-C.**
Fondation légendaire de Rome par Romulus

De 509 jusqu'au IIIᵉ siècle
Conquête de l'Italie

Milieu du Iᵉʳ siècle ✴
Conquête de la Gaule par Jules César

À partir du IIIᵉ siècle
Conquête du Bassin méditerranéen

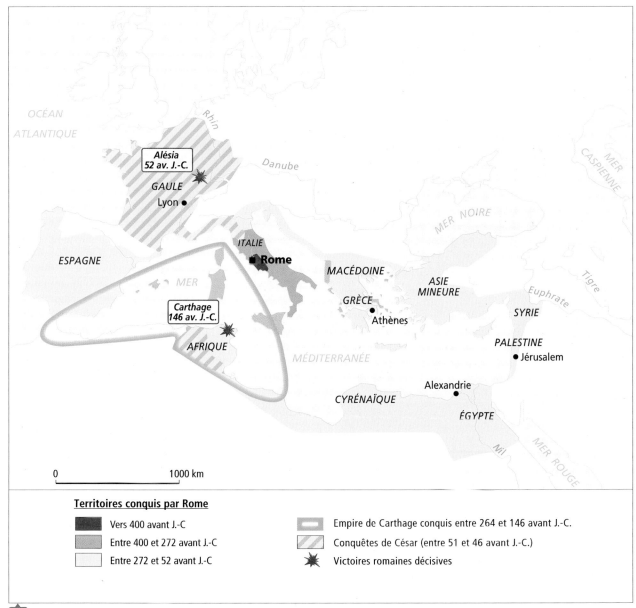

Territoires conquis par Rome

- Vers 400 avant J.-C
- Entre 400 et 272 avant J.-C
- Entre 272 et 52 avant J.-C
- Empire de Carthage conquis entre 264 et 146 avant J.-C.
- Conquêtes de César (entre 51 et 46 avant J.-C.)
- ✴ Victoires romaines décisives

2 Rome à la conquête du Bassin méditerranéen

J'enquête

EN ÉQUIPES !

SOCLE Compétences
- **Domaine 2 :** j'élabore une tâche commune dans le cadre d'un travail en groupe.
- **Domaine 5 :** je m'exprime sur des événements fondateurs de l'histoire.

Rome, entre mythe et histoire

CONSIGNE

Romulus et Remus, Énée leur ancêtre troyen, la louve, les Étrusques, César... depuis ton arrivée à Rome, tu n'entends parler que d'eux et du récit légendaire de la fondation de Rome. Mais tu ne peux te contenter d'une légende, il te faut des preuves !

Alors, qui a fondé Rome ? En équipes, à toi et tes camarades d'étudier le mythe et l'histoire pour expliquer ce qui s'est passé.

ÉQUIPE 1

À l'origine de Rome : Énée

Votre équipe est chargée de présenter Énée, l'ancêtre troyen des Romains. Souvenez-vous, vous avez déjà étudié la guerre de Troie dans le chapitre sur la Grèce !
(→ chapitre 4 p. 70-71)

1. Qui est Énée ? De quelle cité s'enfuit-il et où son voyage le conduit-il ?
2. Qui sont ses descendants ?

1 **Enée et sa famille fuyant la ville de Troie**

Huile sur toile de Pompeo Girolamo Batoni, XVIIIe siècle, Galleria Sabauda, Turin (Italie).

1. Énée 3. Ascagne (Iule)
2. Anchise 4. Créüse

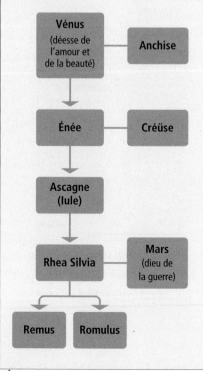

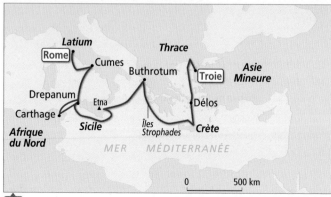

2 Le voyage d'Énée depuis Troie

3 La descendance d'Énée

La fondation légendaire de Rome

Votre équipe est chargée de présenter le mythe de la fondation de Rome par Romulus.

1. Qui sont Romulus et Remus ?
2. Comment Romulus devient-il le premier roi de Rome ?
3. À quelle date ?

4 Le destin d'Énée et de sa descendance

Jupiter s'adresse à Vénus, la mère d'Énée.

C'est là [à Albe la Longue] que pendant trois cents ans, la royauté demeurera aux mains des descendants d'Énée, jusqu'au jour où Ilia, fille d'un roi et prêtresse de Mars, enfantera du dieu deux fils jumeaux, Romulus et Remus. Ensuite, fier des forces acquises sous la protection d'une louve sa nourrice, l'un d'eux, Romulus, prendra en charge la nation et fondera les murailles de Mars : de son nom il nommera les Romains.

■ D'après Virgile, *Énéide*, chant I, Iᵉʳ siècle avant J.-C.

6 La louve du Capitole

Sculpture en bronze du XIIᵉ siècle.
Les jumeaux ont été ajoutés au XVᵉ siècle.
Musée du Capitole, Rome.

INFOS

On pensait que cette sculpture datait du Vᵉ siècle avant J.-C. Des analyses récentes ont permis de découvrir que c'était en fait une sculpture réalisée au Moyen Âge.

5 Romulus, premier roi de Rome

En 753 avant J.-C., Romulus et Remus décidèrent de fonder une ville à l'endroit où ils avaient été abandonnés et élevés. Étant jumeaux, l'ancienneté de l'âge ne pouvait rien décider. Ils en appelèrent donc aux dieux : c'était à eux de désigner celui qui donnerait son nom à la cité nouvelle et la gouvernerait. Romulus alla se placer sur le Palatin, Remus sur l'Aventin. C'est à Remus qu'apparut le premier augure[1] : six vautours. À peine voulut-il l'annoncer que Romulus en aperçut deux fois plus. Chacun d'eux est proclamé vainqueur par les siens. Les uns invoquant la priorité du présage, les autres le nombre des oiseaux. On discute, on s'échauffe. La querelle dégénère en bagarre sanglante, Remus tombe, frappé à mort.

■ D'après Tite-Live, *Histoire romaine*, Iᵉʳ siècle avant J.-C.

1. Prédiction, présage.

J'enquête EN ÉQUIPES !

ÉQUIPE **3**

Les découvertes des archéologues

Votre équipe est chargée de présenter le travail des archéologues et des historiens sur la fondation de Rome.

❶ De quand datent les premières traces d'habitation sur le site de Rome ?
❷ Qui dirige Rome au VIᵉ siècle avant J.-C. ? Que construisent-ils ?
❸ Quelles découvertes des archéologues confirment l'existence d'une cité organisée entre les VIIIᵉ et VIᵉ siècles avant J.-C. ?

a. Aux origines de Rome

Les archéologues ont trouvé des traces de l'existence de cabanes qui datent du VIIIᵉ siècle avant J.-C. Dans les trous, des poteaux en bois soutenaient les cabanes.

Chronologie

VIIIᵉ s. avant J.-C.

Traces d'occupation sur la colline du Palatin par des bergers latins.

VIᵉ s. avant J.-C.

Rome est dirigée par des rois d'origine étrusque qui développent la ville.

Plan de Rome

Tibre

Champ de Mars

Quirinal

Viminal

Esquilin

Temple de Jupiter

Capitole

Forum

Grand cirque

Palatin

Caelius

Aventin

0   1 km   N

Légende :

Plaines   Collines

Rome des origines (Xᵉ-VIIIᵉ siècle avant J.-C.)

○○○ Traces des premières cabanes

Villages de bergers existant au VIIIᵉ siècle avant J.-C.

Constructions des rois étrusques au VIᵉ siècle avant J.-C.

Le mur de Servius Tullius

Édifices

Forum, lieu de la vie politique

Cloaca Maxima

7 Plan de Rome vers 600 avant J.-C.

b. Un rempart autour de Rome

Le roi étrusque Servius Tullius fait construire un mur qui englobe les sept collines de Rome au VIᵉ siècle avant J.-C.

c. La Cloaca Maxima

Ce grand égout a été construit au VIᵉ siècle avant J.-C. pour assécher les marais en conduisant les eaux vers le Tibre.

Rome entre mythe et histoire

Chaque équipe présente oralement ses conclusions à l'ensemble de la classe.
Puis, en classe entière, vous recopiez puis classez dans le tableau de synthèse ci-dessous les informations relevées au cours de vos enquêtes.

site prof.
⬇ tableau à imprimer

	Selon la légende	Selon l'archéologie
Qui seraient les premiers habitants du site de Rome ?		
À quelle date Rome devient-elle une cité ?		
Qui a fondé Rome ?		
Comment ?		

POUR ALLER PLUS LOIN

Les Romains et le mythe de la fondation de Rome

Quel lien les Romains font-ils entre leur histoire et leurs dieux ?

8 L'utilisation du mythe par Jules César

BIOGRAPHIE

JULES CÉSAR (100-44 avant J.-C.)

Il naît dans une très noble **famille romaine** qui se dit **descendante de Vénus et d'Énée**. **Consul**, **général des armées**, il fait la **conquête de la Gaule**. Il utilise ses victoires pour **s'emparer du pouvoir à Rome** en **49** et se fait nommer **dictateur**. Il meurt assassiné en 44 par des sénateurs.

Compare cette monnaie au doc 1 p. 86. Que constates-tu ?

Pièce en argent, Ier siècle avant J.-C.

9 L'*Énéide* de Virgile

BIOGRAPHIE

VIRGILE (70-19 avant J.-C.)

Écrivain et poète latin, auteur de l'*Énéide*, un long poème sur le modèle de ceux d'Homère pour les Grecs. Pour l'écrire, il a rassemblé les légendes orales et écrites de la fondation de Rome, transmises de génération en génération.

Jupiter s'adresse à Vénus.

Un Troyen paraîtra, d'une lignée bénie, César, pour étendre [l'empire des Romains] jusqu'à l'océan, leur renom jusqu'aux astres. Il sera Julius, nom qui lui vient du grand Iule."

■ D'après Virgile, *Énéide*, chant I, Ier siècle avant J.-C.

TÂCHE COMPLEXE

Le Forum, lieu de pouvoir de la République

> Sur internet, un « forum » est un espace de discussion public ou ouvert à plusieurs participants. Mais sais-tu que l'origine de ce mot nous vient de Rome ?

CONSIGNE

Luigi, le guide officiel de la ville de Rome, souffre soudainement de trous de mémoire ! Aujourd'hui, il doit faire visiter le Forum. À toi de lui rafraîchir la mémoire avant l'arrivée des premiers touristes : quel était le rôle de tous ces bâtiments du Forum ? Pour quelles activités les Romains s'y retrouvaient-ils ?

1 Le Forum romain aujourd'hui

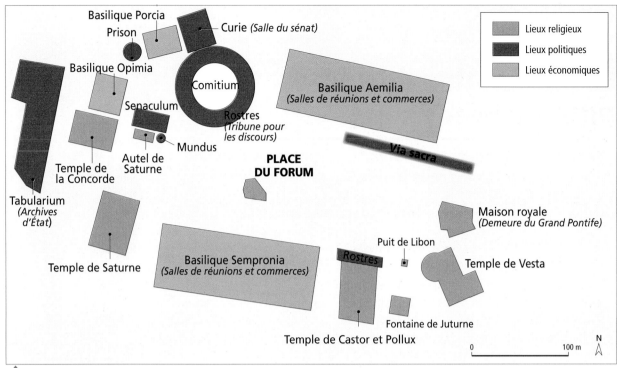

2 Plan du Forum romain

Légende :
- Lieux religieux
- Lieux politiques
- Lieux économiques

Basilique Porcia
Prison
Curie (Salle du sénat)
Basilique Opimia
Comitium
Basilique Aemilia
(Salles de réunions et commerces)
Senaculum
Rostres
(Tribune pour les discours)
Mundus
Via sacra
Autel de Saturne
Temple de la Concorde
PLACE DU FORUM
Tabularium
(Archives d'État)
Maison royale
(Demeure du Grand Pontife)
Puit de Libon
Temple de Saturne
Basilique Sempronia
(Salles de réunions et commerces)
Rostres
Temple de Vesta
Fontaine de Juturne
Temple de Castor et Pollux
N
0   100 m

3 Le Comitium, un lieu de vote

Monnaie du IIe siècle avant J.-C., Bnf, Paris.

1 Un citoyen reçoit une tablette en bois recouverte de cire, sur laquelle il va inscrire un nom pour l'élection des magistrats, « oui » ou « non » pour le vote d'une loi.

2 Chaque votant doit avancer sur un pont où on ne peut passer qu'un par un.

3 Un citoyen met dans l'urne son bulletin de vote.

www.unicaen.fr/cireve/rome/pdr_virtuel.php?numero_image=0&virtuel=aemilia

site élève
lien vers le site

4 Reconstitution de la basilique Aemilia

Ce site propose des reconstitutions en 3D de nombreux monuments romains.

COUP DE POUCE

Pour aider Luigi, remplis le tableau en classant les différents monuments du Forum romain selon leur fonction et leur activité.

Nom du monument/lieu	Qu'y fait-on ?	Fonction religieuse, économique ou politique ?
Curie		
Voie sacrée		
Basilique		
Place des comices		
Temples		

La domination de Rome (IIIe–Ie s. avant J.–C.)

Question clé Pourquoi et comment la République romaine domine-t-elle tout le Bassin méditerranéen ?

1 Les légionnaires romains : des soldats-citoyens

Jusqu'à la fin du IIe siècle avant J.-C., l'armée romaine est constituée de citoyens suffisamment riches pour fournir leur équipement.

Quand on doit faire une levée de soldats, ce qui se fait tous les ans, les consuls[1] avertissent auparavant le peuple du jour où doivent s'assembler tous les Romains en âge de porter les armes. [...] Chaque légion est composée d'hommes de même âge et de même force. Quand on a levé le nombre nécessaire, et qui, quelquefois, se monte à 4 200, et quelquefois, quand le danger est plus pressant, à 5 000, on lève de la cavalerie. [...] En même temps les consuls envoient des députés vers les villes d'Italie qui font une levée de la même manière qu'à Rome.

■ D'après Polybe, *Histoires*, Livre VI, IIe siècle av. J.-C.

1. Le plus important magistrat romain. Il est d'abord chef de guerre.

Reconstitution d'un légionnaire romain, IIe siècle avant J.-C., Museo della Civiltà Romana, Rome.

2 Rome diffuse la citoyenneté romaine

Texte accordant la citoyenneté romaine à un escadron de cavalerie d'origine espagnole appelé « Turma Salluitana ».
Plaque en bronze, 89 avant J.-C., musée du Capitole, Rome.

1 Texte racontant le rôle des cavaliers dans la prise de la cité rebelle d'Asculum.
2 Texte énumérant les récompenses données aux cavaliers, dont la citoyenneté.
3 Nom des cavaliers récompensés, qui viennent tous d'Espagne.

Gaule
Empúries
Rome
Asculum
Espagne
Italie

3 Vestiges de la ville romaine d'Empúries

INFOS

L'armée romaine s'empare de la ville d'Empúries au IIIe siècle avant J.–C. Au Ier siècle avant J.–C., les Romains font construire une muraille autour de la ville, puis, plus tard, un Forum et un amphithéâtre. C'est le début de la romanisation de l'Espagne.

4 Les conquêtes vues par un ennemi de Rome

Mithridate est un roi d'Asie mineure en guerre contre Rome.

Car pour les Romains, contre toutes les nations, contre tous les peuples, contre tous les rois, l'unique, l'éternel motif de faire la guerre, est un désir immodéré de la domination et des richesses [...]. Ignorez-vous que les Romains portent ici leurs armes, parce que l'Océan les a arrêtés du côté de l'Occident ? Que, depuis leur origine, ils n'ont acquis maisons, épouses, territoires, puissance que par le brigandage ? [...] C'est sur l'audace et la perfidie, sur la guerre née de la guerre, qu'ils ont fondé leur grandeur. Avec cette même politique, ils anéantiront tout, ou périront eux-mêmes.

■ D'après Salluste, *Histoires*, Ier siècle avant J.-C.

Activités

Question clé Pourquoi et comment la République romaine domine–t–elle tout le Bassin méditerranéen ?

ITINÉRAIRE 1

▶ **Je comprends les documents**

❶ **Carte page 85 et doc 4.** Quels territoires sont conquis par la République romaine jusqu'au Ier siècle avant J.-C. ? Qu'en pensent ceux qui résistent à la domination de Rome ?

❷ **Doc 1, 3 et 4.** Comment Rome étend-elle sa domination sur la Méditerranée ?

❸ **Doc 2 et 3.** À qui Rome accorde-t-elle le droit de devenir citoyens romains ? Comment se manifeste l'influence romaine dans les territoires conquis ?

▶ **Je rédige un court texte**

❹ À partir de tes réponses aux questions, réponds à la question clé en quelques phrases.

OU

ITINÉRAIRE 2

▶ **Je pratique différents langages**

Pour répondre à la question clé, recopie et complète le schéma ci-contre.

Des soldats-citoyens bien armés → Doc 1

De nombreuses conquêtes → Doc 2 à 4

De nouveaux Romains → Doc 2 et 3

La Méditerranée dominée → Doc 2 à 4

Rome, entre mythe et histoire

→ Comment Rome, cité aux origines mythiques, affirme-t-elle sa domination en Méditerranée au Iᵉʳ millénaire avant J.-C. ?

A La naissance de Rome : un récit légendaire

1. **Le mythe de la fondation de Rome** sur la colline du Palatin est une **histoire légendaire** qui unit les Romains et que nous connaissons par différents auteurs qui l'ont racontée près de huit siècles après.

2. Selon la légende, Romulus et Remus, fils de Mars, le dieu de la guerre, sont les descendants du Troyen Énée. Sauvés par une louve, ils décident, **en 753 avant J.-C.**, de fonder une cité à l'endroit où ils ont été recueillis. Mais ils se disputent et Remus meurt dans le combat. **Romulus donne alors son nom à la nouvelle cité.**

B La cité de Rome

1. Les **premières traces d'occupation** des collines de Rome sont des cabanes de bergers du **VIIIᵉ siècle avant J.-C.** La première muraille de Rome aurait entouré le Palatin à la même époque. **La fondation de Rome pourrait donc bien dater de l'époque où les Romains situaient la légende de Romulus.**

2. Mais c'est au VIᵉ siècle avant J.-C. que Rome s'étend et devient une véritable cité, sous la domination de rois **d'origine étrusque**. Ils aménagent la cité en construisant le temple de Jupiter sur la colline du Capitole, le premier grand cirque (Circus Maximus), où sont organisées des courses de chars, et les premiers égouts.

C La conquête romaine du Bassin méditerranéen

1. En 509 avant J.-C., les rois étrusques sont chassés par le peuple. **Rome devient une république dirigée par les citoyens**, hommes libres habitant Rome. Le **Forum** est alors le véritable centre de la vie politique de la cité. C'est là que se réunit le **Sénat** et que les citoyens élisent les **magistrats** et votent les lois.

2. Du Vᵉ au Iᵉʳ siècle avant J.-C., grâce à ses légions, **Rome fait la conquête militaire de toute l'Italie et d'une grande partie du Bassin méditerranéen** (→ **voir carte p. 85**). Au Iᵉʳ siècle avant J.-C., elle **accorde la citoyenneté romaine** à tous les habitants libres d'Italie et aux habitants des différentes provinces qu'elle veut récompenser.

3. De grandes familles romaines, comme celle de Jules César, s'inventent alors des origines légendaires pour **asseoir leur pouvoir dans la République**.

VOCABULAIRE

▸ **Citoyens**
Ceux qui possèdent des droits civiques (voter), politiques (exercer une fonction politique) et juridiques dans leur cité.

▸ **Forum**
Grande place publique de Rome, centre du pouvoir politique, économique et religieux de la cité.

▸ **Magistrat**
Responsable de la cité élu par les citoyens. Les plus importants sont les consuls.

▸ **Mythe**
Voir définition p. 66.

▸ **République**
Du latin *res publica*, « chose publique ». Forme de gouvernement où le pouvoir n'est pas détenu par une seule personne et où ceux qui gouvernent sont désignés par la population (ou une partie d'entre elle).

▸ **Sénat**
Assemblée formée de 300 anciens magistrats.

Rome entre mythe et histoire

Quand ?

- Du VIIIe au Ier siècle avant J.-C.

Où ?

- Rome
- Italie
- Bassin méditerranéen

Le temps de la fondation de Rome (VIIIe-VIe siècle avant J.-C.)

- **Cabanes de bergers** et première muraille sur le Palatin dès le VIIIe siècle avant J.-C.

- **Fondation légendaire** par **Romulus** en 753 avant J.-C.

- **Rome devient une cité** sous la domination des Étrusques au VIe siècle avant J.-C.

Le temps de la République romaine (509 - 27 avant J.-C.)

- **Rome, une république**
  - **Le Forum**, centre de la vie politique, économique et religieuse de la cité.
  - Une république constituée de **soldats-citoyens**.

- **La domination de Rome**
  - **Conquête de l'Italie** et de tout le **Bassin méditerranéen**.

- **Le mythe de la fondation de Rome**
  - Utilisation du mythe par de grandes familles romaines, comme celle de Jules César, pour **diriger Rome et garder le pouvoir**.

- **Je vérifie que je connais les principaux repères du chapitre.**

Je sais définir et utiliser dans une phrase :

- Forum
- République
- Mythe

Je sais situer sur une frise et un planisphère :

- **Dans le temps :**
  - la fondation de Rome selon le mythe et selon les historiens ;
  - la domination de l'Italie et du Bassin méditerranéen par Rome.
- **Dans l'espace :**
  - Rome, l'Italie et la Gaule.

site élève
📥 fond de carte et frise

Je sais expliquer :

- le mythe de la fondation de Rome.
- les découvertes des archéologues sur les premières habitations de Rome.
- les activités des Romains sur le Forum.
- comment Rome a dominé le Bassin méditerranéen.

Apprendre à apprendre

Comment apprendre ma leçon ?

J'apprends en m'enregistrant

Parfois, on retient mieux ce que l'on entend. Pour mémoriser le cours, on peut s'enregistrer en récitant sa leçon, puis s'écouter plusieurs fois.

▶ Étape 1

- Pour commencer, il faut t'assurer que tu as bien compris la leçon.
  Classe les connaissances du chapitre en 3 parties.

> 1. Le récit légendaire de la fondation de Rome
>
> 753 avant J.-C.
> Remus et Romulus
> Palatin
> Histoire légendaire
> ...

> 2. L'histoire de la fondation de Rome
>
> VIIIᵉ siècle avant J.-C.
> VIᵉ siècle avant J.-C.
> Étrusques
> Cabanes
> ...

💡 Dans chaque partie, il faudra intégrer les dates, les lieux importants et les mots clés de la leçon.

> 3. La conquête romaine du Bassin méditerranéen
>
> 509 avant J.-C.
> République
> Légions
> Conquêtes
> ...

▶ Étape 2

- Enregistre-toi en racontant ta leçon.
  Pour cela, tu peux utiliser ton téléphone portable, un dictaphone ou ton ordinateur (avec un logiciel comme Audacity).

- Lorsque tu t'enregistres, récite ta leçon en faisant des phrases claires et audibles ; Ne parle pas trop vite, il faut que cela soit agréable à écouter. N'hésite pas à préciser les titres de tes parties au fur et à mesure.

▶ Étape 3

- Pour écouter ton enregistrement, mets-toi au calme et concentre-toi ! Tu peux l'écouter plusieurs fois, tu mémoriseras mieux la leçon.

> En t'enregistrant, tu expliques à voix haute un cours que tu as compris : tu seras donc capable de l'utiliser à nouveau !

Je vérifie mes connaissances

1 Je sais distinguer croyances et découvertes archéologiques.

Pour chacun de ces moments de l'histoire de Rome, indique s'il s'agit d'un fait historique ou d'une croyance religieuse.

	La légende	Les découvertes archéologiques
Romulus est le fondateur de Rome.		
Des bergers vivaient sur le site de Rome au VIIIe siècle avant J.-C.		
Rome a été fondée en 753 avant J.-C.		
Énée est l'ancêtre des premiers Romains.		
Les Romains sont des descendants des Étrusques.		
Une muraille entoure la cité de Rome.		

2 Je raconte à partir des images.

Rédige une phrase ou explique oralement ce que chaque document, issu du chapitre, t'a appris sur les origines de Rome et sur la République romaine.

a.

b.

c.

3 Je sais utiliser un lexique historique précis.

Recopie dans la colonne de droite du tableau les mots ou expressions ci-dessous qui correspondent à chaque thème de la colonne de gauche.

mythe – République – légionnaire – Énée – Romulus – cabanes de bergers – les Étrusques – curie – place des comices – basilique – citoyenneté – conquêtes

Les thèmes que j'ai étudiés	Le vocabulaire que je dois utiliser
La fondation de Rome	
Le Forum romain	
La domination de Rome sur la Méditerranée	

4 Je relie chaque monument du Forum à sa fonction.

Curie ● ● Lieu où les citoyens votent.

Comices ● ● Route sur laquelle les généraux victorieux sont portés en triomphe.

Basilique Aemilia ● ● Salle de réunion du Sénat.

Voie sacrée ● ● Lieu où le peuple fait du commerce, discute, assiste à des spectacles.

Place publique ● ● Lieu destiné à honorer Castor et Pollux.

Temple des Dioscures ● ● Édifice destiné au commerce et aux tribunaux.

5 Retrouve d'autres exercices sous forme interactive sur le site Nathan.

site élève
⬇ exercices interactifs

Exercices

1 Je mobilise des connaissances sur la fondation de Rome

↳ **Socle :** Domaine 5

La fuite d'Énée racontée par Virgile

Alors que la cité de Troie est en flammes, Énée recherche son épouse Créüse.

Je confie à mes compagnons mon fils Ascagne, mon père Anchise et les Pénates de Troie[1] ; je regagne la ville et je me ceins de mes armes éclatantes. Partout je sens l'horreur et un silence terrifiant. Je cours chez moi pour voir si par hasard, elle y avait porté le pied. Les Grecs y sont et occupent ma maison. Le fantôme de Créüse, et une image d'elle plus grande que celle de moi connue, paraît devant mes yeux et me parle : « Pourquoi t'abandonner à une telle douleur, ô mon cher époux ? Ces événements n'arrivent pas sans la volonté des dieux. Un long exil t'attend ; tu devras sillonner une vaste mer. Tu parviendras en Italie, où le Tibre s'écoule, dans de riches terres cultivées. Là-bas, la prospérité et un royaume t'attendent. Adieu et conserve ton amour pour notre fils. ».

■ D'après Virgile, *Énéide*, Livre II, Ier siècle avant J.-C.

1. Les Pénates sont des divinités protégeant le foyer, représentées par des statuettes.

QUESTIONS

❶ De quel livre est tiré cet extrait de texte ? Que raconte-t-il ?

❷ Recherche dans le chapitre une image où apparaît Énée.

❸ Pourquoi Énée doit-il fuir Troie ?

❹ Comment Créüse explique-t-elle la chute de Troie ?

❺ Que prédit-elle pour Énée et son fils ?

2 Je m'informe grâce au numérique sur les monuments du Forum romain

↳ **Socle :** Domaine 2

Sur ce site, tu trouveras des reconstitutions de Rome et de son Forum.

▶ Clique sur la rubrique « Le Forum romain » et recherche les trois monuments suivants : le temple de Saturne, la basilique Aemilia et le temple des Dioscures.

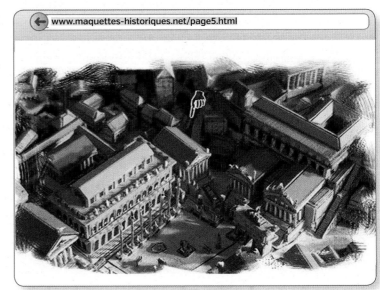

www.maquettes-historiques.net/page5.html

▶ Recopie et complète le tableau suivant :

	Date de construction	À quoi servait-il ?	Description du bâtiment
Temple de Saturne			
Basilique Æmilia			
Temple des Dioscures			

3 Je m'exprime en utilisant le langage des arts : le buste de César

↳ SOCLE : Domaine 1

Buste qui représente sans doute Jules César. Il a été retrouvé dans le Rhône en 2007. Ce buste pourrait dater de 47 avant J.-C. et serait ainsi la plus vieille représentation de César, faite de son vivant, qui nous soit parvenue.
Musée départemental d'Arles.

mémo ART

▶ À la fin de la République, au **Ier siècle avant J.-C.**, les riches citoyens romains sont soucieux de conserver l'effigie de leurs ancêtres **sous la forme de masques de cire** appelés *imago*.

▶ Ces masques étant fragiles, ils prennent aussi l'habitude de **faire sculpter des statues les représentant fidèlement**, parfois même avec les bustes de leurs ancêtres dans les bras. Sur ces sculptures, **les défauts physiques des citoyens ne sont pas gommés** : on peut voir leurs rides, les plis de leur cou, leur calvitie... C'est pourquoi on dit qu'ils sont « **réalistes** ».

QUESTIONS

❶ En regardant cette œuvre, quels mots te viennent à l'esprit ?

❷ Connais-tu ce personnage ? As-tu déjà vu d'autres représentations de lui ?

❸ Relève des éléments qui montrent que ce buste est « réaliste ».

MON BILAN DE COMPÉTENCES

Domaines du socle	Compétences travaillées	Pages du chapitre
D1 Les langages pour penser et communiquer	• Je sais écrire un texte de façon claire et organisée	Je découvre .... p. 92-93
	• Je m'exprime en utilisant le langage des arts	Exercice 3 .... p. 99
D2 Méthodes et outils pour apprendre	• Je sais élaborer une tâche commune dans le cadre d'un travail en groupe	J'enquête .... p. 86-89
	• Je sais extraire des informations pertinentes pour répondre à une question	J'enquête .... p. 90-91 Je découvre .... p. 92-93
	• Je sais créer un outil de travail personnel	Apprendre à apprendre ...... p. 96
D3 La formation du citoyen	• Je comprends le fonctionnement d'une organisation politique, la république	J'enquête .... p. 90-91
D5 Les représentations du monde et l'activité humaine	• Je sais me repérer dans le temps et dans l'espace	Repères .... p. 84-85
	• Je sais m'exprimer sur des événements fondateurs de l'histoire	J'enquête .... p. 86-89
	• Je sais utiliser mes connaissances sur une période historique	Exercice 1 .... p. 98

6

La naissance du monothéisme juif
(Ier millénaire avant J.–C.)

➜ **Quand et dans quelles circonstances le monothéisme juif est-il né ?**

À l'école primaire

En CM1, j'ai appris que le judaïsme existait dans l'Empire romain.

En 6^e

J'ai découvert les civilisations polythéistes de l'Orient ancien, du monde grec et du monde romain de l'Antiquité.

Ce que je vais découvrir

La première religion monothéiste de l'histoire, celle des Hébreux, ensuite appelés Juifs.

1 **La Bible hébraïque, texte sacré de la religion des Juifs**

Les manuscrits de Qumrân, découverts près de la mer Morte (1947), sont les plus anciens manuscrits connus du livre sacré de la religion juive (Ier siècle avant J.-C.). La Bible raconte l'alliance des Hébreux avec un dieu unique qui leur offre une « Terre promise » (la Palestine aujourd'hui).

Le sais-tu ?

Le calendrier juif qui sert à calculer les dates des fêtes religieuses juives commence à la date supposée de la création du monde, soit en 3761 avant J.-C. Ainsi, dans le calendrier juif, l'année 2016 correspond à l'an 5776 !

2 Les Juifs, un peuple de l'Orient ancien

Au IXᵉ siècle avant J.-C., les Assyriens (empire de Mésopotamie) détruisent le royaume d'Israël où vivent les Hébreux.

Bas-relief en basalte de Salmanazar III, roi d'Assyrie, IXᵉ siècle avant J.-C.

1 Jéhu, le roi d'Israël, vaincu, se soumet au roi Assyrien Salmanazar III

Les Hébreux au Iᵉʳ millénaire avant J.-C.

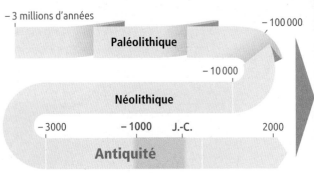

- 3 millions d'années
- 100 000

Paléolithique

- 10 000

Néolithique

- 3000   - 1000   J.-C.   2000

Antiquité

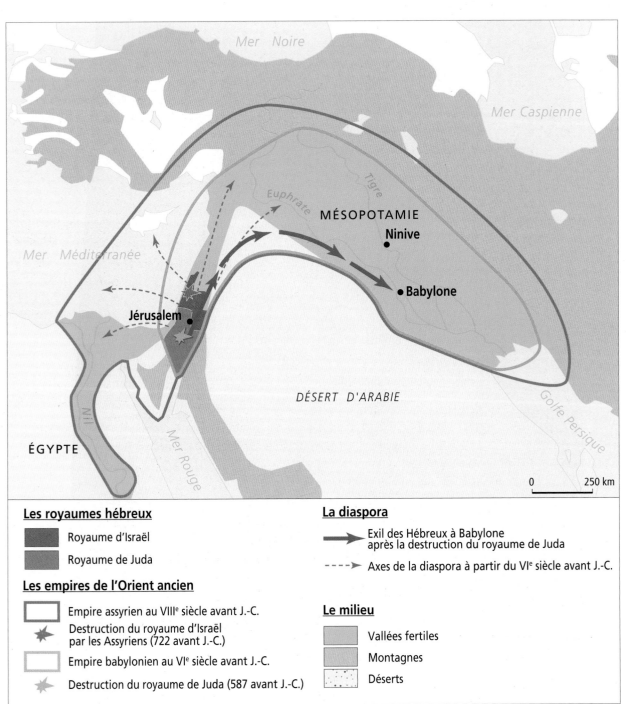

Mer Noire

Mer Caspienne

Euphrate

Tigre

MÉSOPOTAMIE

Ninive

Mer Méditerranée

Babylone

Jérusalem

DÉSERT D'ARABIE

Golfe Persique

Nil

Mer Rouge

ÉGYPTE

0   250 km

Les royaumes hébreux

- Royaume d'Israël
- Royaume de Juda

Les empires de l'Orient ancien

- Empire assyrien au VIIIᵉ siècle avant J.-C.
- Destruction du royaume d'Israël par les Assyriens (722 avant J.-C.)
- Empire babylonien au VIᵉ siècle avant J.-C.
- Destruction du royaume de Juda (587 avant J.-C.)

La diaspora

- Exil des Hébreux à Babylone après la destruction du royaume de Juda
- Axes de la diaspora à partir du VIᵉ siècle avant J.-C.

Le milieu

- Vallées fertiles
- Montagnes
- Déserts

1 Naissance et destruction des royaumes de Juda et d'Israël

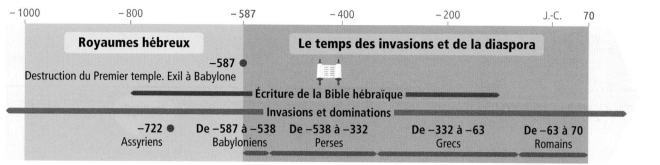

−1000	−800	−587	−400	−200	J.-C.	70

Royaumes hébreux | **Le temps des invasions et de la diaspora**

−587 ●
Destruction du Premier temple. Exil à Babylone

Écriture de la Bible hébraïque

Invasions et dominations

−722 ●	De −587 à −538	De −538 à −332	De −332 à −63	De −63 à 70
Assyriens	Babyloniens	Perses	Grecs	Romains

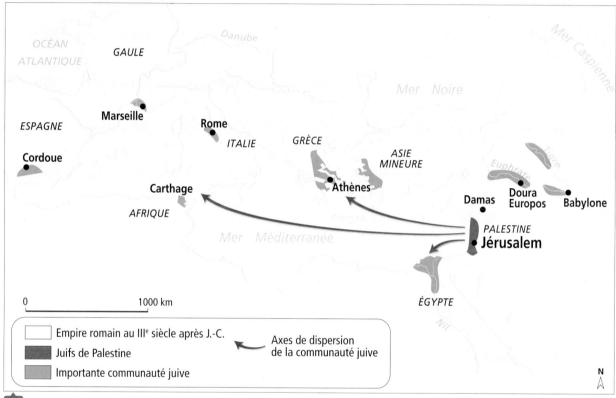

2 Les lieux de la diaspora juive après la destruction du temple de Jérusalem par les Romains (70 après J.-C.)

VOCABULAIRE

▸ **Diaspora**
Mot grec signifiant « dispersion » d'un peuple.

▸ **Juifs**
Nom donné aux descendants des Hébreux du royaume de Juda à partir de l'exil à Babylone.

QUESTIONS

▸ **Je me repère dans le temps et dans l'espace**

❶ Dans quelle région du monde de l'Antiquité sont situés les Hébreux ?

❷ À quelle époque ces royaumes existent-ils ? Quand disparaissent-ils et pourquoi ?

❸ Que deviennent les Hébreux après la disparition de leurs royaumes ?

❹ Quand les Hébreux écrivent-ils la Bible ? Pendant combien de temps ?

SOCLE Compétences
▶ **Domaine 3** : je connais les religions.
▶ **Domaine 1** : je sais argumenter à l'écrit et à l'oral.

La Bible, un récit sacré

Question clé Que racontent les grands récits de la Bible sur les croyances des Hébreux ?

1 Les Livres de la Bible hébraïque

> **INFOS**
>
> La Bible hébraïque est un ensemble de **24 livres** écrits entre les VIIIe et IIe siècles avant J.-C. **Les Hébreux y racontent leur histoire**, que peu de traces archéologiques peuvent confirmer.

I La Torah – 5 livres

● **La Genèse « Au commencement »**
Elle retrace les débuts de l'histoire de l'humanité, puis évoque l'alliance de Dieu avec le peuple qu'il s'est choisi : Abraham et ses descendants.

● **L'exode**
Il raconte la réduction en esclavage, en Égypte, des descendants d'Abraham, et leur délivrance par Moïse qui les ramène vers la Terre promise, Canaan.

● **Le Lévitique, Les Nombres, Le Deutéronome**
Ils présentent les lois, établies par Moïse, qui organisent la religion et la vie des Hébreux.

II Les prophètes – 8 livres
Ils sont les messagers de Dieu et parlent en son nom. Ils racontent l'histoire des Hébreux après leur installation en Canaan.

III Les écrits – 11 livres
Ils sont des textes religieux, poétiques, de sagesse.

2 La création du monde

Lorsque Dieu commença la création du ciel et de la terre, la terre était déserte et vide, et la ténèbre à la surface de l'abîme ; le souffle de Dieu planait à la surface des eaux.

Et Dieu dit : « Que la lumière soit ! » et la lumière fut. Dieu vit que la lumière était bonne. Dieu appela la lumière « jour » et la ténèbre, il l'appela « nuit ». Il y eut un soir, il y eut un matin : premier jour.

Le deuxième jour, Dieu crée le ciel ; puis la terre, la mer et la végétation le troisième jour ; le quatrième jour, il crée le soleil, la lune et les étoiles ; et le cinquième jour, les animaux.

Dieu dit : « Faisons l'homme à notre image, selon notre ressemblance, et qu'il soumette les poissons de la mer, les oiseaux du ciel, les bestiaux, toute la terre et toutes les petites bêtes qui remuent sur la terre ! »

Dieu créa l'homme à son image, mâle et femelle, il les créa le sixième jour. Dieu bénit le septième jour et le consacra au repos, car il avait terminé de créer le monde.

■ D'après la Bible, Genèse, I.

3 Les Hébreux, peuple élu d'un dieu unique : Yahvé

Yahvé dit à Abraham : « Pars de ton pays[1], de ta famille et de la maison de ton père vers le pays que je te ferai voir. Je ferai de toi une grande nation et je te bénirai.

Abraham part s'installer en Canaan avec sa famille.

Yahvé parla avec Abraham et lui dit : « Pour moi, voici mon alliance avec toi : des rois sortiront de toi. J'établirai mon alliance entre moi, toi et après toi les générations qui descendront de toi ; cette alliance perpétuelle fera de moi ton Dieu et Celui de ta descendance après toi. Je donnerai à toi et à ta descendance le pays que j'ai choisi, tout le pays de Canaan. »

■ D'après la Bible, Genèse, 12 et 17.

1. Selon la Bible, Abraham était le chef d'une tribu nomade vivant à Ur, en Mésopotamie.

4 ▸ Moïse et la fuite des Hébreux hors d'Égypte

D'après la Bible, les Hébreux se seraient installés en Égypte. Ceux-ci étant devenus esclaves du pharaon, Yahvé aurait demandé à Moïse de ramener les Hébreux au pays de Canaan, la « Terre promise ».

Fresque décorant la synagogue de Doura-Europos (actuelle Syrie, IIe siècle après J.-C.)

1 Moïse.
2 Le peuple hébreu.
3 La ville de Pharaon.

5 ▸ Salomon, roi d'Israël

Le roi Salomon était roi sur tout Israël[1]. Les Hébreux étaient nombreux. Ils avaient à manger et à boire, et ils étaient heureux. Ils vivaient en paix avec tous les pays qui les environnaient. Les Hébreux demeuraient en sécurité, chacun sous sa vigne et sous son figuier. [...] Dieu donna à Salomon sagesse et intelligence. Son nom était connu de toutes les nations alentour. [...] Salomon dit : « À présent qu'il n'y a plus ni adversaire ni menace de malheur, j'ai l'intention de bâtir une Maison pour mon Dieu, conformément à ce que le Seigneur avait dit à David mon père ». Salomon bâtit le Temple en sept ans.

■ D'après la Bible, Premier Livre des Rois, 4 et 5.

1. Un des deux royaumes des Hébreux.

Activités

Question clé ▸ Que racontent les grands récits de la Bible sur les croyances des Hébreux ?

ITINÉRAIRE 1

▸ **Je prélève des informations dans les documents**

1 Doc 2. Selon la Bible, qu'aurait créé le dieu des Hébreux ? En combien de temps ?

2 Doc 3. Selon la Bible, en quoi consiste l'alliance entre Dieu et Abraham ?

3 Doc 1, 4 et 5. Qui est Moïse ? Qui est Salomon ? Quel lien ont-ils avec leur dieu ?

▸ **J'argumente à l'écrit**

4 À l'aide des questions 1 à 3, réponds en quelques phrases à la question clé.

OU

ITINÉRAIRE 2

▸ **Je m'exprime à l'oral**

En petits groupes, préparez un exposé oral sur Abraham, Moïse ou Salomon.

MÉTHODE

Pour vous aider, recopiez et complétez le tableau pour le personnage choisi.

Sa vie d'après la Bible (dates, fonctions)	
Un épisode célèbre (titre, description)	
Une illustration (titre, date, description)	

Sur les traces de l'histoire des Hébreux

Question clé Les recherches des historiens confirment-elles l'histoire des Hébreux racontée par la Bible ?

1 **Sur les traces du roi David (vers – 1000)**

Deuxième roi du royaume d'Israël, il agrandit son territoire et fait de Jérusalem la capitale. Son existence est mentionnée sur cette stèle, découverte en Jordanie au XIXᵉ siècle, qui évoque la « Maison de David » pour désigner le royaume de Juda.

Stèle de Mesha (vers 830 avant J.-C.).

2 **Les Assyriens détruisent le royaume d'Israël (701 avant J.-C.)**

La bataille de Lakish, citadelle proche de Jérusalem, est mentionnée dans les archives du roi assyrien Salmanasar III.

Frise du palais de Ninive, capitale du roi mésopotamien, VIIIᵉ siècle avant J.-C., British Museum, Londres.

1 Remparts de Lakish.   **4** Archers assyriens.
2 Archers hébreux.   **5** Hébreux vaincus partant en exil.
3 Torches enflammées.

3 **Sur les traces du roi Josias (vers – 639-609 avant J.-C.)**

Le roi monta au Temple de Yahvé à Jérusalem avec tout le peuple. Debout sur l'estrade, il rappela l'alliance qui oblige à suivre le Seigneur, ses commandements, ses lois. Tout le peuple s'engagea dans l'alliance.

Le roi ordonna de retirer du Temple tous les objets de culte qu'on avait fait pour Baal[1] et pour tous les dieux étrangers, le soleil, la lune, le zodiaque. On les brûla hors de Jérusalem. Il immola sur les autels tous les prêtres de ces lieux. Il détruisit tous les autels hors de Jérusalem.

■ D'après la Bible, 2 Rois, 23.
1. Un des dieux vénérés au Moyen-Orient.

L'existence du roi Josias est attestée depuis 2002 par les recherches d'archéologues. Ils ont montré que Josias a entrepris une réforme religieuse pour unifier le royaume, car les Hébreux avaient abandonné le judaïsme pour les religions polythéistes de leurs voisins.

– 1000

1 David

 – 700

2 Bataille de Lakish

 vers – 610

3 Josias

 – 587

4 Exil à Babylone

 70

5 Prise de Jérusalem

4 L'exil à Babylone (587 avant J.-C.)

À la suite de la prise de Jérusalem par les Babyloniens en 587 avant J.-C., le Temple est détruit et les élites sont déportées.

Nabuchodonosor, roi de Babylone, entra dans Jérusalem. Il emporta tous les objets et les trésors du Temple et de la maison du roi. Ses soldats incendièrent le Temple, ils démolirent les remparts de Jérusalem, ils mirent le feu à tous les palais. Puis il déporta à Babylone ceux que l'épée avait épargnés pour qu'ils deviennent des esclaves jusqu'à l'avènement de la royauté des Perses[1].

◼ D'après la Bible, Chroniques, 36.

1. Les Perses font la conquête du royaume de Babylone en 539 avant J.-C.

5 La prise de Jérusalem par les Romains (70 après J.-C.)

Bas-relief de l'arc de triomphe de Titus, à Rome, qui commémore la victoire de l'empereur sur les Juifs.

1 Le temple.
2 Soldats romains couronnés de lauriers.
3 Trompettes, table et chandelier du Temple.

Activités

Question clé **Les recherches des historiens confirment-elles l'histoire des Hébreux racontée par la Bible ?**

ITINÉRAIRE 1 OU ITINÉRAIRE 2

▶ **Je comprends les documents**

1 Doc 2, 4 et 5. Quels empires ont détruit les royaumes hébreux ? Que sont devenus les Juifs ?

2 Doc 1 et 3. Qui sont David et Josias ? Comment leur existence est-elle prouvée ?

3 Doc 3. Pourquoi le roi Josias est-il important dans l'histoire du peuple hébreu ?

▶ **Je construis une carte mentale**

4 À l'aide des questions, élabore une carte mentale pour répondre à la question clé.

▶ **J'argumente à l'écrit**

À l'aide des documents, rédige un paragraphe qui réponde à la question clé.

MÉTHODE

Pour préparer la rédaction de ton paragraphe, recopie et complète ce tableau dans lequel tu apportes des preuves de l'histoire des Hébreux.

	Quel(s) document(s) te renseigne(nt) ?	Que t'apprend chaque document ?
Les Hébreux ont-ils existé ?		
Ont-ils été vaincus par leurs puissants voisins ?		
Quelle est leur religion ?		

SOCLE Compétences

▶ **Domaine 1** : je réalise des productions écrites, orales, graphiques.
▶ **Domaine 3** : je découvre une religion.

Les Juifs, premier peuple monothéiste de l'histoire

De l'histoire à l'EMC

En cours d'EMC, tu apprends à respecter les autres, leurs différences, leurs croyances. Tu vas découvrir la religion pratiquée par les Juifs dès l'Antiquité.

CONSIGNE

Grâce aux documents du manuel et à d'éventuelles recherches personnelles, réalisez en groupes une affiche numérique sur les croyances des Juifs que vous intitulerez : « Les Juifs, premier peuple monothéiste de l'histoire ».

1

C'est moi Yahvé, ton Dieu, qui t'ai fait sortir d'Égypte. Tu n'auras pas d'autre dieu que moi.

2

Tu ne te feras pas d'image ni rien qui ait la forme de ce qui se trouve au ciel, sur terre ou dans les eaux.

3

Tu ne prononceras pas à tort le nom de Yahvé ton Dieu.

4

Tu travailleras six jours mais le septième jour, c'est le shabbat. Tu ne feras aucun ouvrage.

5

Honore ton père et ta mère.

6

Tu ne commettras pas de meurtre.

7

Tu ne commettras pas d'adultère.

8

Tu ne voleras pas.

9

Tu ne feras pas de faux témoignage contre ton prochain.

10

Tu ne convoiteras pas la maison, la femme de ton prochain, ni quoi que ce soit qui lui appartienne.

1 Les dix commandements

Selon la Bible, **Yahvé aurait transmis dix commandements** à Moïse, sur le mont Sinaï, lors de la fuite des Hébreux d'Égypte.

Ils auraient été **gravés sur les tables de la Loi**, puis placés par le roi David dans le **Temple de Jérusalem**, dans l'Arche d'alliance.

■ D'après la Bible, Exode, 20.

2 Un nouveau lieu de culte

Le Temple de Jérusalem ayant été détruit, les Juifs n'ont plus de lieu de culte. Ils se retrouvent alors dans des synagogues (en grec « lieu de réunion »).

Théodotos, prêtre et chef de synagogue[1], a construit la synagogue pour la lecture de la Loi et pour l'enseignement des commandements, ainsi que l'hôtellerie, les chambres et les aménagements des eaux, comme auberge pour ceux qui en auraient besoin venant de l'étranger.

■ Inscription en grec du début du Ier siècle après J.-C., trouvée à Jérusalem.

1. C'est-à-dire rabbin, chef religieux juif.

La synagogue de Capharnaüm en Palestine (IIIe siècle après J.-C.)

3 Les symboles du judaïsme

Fresque de la synagogue de Doura-Europos, actuelle Syrie, IIᵉ siècle après J.-C.

1 Temple.

2 Arche d'alliance, cachée par un rideau, renfermant les tables de la loi.

3 Chandelier.

4 Animaux pour les sacrifices.

4 Des règles qui unissent

Des interdits alimentaires, signes de pureté

Tout animal qui a le sabot fourchu, fendu en deux ongles, et qui rumine, vous pourrez le manger. Vous tiendrez pour impur le porc parce que, tout en ayant le sabot fourchu, il ne rumine pas.

■ Lévitique, chapitre 11.

Le shabbat, une pratique hebdomadaire

Pendant six jours, on travaillera, mais le septième jour[1] sera jour de repos complet, jour de sainte réunion, où vous ne ferez aucun travail.

■ Lévitique, chapitre 23.
1. Du vendredi soir au samedi soir.

Des règles de vie

S'il y a chez toi un pauvre, l'un de tes frères, dans le pays que ton Dieu te donne, tu lui ouvriras ta main toute grande. Tu lui donneras généreusement. Tu n'exploiteras pas un salarié malheureux et pauvre. Le jour même tu lui donneras son salaire.

Tu ne porteras pas atteinte au droit de l'étranger et de l'orphelin, et tu ne prendras pas en gage le vêtement de la veuve.

■ D'après la Bible, Deutéronome, 15 et 24.

COUP DE POUCE

Votre affiche numérique pourra être organisée en quatre parties.

La religion des Juifs	Que m'apprend le(s) document(s) ?
1. Quelles croyances ?	
2. Quels symboles ?	
3. Quelles pratiques religieuses ?	
4. Quelles règles de vie ?	

MÉTHODE

Pour construire votre affiche numérique, vous pouvez utiliser un mur collaboratif comme Padlet.

SOCLE Compétences

- **Domaine 3** : je juge par moi-même.
- **Domaine 5** : je comprends que le passé éclaire le présent.

Que reste-t-il aujourd'hui du monothéisme juif de l'Antiquité ?

A Des traces dans la vie quotidienne

1 Les grandes fêtes juives

Fête	Date	Signification
Roch Hachana Nouvel An	Septembre	Rappelle la création du monde par Dieu.
Yom Kippour Grand Pardon	Septembre-octobre	Journée de jeûne et de prières pour le pardon des péchés.
Soukkot Fête des Tentes	Octobre	Rappelle l'errance dans le Sinaï.
Pessah Pâque	Mars-avril	Rappelle la sortie d'Égypte.
Shabouot Pentecôte	50 jours après Pessah	Rappelle le don des dix commandements à Moïse.
Hanoukkah Fête des Lumières	8 jours en novembre ou décembre	Rappelle une victoire des Juifs de Judée contre les Grecs (IIe s. av. J.-C.).

Pour fêter Roch Hachana, on souffle dans la corne de bélier afin d'appeler au rassemblement des troupeaux par les bergers.
Jérusalem, 2012.

Pour fêter Hanoukkah, on allume le chandelier à 9 branches qui brûle pendant 8 jours.

1 Rouleaux de la Torah.
2 Kippa.
3 Châle de prière.
4 Étoile de David.

2 Lecture de la Torah à l'occasion d'une bar-mitsvah

La bar-mitsvah est la cérémonie qui marque l'accession d'un adolescent à sa majorité religieuse.

B La religion juive dans le monde aujourd'hui

3 **Jérusalem, ville sacrée des Juifs**

Le mur des Lamentations est l'unique vestige du Second Temple de Jérusalem. Aujourd'hui, les Juifs du monde entier viennent y prier et glisser entre les pierres des messages écrits portant leurs souhaits.

4 **Cérémonie dans une synagogue en France (2015)**

La Grande Synagogue de Paris a été inaugurée en 1874. Les synagogues sont considérées comme une « terre juive ».

INFOS

Après la destruction du Second Temple de Jérusalem, **les Juifs se dispersent autour de la Méditerranée.**
Après le génocide de leur peuple pendant la Seconde Guerre mondiale, des Juifs repartent en Palestine et créent en 1948 l'État d'Israël.

CHIFFRES CLÉS

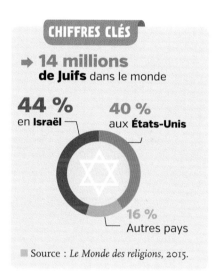

➡ **14 millions**
de Juifs dans le monde

44 %
en **Israël**

40 %
aux **États-Unis**

16 %
Autres pays

■ Source : *Le Monde des religions*, 2015.

QUESTIONS

▶ **J'observe les traces du passé**

1 **Doc 1 et 2.** Comment la religion juive des origines est-elle présente dans la vie des Juifs d'aujourd'hui ?

2 **Doc 4.** Que signifie la synagogue dans l'histoire des Juifs ?

▶ **Je fais le lien entre le passé et le présent**

3 **Doc 3.** Où se situe le mur des Lamentations ?

4 **Chiffres clés et Doc 4.** Où vivent les Juifs aujourd'hui ?

5 Pourquoi est-il important de connaître la religion juive même si on ne la pratique pas ?

La naissance du monothéisme juif (Ier millénaire avant J.-C.)

→ Quand et dans quelles circonstances le monothéisme juif est-il né ?

A Les Hébreux, peuple de la Bible

1. Au IIe millénaire av. J.-C., les **Hébreux** sont un peuple nomade du **Proche-Orient**. Ils auraient reçu la révélation d'un dieu, **Yahvé**, qui, par une **alliance**, aurait fait d'eux son **peuple élu**. Il leur promettait une terre, le **pays de Canaan** (actuelle Palestine), et, en échange, ils s'engageaient à croire en lui seul.

2. La **Bible hébraïque**, écrite entre le VIIIe et le IIe siècle avant J.-C., est le **livre sacré des Hébreux**. Elle établit entre eux une identité commune, par le récit de leur histoire, à la fois celle de leur croyance et celle de leurs relations avec les **peuples polythéistes** du Proche-Orient (→ Chap. 3).

B Les Hébreux et leur histoire

1. Les **archéologues** ont recherché les traces de l'histoire des Hébreux racontée dans la Bible. Ils confirment l'existence d'un **royaume hébreu** créé par le **roi David** (1010-970 avant J.-C.) dans le pays de Canaan, et la trace du **Temple** construit pour Yahvé à **Jérusalem**, la capitale. On trouve aussi traces des attaques des Hébreux par leurs **puissants voisins** à partir du VIIIe siècle avant J.-C. (**Assyriens**, **Égyptiens**, **Babyloniens**), leur **déportation à Babylone** et la **destruction de Jérusalem et du Temple** en 587 avant J.-C.

2. Des **historiens** de l'Antiquité évoquent le **retour** des Hébreux en Canaan et leur domination par les **Perses**, les **Grecs** puis les **Romains**, à l'origine de la **deuxième destruction de Jérusalem et du Temple** (70 avant J.-C.). Appelés **Juifs**, les Hébreux se dispersent alors autour de la Méditerranée : c'est la **diaspora**.

C Les fondements du judaïsme

1. La **Bible** fixe, par les **dix commandements**, la religion des Juifs. Ils croiront en un seul dieu, **Yahvé**, créateur du Monde et leur protecteur. Ils doivent lui être fidèles et l'honorer. Depuis leur dispersion, ils se réunissent dans des **synagogues**, où ils lisent la Bible et prient sous la direction d'un **rabbin**. Ils attendent la venue d'un **messie**, qui rétablirait le royaume disparu des Hébreux.

2. La **Bible** fixe dans la **Torah** des règles religieuses et morales (prières, interdits alimentaires). Les Juifs n'ont pas le droit de travailler le jour du **shabbat**, septième jour de la semaine. De **grandes fêtes** commémorent leur histoire. La plus importante est la **Pâque**. Aujourd'hui, la religion, la culture et la manière de vivre des Juifs s'appellent le **judaïsme**.

D'où vient...

L'ÉTOILE DE DAVID ?

Dans la Bible, le roi David unifie les douze tribus d'Israël en un seul royaume et fait de Jérusalem sa capitale. **L'étoile de David représente le peuple juif et l'attente du messie.**

Bas-relief de la synagogue de Capharnaüm, IIIe siècle

VOCABULAIRE

▸ **Bible hébraïque**
Mot grec signifiant « les livres ». Elle raconte l'histoire des Hébreux et fixe la Loi donnée par Dieu aux Hébreux.

▸ **Diaspora**
Mot grec signifiant « dispersion » d'un peuple. Ici, dispersion des Juifs à travers le monde.

▸ **Juifs**
Nom donné aux descendants des Hébreux du royaume de Juda à partir de l'exil à Babylone.

▸ **Messie**
Envoyé de Dieu qui doit diriger le peuple juif.

▸ **Monothéisme**
Du grec *monos*, « un seul », et *theos*, « dieu ». Fait de croire en un seul dieu.

▸ **Torah**
Mot signifiant « Loi » en hébreu. Il s'agit des cinq premiers livres de la Bible.

Naissance du monothéisme juif

Quand ?
- Ier millénaire avant J.-C.

Où ?
- Proche-Orient
- Monde grec
- Monde romain

Qui ?
- Les **Hébreux**, ensuite appelés **Juifs**
- Les **peuples voisins, polythéistes**

La première religion monothéiste de l'histoire

- **Rédaction de la Bible hébraïque** (VIIIe-IIe siècle avant J.-C.)
  - **Dix commandements**
  - **Torah**

- **Des croyances**
  - Un dieu unique, **Yahvé**
  - Attente d'un **messie**

- **Des pratiques religieuses**
  - Honorer Yahvé dans le **Temple de Jérusalem**, aujourd'hui dans les **synagogues**, sous la conduite du **rabbin**.
  - Prières, respect du **shabbat**, fêtes (**Pâque**)

L'histoire des Hébreux selon les historiens

- **Début du Ier millénaire** Création de royaumes hébreux au Proche-Orient (actuelle Palestine).

- **VIIIe-VIe siècles avant J.-C.** Attaques des puissants voisins (Assyriens, Babyloniens) et exil à Babylone.

- **À partir du VIe siècle avant J.-C.**
  - **Dominations** perse, grecque, puis romaine.
  - **Diaspora** après la destruction du Temple de Jérusalem par les Romains (70 après. J.-C.).

● **Je vérifie que je connais les repères principaux du chapitre.**

Je sais définir et utiliser dans une phrase :
- monothéisme
- Juifs
- diaspora

Je sais situer :
▶ **sur une frise :**
- l'écriture de la Bible ;
- la destruction du Second temple de Jérusalem.

▶ **sur une carte de l'Empire romain :**
- la Palestine ;
- Jérusalem.

site élève
⤓ frise et fond de carte

Je sais expliquer :
▶ les croyances des Hébreux.
▶ l'histoire des Hébreux au Ier millénaire avant J.-C.
▶ les fondements du judaïsme.

Comment apprendre ma leçon ?

Je révise en équipe

Travailler en équipe, c'est pouvoir s'encourager les uns les autres et s'entraîner en se posant des questions.

▶ Étape 1

- Ensemble, révisez la leçon et dégagez ce qu'il faut retenir.

 Vous pouvez aussi vous répartir les parties du chapitre à apprendre, puis les expliquer aux autres.

▶ Étape 2

- **Organisez des défis**
  Faites deux groupes. Chaque groupe prépare des questions sur le thème du chapitre et les pose au groupe adverse.
  Chaque question rapporte des points en fonction de la qualité des réponses.
  Il faut vous mettre d'accord sur le nombre de questions à poser
  (2 questions faciles, 3 de compréhension et 1 de synthèse...).

- Reproduisez le tableau ci-dessous, puis à vous de jouer !

site élève
⬇ *tableau à imprimer*

Niveau de difficulté	Exemples de question	Aïe ! 0 point	À revoir 1 point	Bien 2 points	Bravo 3 points
NIVEAU 1 Questions simples sur des connaissances précises	• Qu'est-ce que le monothéisme ? • Citez un roi hébreu. • Quand a été rédigée la Bible hébraïque ?				
NIVEAU 2 Questions de compréhension **(Les points comptent double)**	• Pourquoi le roi Josias est-il important pour les Hébreux ? • Quels empires ont attaqué les Hébreux, et qu'ont-ils fait ?				
NIVEAU 3 Questions de synthèse **(Les points comptent triple)**	• Que racontent les récits de la Bible sur les Hébreux ? • Quels sont les fondements du judaïsme ?				

- Après le défi, faites le point sur les parties du cours qui ne sont pas encore maîtrisées, puis posez-vous à nouveau des questions.

N'hésite pas à questionner tes camarades si tu ne comprends pas quelque chose.

Je vérifie mes connaissances

❶ Je sais distinguer croyances et faits historiques.

Pour chacun de ces moments de l'histoire des Hébreux, indique s'il s'agit d'un fait historique ou d'une croyance religieuse.

	Fait historique	Croyance religieuse
L'existence du roi David.		
Les Juifs emmenés en exil à Babylone.		
La création du monde.		
La destruction du Temple par les Romains.		
Moïse et la fuite des Hébreux d'Égypte, la traversée de la mer Rouge.		
Moïse reçoit les tables de la Loi.		

❷ Je raconte à partir des images.

Rédige une phrase ou explique oralement ce que chaque document, issu du chapitre, t'a appris sur les Hébreux.

 a.  b.  c.

❸ Je sais utiliser un lexique historique précis.

Recopie dans la colonne de droite du tableau les mots ou expressions qui correspondent à chaque thème de la colonne de gauche.

Torah – chandelier – étoile de David – shabbat – règles de vie – dix commandements – religion monothéiste – synagogue – rabbin – alliance – peuple élu – Assyriens – exil à Babylone – Romains – David – Moïse – Abraham – Terre promise – Juifs – Yahvé

Les thèmes que j'ai étudiés	Le vocabulaire historique que je dois utiliser
La Bible et ses récits	
L'histoire des Hébreux	
Les croyances des Hébreux	
Les symboles de la religion juive	
Les pratiques de la religion Juive	

❹ Je révise en équipes.

Interrogez-vous mutuellement : pose des questions à tes camarades sur la leçon et répond aux leurs en suivant les exemples ci-dessous.

Ils sont un peuple nomade du Proche-Orient au IIe millénaire avant J.-C. Ce sont...

?

Ce roi qui a régné vers l'an 1000 avant J.-C. a fait de Jérusalem la capitale de son royaume. C'est...

❺ Retrouve d'autres exercices sous forme interactive sur le site Nathan.

site élève
⬇ exercices interactifs

1 Je comprends le sens des fresques de la synagogue de Doura-Europos

↳ SOCLE : Domaine 1

Parcours ARTS

Niche de la salle de prières de la synagogue de Doura- Europos (IIIᵉ siècle)
Fresque.

1 Ménorah (chandelier à 7 branches).

2 Le Temple de Jérusalem.

3 Le sacrifice d'Isaac par Abraham (main de Dieu, Isaac sur l'autel du sacrifice, bélier attaché à un arbre).

4 Niche où se trouvait l'armoire abritant la Torah.

mémo ART

QUESTIONS

1 De quand date cette œuvre d'art ? Où a-t-elle été réalisée ?

2 Comment se nomme ce type d'œuvre d'art ?

3 Qu'est ce qu'une synagogue ? À quel moment de l'histoire des Juifs ce nouveau lieu de culte est-il apparu ? Pourquoi ?

4 Quels symboles du monothéisme juif sont représentés sur cette fresque ? À quels aspects de cette religion correspondent-ils ?

▶ **Les fresques de la synagogue de Doura-Europos**, peintes au IIIᵉ siècle après J.-C., ont été découvertes en 1932 par un archéologue américain, Clark Hopkins, et son équipe franco-américaine.

▶ **Une fresque est une peinture réalisée sur un mur.** L'artiste dessine ses figures au charbon, puis les peint sur un enduit lisse et humide. Les couleurs sont des pigments naturels, mélangés à de l'eau de chaux.

▶ Les fresques de la salle de prières de la synagogue se trouvent au **musée national de Damas** (Syrie), où la salle a été reconstituée.

2 Je m'informe grâce aux outils numériques sur les origines du judaïsme

↳ **SOCLE** : Domaine 2

Rends-toi sur le site de l'émission *C'est pas sorcier*
et visionne la vidéo intitulée « Les origines du judaïsme ».

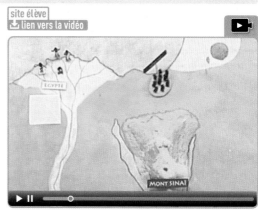

QUESTIONS

❶ En une phrase, définis la Bible hébraïque.

❷ Qui est Abraham ?

❸ Réalise une biographie de Moïse.

❹ Qu'est-ce qui unit le peuple des Hébreux à Yahvé ?
Quelle mission a-t-il reçue de son Dieu ?

http://education.francetv.fr/matiere/antiquite/sixieme/
video/les-origines-du-judaisme-c-est-pas-sorcier

3 Je sais mobiliser mes connaissances sur les Juifs dans l'Empire romain

↳ **SOCLE** : Domaine 2

L'empereur Claude et les Juifs d'Alexandrie

   *Un million de Juifs habitaient alors en Égypte, principalement
à Alexandrie.*

   Je conjure les habitants d'Alexandrie de se conduire avec
douceur et humanité envers les Juifs qui habitent la même
cité depuis longtemps ; de ne déshonorer en rien ce qui
traditionnellement fait partie du culte qu'ils rendent à leur
Dieu, mais de les laisser vivre conformément à leurs coutumes. Quant aux Juifs, qu'ils se contentent de jouir de ce
qui leur appartient en profitant d'une abondance de biens.

    ▪ Lettre de l'empereur romain Claude aux Alexandrins, 41 après J.-C.

QUESTIONS

❶ D'après tes connaissances,
pourquoi peut-on affirmer que les
Juifs appartiennent à la diaspora ?

❷ Qui est Claude ? Quelle est son
attitude envers les Juifs ?

❸ Formule une hypothèse :
pourquoi Claude envoie-t-il cette
lettre aux habitants non Juifs
d'Alexandrie ?

MON BILAN DE COMPÉTENCES

Domaine du socle	Compétences travaillées	Pages du chapitre	
D2 Les langages pour penser et communiquer	• Je sais argumenter à l'écrit ou à l'oral	**J'enquête**	p. 104-105
	• Je réalise des productions graphiques	**J'enquête**	p. 108-109
		Je découvre	p. 106-107
	• Je comprends le sens d'une œuvre d'art	**Exercice 1**	p. 116
D2 Méthodes et outils pour apprendre	• Je m'informe dans le monde du numérique	**J'enquête**	p. 108-109
	• J'organise mon travail personnel	**Apprendre à apprendre**	p. 110
	• Je sais mobiliser mes connaissances	**Exercice 2 et 3**	p. 117
D3 La formation de la personne et du citoyen	• Je découvre une religion	**J'enquête**	p. 104 105
		J'enquête	p. 108-109
	• Je juge par moi-même	**D'hier à aujourd'hui**	p. 110-111
D5 Les représentations du monde et l'activité humaine	• Je sais me repérer dans le temps et dans l'espace et ordonner les faits les uns par rapport aux autres	**Je me repère**	p. 102-103
		Je découvre	p. 106-107
	• Je connais les religions	**J'enquête**	p. 104-105
	• Je comprends que le présent éclaire le présent	**D'hier à aujourd'hui**	p. 110-111

Conquêtes, paix romaine et romanisation

→ Comment Rome a-t-elle pu bâtir un immense empire et maintenir la paix du Iᵉʳ au IVᵉ siècle après J.-C. ?

À l'école primaire

Au CM1, avec ma classe, j'ai étudié comment la Gaule est devenue romaine.

En 6ᵉ

Chapitre 5
J'ai étudié le mythe de la fondation de Rome et le début de la domination romaine.

ce que je vais découvrir

Les conquêtes de Rome se poursuivent, à l'origine d'un immense empire qui réunit les peuples autour de l'empereur.

1 L'empereur romain victorieux

L'empereur Marc Aurèle (161-180 après J.-C.) est représenté sur son cheval, face aux Germains vaincus.

Haut-relief en marbre, vers 174 après J.-C., détail de l'arc de triomphe de Constantin, Rome.

2 **L'Empire romain domine le Bassin méditerranéen**

Amphithéâtre romain d'El Jem (Tunisie actuelle) construit au IIIe siècle après J.-C.
Un amphithéâtre est un lieu de spectacles (combats d'animaux, de gladiateurs...).

L'empire romain
(Ier–IVe siècle après J.–C.)

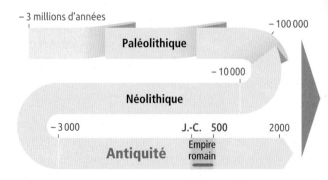

Paléolithique – 3 millions d'années — – 100 000

Néolithique – 10 000

– 3 000 J.-C. 500 2000

Antiquité Empire romain

Pourquoi dit-on...

TOUS LES CHEMINS MÈNENT À ROME ?

Cette expression évoque **le réseau routier** de **l'Empire romain, long de 90 000 km** et jalonné de **bornes milliaires** (ou routières) sur lesquelles sont gravées les distances (en milles romains). Sur le Forum romain, un petit monument, **le milliaire d'or**, correspondait au **« point zéro »** **de l'Empire**. Il marque le point de départ de toutes les routes impériales et indique les distances entre Rome et les villes des provinces.

VOCABULAIRE

▸ **Empire romain**
Régime politique où les pouvoirs sont concentrés entre les mains d'un seul homme, l'empereur. L'Empire romain désigne aussi l'ensemble des territoires contrôlés par Rome.

1 Un empire bien relié à sa capitale
La via Appia, première voie romaine pavée. Ces voies permettent le déplacement rapide des légions et des marchands.

2 Des routes maritimes sûres
De nombreux navires circulent en Méditerranée.
Mosaïque du Ier siècle après J.-C., Ostiense, Italie.

QUESTIONS

▸ Je me repère dans le temps et dans l'espace

❶ **Frise.** Qui est le premier empereur romain ? À quelle date devient-il empereur ?

❷ **Doc 3.** Autour de quelle mer s'étend l'Empire romain ? Et sur quels continents ?

❸ **Doc 1 à 3.** Par quels moyens l'empereur contrôle-t-il son empire ?

❹ **Doc 3.** Comment s'appelle la frontière fortifiée de l'Empire ?
Comment sécurise-t-elle le territoire de l'Empire ?

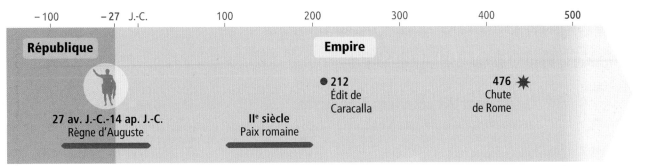

République

Empire

27 av. J.-C.-14 ap. J.-C.
Règne d'Auguste

IIᵉ siècle
Paix romaine

● **212**
Édit de
Caracalla

476 ✳
Chute
de Rome

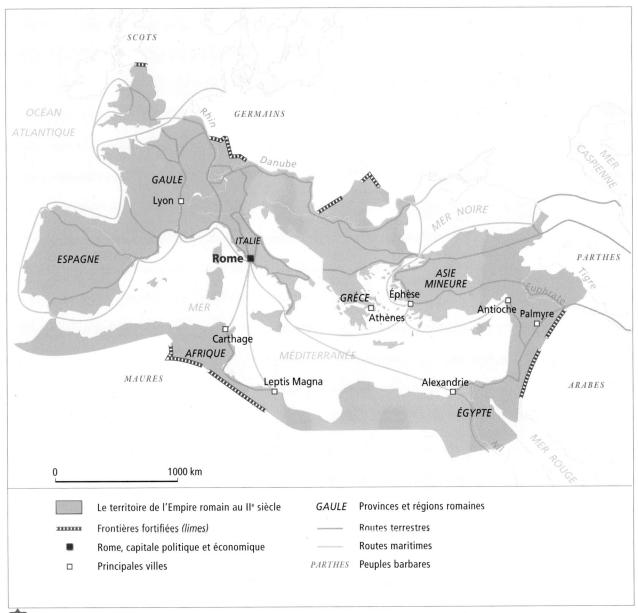

3 L'Empire romain au temps de la paix romaine (IIᵉ siècle après J.-C.)

Je découvre

SOCLE Compétences
- Domaine 1 : je justifie mes choix.
- Domaine 2 : je réalise une production graphique.

L'empereur et ses pouvoirs : l'exemple d'Auguste

Question clé Quels sont les pouvoirs d'Auguste, empereur de 27 av. J.–C. à 14 ap. J.–C. ?

1 L'empereur Auguste représenté en général victorieux

Statue en marbre, Ier siècle av. J. C., 2,04 m, musée du Vatican, Rome.

Sur la cuirasse gravée, on distingue des éléments divins :

1 le ciel ;

2 la terre.

3 Général romain recevant l'emblème d'une légion.

4 Manteau. De couleur rouge, il est porté par les généraux romains, puis par les empereurs.

5 Un amour, symbole de Vénus, rappelle qu'Auguste descend de César qui prétendait lui-même descendre d'une déesse.

VOCABULAIRE

Empereur
Du latin *imperator*, titre accordé au général vainqueur au combat, qui indique qu'il a la faveur des dieux.

2 Le pouvoir politique

Tous les pouvoirs du Sénat et du peuple passèrent à Auguste, et à partir de ce moment, une véritable monarchie[1] fut établie, même si, encore maintenant, on nomme aux magistratures[2] selon les lois.

■ D'après Dion Cassius, *Histoire romaine*, Ier-IIe siècle après J.-C.

1. Régime politique dans lequel le pouvoir est aux mains d'une seule personne.

2. Les magistrats sont les responsables de la cité élus par le peuple.

3 « Nul ne lui résistait »

Quand Auguste eut séduit les soldats par ses dons, le peuple par ses distributions de blé, tout le monde par les douceurs de la paix, il commença à attirer à lui l'autorité du Sénat, des magistrats, des lois.

Nul ne lui résistait car les nobles recevaient richesses et dignités. On aimait mieux le présent et sa sécurité que le passé avec ses périls[1]. Un nouvel esprit avait partout remplacé l'ancien : chacun renonçant à l'égalité, les yeux fixés sur le Prince, attendait ses ordres.

■ Tacite, *Annales*, IIe siècle après J.-C.

1. Référence aux guerres civiles qui ont déchiré Rome et auxquelles Auguste a mis fin.

4 Auguste, empereur divinisé

Camée en onyx, Ier siècle après J.-C., musée d'Art et d'histoire, Vienne.

1 La déesse Rome, sauvée par Auguste de la guerre civile.

2 Auguste divinisé sous les traits du dieu Jupiter avec l'aigle à ses pieds.

3 La déesse de la terre couronne Auguste pour le remercier.

4 Cérès, déesse des moissons et de la fertilité.

5 Auguste, chef de la religion romaine

En 12 avant J.-C., Auguste obtient le titre de « Grand Pontife » (chef de la religion). Il devient un personnage sacré que tous les habitants doivent honorer : c'est le culte impérial (voir p.126).

Auguste en pontife, Ier siècle avant J. C., Rome.

Activités

Question clé | **Quels sont les pouvoirs d'Auguste ?**

ITINÉRAIRE 1

▶ **Je comprends le sens général des documents**

1 Doc 1. Quels éléments te montrent qu'Auguste est un chef militaire ?

2 Docs 1, 4 et 5. Quels éléments te montrent qu'il est protégé des dieux ? Quelle fonction sacrée exerce-t-il ?

3 Doc 2 et 3. Quel pouvoir politique détient Auguste ? De qui a-t-il le soutien ?

▶ **Je réalise une production graphique**

4 À l'aide des réponses aux questions 1 à 3, réponds à la question clé en réalisant une carte mentale. Place Auguste au centre de la carte, et autour de lui ses pouvoirs que tu définiras.

OU

ITINÉRAIRE 2

▶ **Je sais organiser mes idées**

Pour répondre à la question clé, construis un tableau dans lequel tu classeras les différentes fonctions de l'empereur Auguste.

MÉTHODE

Recopie et complète le tableau ci-dessous.

Thèmes	Documents utilisés	Informations tirées des documents
Un pouvoir militaire fondé sur la victoire	Doc 1	
Une concentration des pouvoirs politiques	Doc 2-3	
Des pouvoirs religieux	Doc 1-4-5	

SOCLE Compétences
▶ **Domaine 2 :** j'explique et j'argumente.
▶ **Domaine 5 :** j'établis des liens entre l'espace et l'organisation d'une société.

Rome est-elle une « métropole » de l'Antiquité ?

INFOS

Rome est appelée, dans l'Antiquité romaine, l'*Urbs*, c'est-à-dire « la Ville ». **Capitale de l'Empire**, elle est aussi la cité **la plus peuplée** avec plus de 1 million d'habitants au IIe siècle après J.-C.

1 **Reconstitution d'une *insula***

Immeuble d'habitation collective, construit à bas coût (bois et brique), divisé en appartements destinés à être loués.
Reconstitution de 1937, musée de la Civilisation romaine, Rome.

2 **Rome, centre du monde**

Regarde cette foule que l'on a peine à loger dans notre gigantesque ville. La majorité de ces gens viennent d'ailleurs. De leurs villes et de leurs colonies, de tous les coins du monde, ils affluent ici. L'ambition fait accourir les uns, le désir de faire des études ou bien les spectacles qu'on y donne attirent les autres...

Demande à chacun son pays d'origine. Tu verras que la majorité d'entre eux ont déserté leur patrie pour venir dans la ville la plus grande et la plus belle du monde, et qui n'est cependant pas la leur.

◼ D'après Sénèque, *Consolation à Helvia*, 1er siècle après J.-C.

3 **Reconstitution des marchés de Trajan**

Construits entre 109 et 113 après J. C., ils abritent des boutiques, ainsi que des bureaux de l'administration impériale, à proximité du palais de l'empereur.

4 Maquette de Rome au IVᵉ siècle après J.-C.

Musée de la Civilisation romaine, Rome.

1 Colisée (jeux du cirque).

2 Palais impériaux.

3 Forum républicain (IIIᵉ siècle avant J.-C.).

4 Forums impériaux (Iᵉʳ-IIᵉ siècle après J.-C.).

5 Temple de Vénus et de Rome.

6 Marchés de Trajan.

7 Circus maximus (courses de char).

8 Aqueduc pour apporter l'eau à Rome.

5 Les nuisances de Rome

Quoique très affligé du départ de mon ancien ami, j'approuve néanmoins le parti qu'il a pris de se retirer à Cumes, ville peu fréquentée. [...] Un désert, en effet, n'est-il pas plus supportable qu'une ville où les incendies, la chute fréquente des maisons, et mille autres dangers, font renaître la terreur à chaque pas ? [...]

Ici, la plupart des malades succombent à l'insomnie. [...] Ce n'est qu'à grand prix qu'on dort en cette ville ; voilà ce qui nous tue. Drusus et les veaux marins[1] ne se réveilleraient-ils pas au bruit de ces chars embarrassés dans un passage étroit, ou des insultes de ce muletier contraint de s'arrêter ?

■ Juvénal, *Satires*, III, IIᵉ siècle après J.-C.

1. Personnage et animaux réputés pour leur sommeil.

QUESTIONS

site prof.
⬇ questionnaire différencié

▶ **J'établis des liens entre l'espace et l'organisation d'une société**

1 **Doc 1 et 2.** Qui sont les habitants de Rome ? Où se logent-ils ?

2 **Doc 1 à 4.** Quels bâtiments de Rome permettent aux habitants les pratiques suivantes : exercer une fonction politique, pratiquer une religion, satisfaire les besoins de la vie quotidienne, avoir des loisirs, une vie culturelle, se déplacer ?

3 **Doc 5.** Quelles sont les principales nuisances de la vie à Rome ?

▶ **Je fais le lien avec la géographie**

4 À partir des réponses aux questions, donne ton avis : Rome est-elle une « métropole » ?

5 Construis un schéma sur le modèle de celui de Lagos et Londres (p. 174 et 178) : comment habite-t-on la ville de Rome dans l'Antiquité ?

Se loger dans un espace de forte densité → Doc. 1, 4 et 5	**Habiter la Rome de l'Antiquité, c'est...**	**Pratiquer des activités** → Doc. 2 à 4
Se déplacer → Doc 5		**Vivre ensemble** → Doc. 1 à 5

SOCLE Compétences

▸ **Domaine 1 :** je m'exprime à l'écrit et à l'oral de façon claire et organisée.
▸ **Domaine 5 :** j'imagine et je réalise un discours.

La romanisation de l'Empire

CONSIGNE

L'empereur Caracalla arrive ! Parti de Rome, il est déjà en route pour visiter ta province et surtout ta cité. Et tu es chargé du discours d'accueil !

Bien sûr, il faudra lui montrer que les habitants de ta cité admirent Rome et les Romains, et que toi, nouveau citoyen, tu cherches à les imiter en tout. N'oublie pas de rappeler que les habitants participent au culte impérial.

VOCABULAIRE

▸ **Culte impérial**
Hommage rendu à l'empereur de son vivant, et culte rendu aux empereurs morts, divinisés, sur décision du Sénat.

▸ **Romanisation**
Adoption par les peuples de l'Empire du mode de vie, de la langue, des croyances des Romains.

1 La diffusion du mode de vie romain

Le gouverneur [de la province romaine] aidait les cités à édifier des temples, à aménager les forums, à construire de vraies maisons. Les enfants des plus riches furent instruits et beaucoup désiraient parler le latin couramment.

Par la suite, cela fit bien de s'habiller comme nous et beaucoup adoptèrent la toge. Peu à peu les Bretons se laissèrent aller à flâner sous les portiques du forum, dans les thermes et ils découvrirent le raffinement des festins.

◼ D'après Tacite, *Vie d'Agricola*, Ier siècle après J. C.

2 Le culte impérial dans les provinces

Par notre Aphrodite Akraia, par notre Apollon, par le dieu Auguste César, par Rome éternelle et tous les autres dieux et déesses, nous-mêmes et nos enfants [nous jurons] d'être à la disposition de Tibère[1] César, fils d'Auguste, et de toute sa famille, de leur obéir sur terre et sur mer, d'avoir de bonnes pensées pour eux, de les adorer, d'avoir même ami et même ennemi qu'eux.

◼ D'après un serment d'allégeance des habitants de Chypre au nouvel empereur Tibère.

1. Empereur de 14 à 37 après J.-C.

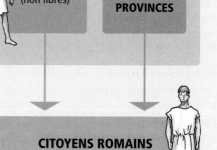

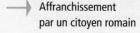

Possibilité de devenir citoyen par :

→ Affranchissement par un citoyen romain

→ Décision impériale ou service rendu à la cité ou à l'État (armée)

3 L'accès à la citoyenneté romaine (Ier-IIe siècles après J.-C.)

4 Arles, une ville romaine en Gaule

Maquette d'Arles, colonie romaine de la province de la Narbonnaise (sud de la Gaule)

Musée de l'Arles antique.

① Amphithéâtre   ③ Thermes de Constantin
② Théâtre   ④ Place du Forum

5 L'édit de Caracalla (212 après J. – C.)

Je donne à tous ceux qui habitent l'empire le droit de cité romaine[1] [...]. Il se doit en effet que la multitude soit non seulement associée aux charges qui pèsent sur tous, mais qu'elle soit aussi désormais englobée dans la victoire.

Et le présent édit[2] augmentera la majesté du peuple romain : il est conforme à celle-ci que d'autres puissent être admis à cette même dignité que celle dont les Romains bénéficient depuis toujours.

■ Constitution antonine.

1. Droit de devenir citoyen romain.
2. Texte de loi.

COUP DE POUCE

Pour rédiger ton discours de bienvenue, tu pourras évoquer successivement :
• **l'admiration** des habitants de ta cité pour Rome et le mode de vie romain ;
• le remerciement à l'empereur pour sa **décision d'accorder la citoyenneté romaine** aux habitants de ta cité ;
• la participation de ta cité **au culte impérial** et au **culte des dieux locaux** ;
• **la paix** qui règne dans ta cité et dans l'Empire **grâce à l'empereur**.

6 Le maintien des cultes locaux

Linceul peint égyptien, IIe siècle après J.-C., musée Pouchkine, Moscou.

L'Égypte est sous domination romaine depuis le Ier siècle avant J.-C.

① Citoyen romain en toge
② Anubis, dieu égyptien des morts
③ Osiris, dieu égyptien (→ doc 1 p.152)

Les jeux romains à travers les mosaïques

Question clé Comment l'art de la mosaïque témoigne-t-il de la diffusion de la culture romaine dans l'Empire ?

Lyon
Rome
Leptis Magna

1 Combat de gladiateur contre un tigre, Italie
Mosaïque du IVe siècle ap. J.-C., Galerie Borghese, Rome.

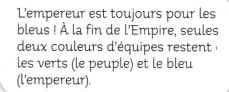

L'empereur est toujours pour les bleus ! À la fin de l'Empire, seules deux couleurs d'équipes restent : les verts (le peuple) et le bleu (l'empereur).

mémo ARTS ET CULTURES

Les jeux romains

Les Romains adorent les spectacles : le théâtre, mais aussi les jeux plus violents.

▶ **Les jeux du cirque**
Ce sont surtout des **courses de char**. **Les cochers portent les couleurs des « partis sportifs »** : vert, bleu, rouge et blanc. Il faut effectuer 7 tours de piste le plus vite possible dans le sens inverse des aiguilles d'une montre. Les virages sont dangereux. Il peut y avoir plus de 20 courses par jour.

▶ **Les jeux de l'amphithéâtre**
Ce sont soit des **combats entre gladiateurs** (des prisonniers, des condamnés, mais aussi des professionnels entraînés), soit **contre des bêtes féroces**. Là aussi, le public engage des paris sur les vainqueurs.

2 Combats entre gladiateurs, Leptis Magna (actuelle Libye)
Mosaïque du IIe siècle après J.-C., musée de Tripoli, Libye.

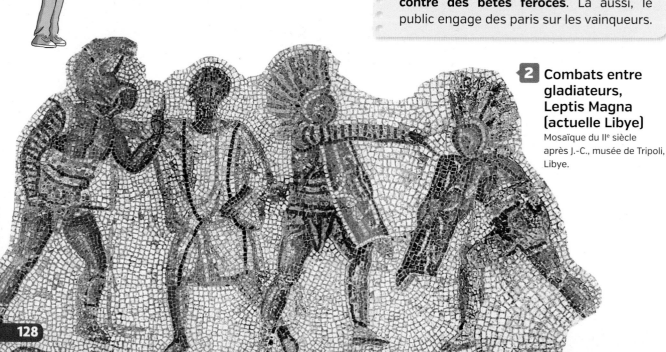

3 Courses de chars, Lyon (Gaule)

Mosaïque du IIᵉ siècle après J.-C., musée de la Civilisation gallo-romaine, Lyon.

1 Piste.

2 Spina: barrière d'un champ de courses autour de laquelle tournent les chars.

3 Carceres : box de départ.

4 Porte principale.

LA TECHNIQUE

de la mosaïque

L'artiste taille de petits cubes de pierre ou de marbre colorés que l'on appelle des tesselles.

1

Il recouvre ensuite la surface à décorer d'une fine couche d'enduit frais (ciment) et dessine l'image de sa composition avec les couleurs.

2

Il dispose ensuite à plat les tesselles correspondant aux couleurs.

3

QUESTIONS

J'identifie les œuvres

1 D'où proviennent ces trois mosaïques ?

Je décris et j'analyse l'œuvre

2 Que représentent-elles ?

3 **Mémo Arts et doc 3.** Décris précisément en quelques lignes la course de chars (participants, organisation, piste...).

4 À l'aide des doc 4 p. 125 et 4 p. 127, indique dans quels lieux de la cité se déroule chaque scène des doc 1 à 3.

Je fais le lien entre art et histoire

5 Qu'est-ce que ces œuvres nous apprennent sur les loisirs des Romains ?

6 Pourquoi peut-on dire que ces mosaïques illustrent la romanisation de l'Empire ? Pour t'aider, relis ta réponse à la question 1 et la définition de la romanisation, p. 127.

Conquêtes, paix romaine et romanisation

→ **Comment Rome a-t-elle pu bâtir un immense empire et maintenir la paix (Iᵉʳ – IVᵉ siècles après J.-C.) ?**

A Un vaste Empire

1. Du Vᵉ au Iᵉʳ siècle avant J.-C., grâce à sa puissante armée de légionnaires, la cité de **Rome fait la conquête de toute l'Italie et d'une grande partie du Bassin méditerranéen** (→ **carte p. 121**). Au Iᵉʳ siècle avant J.-C., elle accorde la **citoyenneté** romaine à tous les habitants libres d'Italie.

2. Victorieux de son rival Marc Antoine en 31 avant J.-C., Octave devient le seul maître de Rome. Il est proclamé *imperator*, et en **27 avant J.-C.**, le Sénat lui accorde le titre **d'Auguste**, « élu des dieux ». **L'Empire est né**. Il poursuit ses conquêtes au Iᵉʳ siècle, en Europe, en Afrique et en Asie. Au IIᵉ siècle, la **paix romaine** s'installe.

B Au centre du pouvoir, l'empereur

1. Le nouveau régime repose sur le pouvoir d'un homme, l'**empereur**. Son fondateur, **Auguste**, en crée le modèle. Sa domination est acceptée car les Romains veulent la **paix intérieure** après des années de guerres civiles.

2. L'empereur concentre presque tous les pouvoirs. Il décide des lois, nomme les principaux magistrats, est le chef des armées et de la religion. La figure de l'empereur est présente dans tout l'Empire, par des statues, des monnaies, et rassemble tous les habitants dans le cadre du **culte impérial**.

C La romanisation de l'Empire

1. Durant les deux premiers siècles de l'Empire, **la paix est globalement garantie à l'intérieur des frontières**. Derrière les **limes**, la sécurité est assurée par des **garnisons militaires**.

2. La ville de Rome (l'*Urbs*) est la capitale de l'Empire. Très peuplée, elle concentre les lieux du pouvoir impérial (palais) et offre aux habitants de nombreux services (**forums, aqueduc, thermes...**) ainsi que des **attractions** (jeux du cirque, courses de chars). Elle est reliée au reste de l'Empire par un **réseau de voies romaines**.

3. L'Empire romain regroupe des populations très diverses, qui, avec le temps, adoptent **le mode de vie romain**. Les villes se couvrent de monuments sur le modèle de la capitale. En 212, l'empereur Caracalla **accorde la citoyenneté romaine** à tous les habitants de l'Empire pour mieux les intégrer. C'est la **romanisation**.

Le sais-tu ?

La *pax romana* ou « *paix romaine* » est une période où l'ordre et la sécurité sont assurés dans l'immense Empire. Les échanges commerciaux font sa richesse.

VOCABULAIRE

▶ **Citoyenneté**
Qualité de ceux qui habitent la cité et possèdent des droits civiques, politiques et juridiques.

▶ **Culte impérial**
Hommage rendu à l'empereur de son vivant, et culte rendu aux empereurs morts, divinisés, sur décision du Sénat.

▶ **Empereur**
Du latin *imperator*, titre accordé au général vainqueur au combat, qui indique qu'il a la faveur des dieux.

▶ **Limes**
Frontières de l'Empire romain. Elles peuvent être fortifiées là où l'Empire est menacé.

▶ **Romanisation**
Adoption par les peuples de l'Empire du mode de vie, de la langue et des croyances des Romains.

L'empereur romain

- Il dispose de presque **tous les pouvoirs** : politique, religieux, militaire.

- **« Élu » des dieux**, il est honoré de son vivant, divinisé après sa mort : **culte impérial**.

- Le **Sénat** et les **citoyens romains** peuvent être associés à la vie politique.

L'Empire romain

Conquêtes, paix romaine et romanisation (Ier-IVe siècles après J.-C.)

L'Empire romain

- Empire **très vaste**, très peuplé.

- **La paix romaine (IIe siècle)**
  - Empire en paix et en sécurité
  - Empire prospère (commerce)

- **Rome, la capitale**
  L'*Urbs* est la plus grande ville du monde.

La romanisation

- **Dans l'Empire, des populations très diverses mais unies**
  - Adoption du **mode de vie « à la romaine »**
  - Aménagement des villes sur le **modèle de Rome** (monuments)
  - **Culte impérial**

- **La citoyenneté romaine** pour tous les habitants des provinces de l'Empire est accordée par l'**empereur Caracalla en 212**.

- **Je vérifie que je connais les principaux repères du chapitre.**

Je sais définir et utiliser dans une phrase :

- citoyenneté
- empereur
- paix romaine

Je sais situer dans le temps et dans l'espace :

- **Sur une frise :**
  - le règne d'Auguste
  - la paix romaine
  - l'édit de Caracalla
- **Sur un planisphère :**
  - les limites de l'Empire romain

site élève
⬇ fond de carte et frise

Je sais expliquer :

- quels sont les pouvoirs de l'empereur.
- pourquoi Rome est le cœur de l'Empire.
- ce qu'est la romanisation.

Apprendre à apprendre

Comment apprendre ma leçon ?

Je fabrique mes outils de révision : le coffre des savoirs

Pour apprendre sa leçon, on peut s'imaginer un coffre avec l'ensemble des connaissances « rangées » par compartiment.

▸ Étape 1

- Imprime ou dessine un coffre.
  Inscris la question clé et le code secret sous la forme d'une date à retenir.

> Cet exercice te permet de dégager ce que tu dois retenir, de classer les informations par thème et donc de mémoriser la leçon !

Conquêtes, paix romaine et romanisation

▸ **Quelle est la question clé ?**

....

▸ **Quel est le code secret ?**

Date de règne d'Auguste, premier empereur romain

site élève
⬇ coffre à imprimer

▸ Étape 2

- Ouvre le coffre et classe au bon endroit les éléments de la leçon qu'il faut retenir.

Les conquêtes de l'Empire romain : où ? Quand ? Comment ?

L'empereur et ses pouvoirs
Donne le nom d'au moins 2 empereurs, cite ses pouvoirs.

Comment les habitants de l'empire se romanisent ?
Rédige 5 lignes de résumé sur ce sujet.

Culte impérial

romanisatio

limes

BOÎTE À MOTS

Classe dans cette boîte tous les mots importants !

Je vérifie mes connaissances

① Je connais les pouvoirs de l'empereur.

Pour chaque phrase, indique quel pouvoir de l'empereur est défini : pouvoir politique, pouvoir militaire, pouvoir religieux.

L'empereur est le Grand Pontife. Le Sénat lui accorde le titre d'Auguste, c'est-à-dire « l'élu des dieux ».

Le titre d'*imperator* [« général victorieux »] fait de l'empereur le chef des armées. Les légions romaines le soutiennent.

Consul à vie, l'empereur nomme les principaux magistrats, fait les lois et rend la justice.

② Qui suis-je ?

Indique qui se cache derrière chaque carte.

Je concentre presque tous les pouvoirs. Mon image est diffusée sur des statues et des monnaies, et l'on me rend hommage par un culte, je suis...

On m'appelle l'*Urbs*, je suis la ville la plus peuplée du monde. Des quatre coins de l'Empire, on vient admirer mes monuments, je suis...

Je suis une œuvre d'art composée de tesselles accolées pour former un dessin, je suis...

Je combats des bêtes féroces dans l'amphithéâtre pour le plaisir des Romains, je suis...

Je suis un immense territoire qui s'étend en Europe, en Bretagne, en Afrique et en Asie, je suis...

③ J'ai compris c'est qu'est la romanisation.

Trouve dans le chapitre un document qui illustre chaque aspect de la romanisation.

La romanisation signifie que les habitants de l'Empire :	Document qui illustre la phrase
... construisent dans leurs villes des monuments sur le modèle de Rome.	
... deviennent des citoyens romains.	
... adoptent le mode de vie des Romains.	
... participent au culte impérial tout en conservant leurs dieux.	

④ Je raconte avec des images.

Rédige une phrase ou explique oralement ce que chaque document, issu du chapitre, t'a appris sur l'Empire romain et ses habitants.

a.

b.

c.

⑤ Retrouve d'autres exercices sous forme interactive sur le site Nathan.

site élève
⬇ exercices interactifs

1 Je me repère dans l'espace et dans le temps

↳ Socle : Domaine 5

Timgad

La ville de Timgad (actuelle Algérie) est une colonie romaine fondée par l'empereur Trajan vers 100 après J.-C. Elle a été classée au Patrimoine mondial de l'humanité par l'Unesco.

 INFOS

Les villes construites par les Romains reprennent le plan des camps militaires romains, traversés par deux axes principaux, le *cardo* (axe nord–sud) et le *decumanus* (axe est–ouest).

1 Arc de Trajan.
2 *Decumanus*.
3 *Cardo*.
4 Forum comprenant un tribunal, une curie pour le sénat local, un temple du culte impérial, des boutiques.

5 Théâtre.
6 Marché, entouré de colonnes et bordé de boutiques.
7 Temple de Jupiter Capitolin.
8 Thermes.

QUESTIONS

1 Où se trouve la cité de Timgad ? Qui l'a fondée ?

2 Observe le paysage et décris le plan de la ville. Comment circule-t-on ?

3 Repère les différents bâtiments et classe-les selon leur fonction :
   – bâtiments politiques ;
   – bâtiments religieux ;
   – bâtiments pour la vie quotidienne ;
   – bâtiments pour les loisirs.

4 Reporte-toi aux maquettes de Rome et d'Arles (**Doc 4 p. 125 et 127**). Quels points communs et quelles différences existent ? Que peux-tu en conclure ?

② Je comprends le sens d'un document : Rome, centre de l'Empire

↳ Socle : Domaine 2

① La cité de Rome.
② L'Afrique.
③ L'Espagne.
④ L'Asie.
⑤ Province non identifiée.
⑥ L'Égypte.
⑦ La Sicile.

Rome et ses provinces
Mosaïque du IIIe siècle trouvée dans la villa d'un riche propriétaire terrien à El Djem (actuelle Tunisie).

QUESTIONS

① Pourquoi Rome est-elle représentée au centre de cette mosaïque ?

② Pourquoi l'artiste a-t-il réuni les provinces romaines autour d'elle ?

MON BILAN DE COMPÉTENCES

Domaines du socle	Compétences travaillées	Pages du chapitre
D1 Les langages pour penser et communiquer	• Je sais justifier mes choix • Je sais m'exprimer de façon claire et organisée	Je découvre .... p. 122-123 J'enquête .... p. 126-127
D2 Méthodes et outils pour apprendre	• Je sais réaliser une production graphique • Je sais expliquer et argumenter • Je sais organiser mon travail personnel • Je comprends le sens d'un document	Je découvre .... p. 122-123 De l'histoire à la géographie .... p. 124-125 Apprendre à apprendre p. 132 Exercice 2 .... p. 135
D5 Les représentations du monde et l'activité humaine	• Je sais me repérer dans le temps et dans l'espace • Je sais établir des liens entre l'espace et l'organisation d'une société • Je sais imaginer et réaliser une production littéraire et historique (un discours)	Je me repère .... p. 120-121 Exercice 1 .... p. 134 De l'histoire à la géographie .... p. 124-125 J'enquête .... p. 126-127

8 Les chrétiens dans l'Empire romain
(Ier–IVe siècles après J.-C.)

→ Qu'est-ce que le christianisme ?
→ Comment le christianisme, d'abord persécuté, devient-il la religion officielle de l'Empire ?

À l'école primaire

Au CM1
J'ai découvert la conquête des Gaules par les Romains et la diffusion de la religion chrétienne dans la Gaule devenue romaine.

En 6e

Chapitres 3, 4 et 5
J'ai découvert les religions polythéistes des peuples de l'Orient ancien et du Bassin méditerranéen.
J'ai étudié le judaïsme, première religion monothéiste.

Ce que je vais découvrir

Au Ier siècle, une nouvelle religion monothéiste apparaît dans l'Empire romain : le christianisme.

1 De la crucifixion de Jésus...

Jésus est un Juif qui annonce un message religieux nouveau. Dénoncé par les autorités religieuses juives et considéré comme un agitateur par les autorités romaines, il est arrêté à Jérusalem, condamné à mort et crucifié en 30.

Panneau de coffret en ivoire, vers 420, British Museum, Londres.

2 ... à la reconnaissance officielle de la religion chrétienne

À la fin du IVᵉ siècle, la religion chrétienne est devenue la religion officielle de l'Empire romain. Les empereurs ordonnent la construction de basiliques pour permettre aux chrétiens de se réunir et de célébrer leur culte.

Vue intérieure de la basilique Saint-Paul-hors-les-Murs de Rome, construite à la fin du IVᵉ siècle.

La diffusion du christianisme dans l'Empire romain

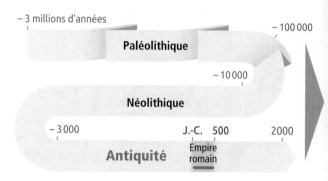

– 3 millions d'années
– 100 000

Paléolithique

– 10 000

Néolithique

– 3 000 J.-C. 500 2000

Antiquité

Empire romain

Qui est vraiment...

JÉSUS ?

- **Selon les Évangiles**
Vers l'âge de 30 ans, Jésus parcourt la Palestine et se présente comme **le messie attendu par les Juifs**. Entouré de disciples, il annonce que **Dieu veut sauver tous les humains** et leur promet **la vie éternelle** dans son royaume des cieux.

- **Selon l'historien juif Flavius Josèphe (Ier siècle)**
Jésus est un homme qui, par ses paroles, convainc en Palestine beaucoup de Juifs et de Grecs. Dénoncé par les chefs religieux juifs, **il est condamné à mort** par les autorités romaines pour trouble à l'ordre public. **Il meurt crucifié en 30.**

VOCABULAIRE

▸ **Apôtres**
Du grec *apostolos*, « envoyé ». Ce sont les 12 disciples choisis par Jésus pour diffuser son message.

▸ **Évangiles**
Du grec *Evangelion*, « bonne nouvelle ». Récit en quatre livres de la vie et du message de Jésus, écrit par des témoins de Jésus ou par ceux qui les ont connus (Matthieu, Luc, Marc et Jean).

▸ **Messie**
Envoyé de Dieu, qui doit diriger le peuple juif.

Jésus enseigne (27-30)

Les témoins et apôtres racontent et diffusent le message (30-65)

Les Évangiles sont écrits (65-100)

1 La diffusion de la « Bonne nouvelle »

QUESTIONS

▸ Je me repère dans le temps et dans l'espace

1 Frise. Où et quand a vécu Jésus ?

2 Doc 1. Quel est son message ? Qui le diffuse après sa mort ?

3 Doc 2. Nomme et situe des régions de l'Empire romain où le message de Jésus est diffusé entre le Ier et le IIIe siècle. Quelles régions de l'Empire deviennent chrétiennes au IVe siècle ?

4 Frise et doc 2. Explique pourquoi la religion chrétienne se diffuse dans tout l'Empire romain seulement à partir du IVe siècle.

27 av. J.-C.
Fondation de l'Empire romain

5 av. J.-C. 30

Vie de Jésus

65-100
Écriture des Évangiles

100 200

Christianisme persécuté

313

Christianisme autorisé

313
Édit de Milan

380

Christianisme religion officielle

380
Édit de l'empereur Théodose

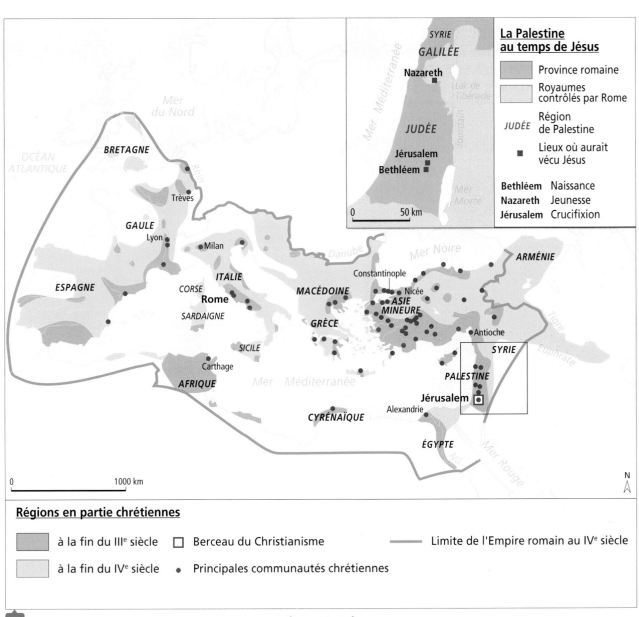

La Palestine au temps de Jésus

	Province romaine
	Royaumes contrôlés par Rome
JUDÉE	Région de Palestine
■	Lieux où aurait vécu Jésus

Bethléem   Naissance
Nazareth   Jeunesse
Jérusalem   Crucifixion

Régions en partie chrétiennes

à la fin du IIIe siècle   ☐ Berceau du Christianisme   —— Limite de l'Empire romain au IVe siècle

à la fin du IVe siècle   • Principales communautés chrétiennes

2 Le christianisme dans l'Empire romain (IVe siècle)

Je découvre

SOCLE Compétences
- **Domaine 5 :** je comprends un fait religieux, le christianisme.
- **Domaine 1 :** j'extrais des informations pour répondre à des questions.

Les débuts du christianisme au Ier siècle

Question clé Quand et comment le christianisme s'est-il diffusé dans l'Empire romain ?

1 Le témoignage d'un historien juif sur Jésus

À cette époque vécut Jésus, un homme exceptionnel, car il accomplissait des choses prodigieuses. Il gagna beaucoup de monde parmi les Juifs et jusque parmi les Grecs. Lorsque sur la dénonciation de nos notables, Pilate [le gouverneur romain de la Judée] l'eut condamné à être crucifié, ses disciples ne cessèrent pas de l'aimer, parce que, disaient-ils, il leur était apparu le troisième jour, de nouveau vivant. Il pouvait donc être appelé « le Messie » [...]. De nos jours, il a encore de nombreux fidèles, ceux qu'à cause de lui, on appelle chrétiens.

■ Flavius Josèphe, *Les Antiquités juives*, Ier siècle après J.-C.

VOCABULAIRE

▶ Chrétien
Celui qui croit en Jésus-Christ et en son message.

▶ Christ
Du grec *christos*, « messie, envoyé de Dieu ». Jésus est surnommé *Christ*.

▶ Païen
Personne qui reste fidèle au polythéisme.

2 La parabole du bon Samaritain

Un homme se lève et dit à Jésus : « Que dois-je faire pour avoir la vie éternelle ? » Jésus lui dit : « Dans la Loi, il est écrit : tu aimeras ton Dieu de tout ton cœur et ton prochain comme toi-même. » Il demande à Jésus : « Qui est mon prochain ? » Jésus reprend : « Un homme tombe aux mains des brigands qui le rouent de coups et le laissent à demi mort. Un prêtre et un serviteur du temple[1] le voient et passent à bonne distance. Mais un Samaritain[2] l'aperçoit, a pitié, panse ses plaies, le mène à l'hôtellerie et prend soin de lui. De ces trois-là, qui te semble le prochain de l'homme blessé ? » « Celui qui a témoigné de l'amour par ses actes. » « Eh bien, va et fais de même. »

■ Évangile de Luc, 10.

1. Le temple de Jérusalem.
2. Les Samaritains, habitants de Samarie, sont considérés par les Juifs comme des païens.

3 Jésus, « berger de l'humanité »

Jésus-Christ est comparé au berger qui prend soin de ses brebis, les humains.
Sculpture retrouvée en Égypte, IVe siècle, musée gréco-romain d'Alexandrie.

4 Jésus ressuscité, selon l'apôtre Pierre

Pierre est un disciple de Jésus et l'un des douze apôtres.

Pierre se leva alors avec les onze autres apôtres et dit d'une voix forte :

« Gens d'Israël, écoutez. Jésus de Nazareth, vous l'avez tué en le faisant clouer sur une croix. Mais Dieu l'a ressuscité. Tout le peuple d'Israël doit donc le savoir : ce Jésus, c'est lui que Dieu a fait Seigneur et Messie ! Que chacun d'entre vous se fasse baptiser au nom de Jésus-Christ pour que vos péchés vous soient pardonnés. »

Un grand nombre d'entre eux acceptèrent les paroles de Pierre et furent baptisés.

■ Actes des Apôtres, 2.

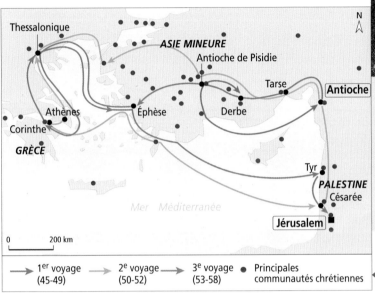

5 Les voyages de Paul

BIOGRAPHIE

PAUL DE TARSE
(vers 10–65 après J.-C.)

Juif et citoyen romain, il devient chrétien et diffuse le message de Jésus. Il joue un rôle essentiel dans la conversion des Juifs et des païens d'une grande partie de l'Empire romain, et organise les premières communautés chrétiennes. Arrêté à Jérusalem sur ordre des autorités romaines, il est jugé à Rome et exécuté.

Activités

Question clé | **Quand et comment le christianisme s'est-il diffusé dans l'Empire romain ?**

ITINÉRAIRE 1

OU

ITINÉRAIRE 2

▶ **J'extrais des informations des documents**

❶ **Doc 1 et 4.** Quels aspects de la vie de Jésus sont racontés à la fois par Flavius Josèphe et par Pierre ?

❷ **Doc 2, 3 et 4.** Qui a écrit le message de Jésus ? Nomme ces textes et relève les mots et expressions qui correspondent aux croyances des chrétiens.

❸ **Doc 5.** Quel est le rôle de Paul de Tarse dans la diffusion du christianisme ?

▶ **J'argumente à l'écrit**

❹ Qu'as-tu appris sur cette nouvelle religion ? Écris au moins 5 phrases pour le dire.

▶ **Je m'exprime par écrit en rédigeant un récit**

Seul ou avec ton voisin de classe, rédige un récit pour répondre à la question clé. Distingue bien ce que disent d'une part les historiens et d'autre part les croyances au sujet de la nouvelle religion chrétienne.

MÉTHODE

Pour t'aider à construire ton récit, recopie et complète le tableau ci-dessous.

La naissance et la diffusion du christianisme : un fait historique	La naissance et la diffusion du christianisme : une religion nouvelle
Qui ? Quand ? Où ? Comment ?	Quelles croyances pour les chrétiens ?

J'enquête — TÂCHE COMPLEXE

Vivre en chrétien dans l'Empire romain

CONSIGNE

Lors d'un de ses voyages dans l'Orient méditerranéen pour convertir les païens à la religion chrétienne, Paul de Tarse s'arrête à Athènes.

Vous êtes Alexia et Léandros, deux enfants athéniens, et avec vos parents, vous vous rendez à l'agora pour écouter les paroles de Paul. À votre retour, vous racontez à votre esclave Euryclée ce que vous avez entendu...

Votre récit, rédigé ou oral, doit expliquer ce que signifie « Vivre en chrétien ».

VOCABULAIRE

▶ **Foi**
Chez les chrétiens, croyance en Dieu et en la résurrection de Jésus-Christ.

« Allez donc, faites des disciples dans toutes les nations, et baptisez-les au nom du Père, du Fils, et du Saint-Esprit. »

Évangile selon Matthieu, 28, 16-20.

1 Le baptême, pour devenir chrétien

Le baptême marque l'entrée dans la communauté des chrétiens. Selon la croyance, le baptisé est immergé dans l'eau et ainsi lavé de ses péchés.
Cuve de baptême du VIe siècle, musée du Bardo, Tunis.

1 Le chrisme est composé des deux premières lettres du mot *Christos* : le X = (ch) et le P = (r).

2 Les deux lettres α et ω, première et dernière lettres de l'alphabet grec, signifient que Dieu est le commencement et la fin de toute chose.

3 Poisson se dit en grec *ichtus*. Les trois premières lettres « ICH » signifient « Jésus-Christ », et les dernières, « fils de Dieu, sauveur ».

4 La croix signifie la mort et la résurrection.

2 L'assemblée du dimanche, jour du Seigneur

Ceux qui peuvent viennent en aide à tous ceux qui ont besoin, et nous nous prêtons mutuellement assistance. Le dimanche, tous les chrétiens, qu'ils habitent les villes ou les campagnes, se réunissent dans un même lieu. Nous nous réunissons ce jour-là car c'est le premier jour où Dieu créa le monde, et parce que ce même jour, Jésus-Christ ressuscita d'entre les morts. On lit les Évangiles et les écrits des prophètes. La lecture finie, celui qui préside prend la parole pour inviter à imiter ces beaux enseignements. Ensuite nous nous levons tous et nous prions ensemble à haute voix. Puis, [...] on apporte du pain avec du vin et de l'eau. Celui qui préside remercie Dieu et tout le monde répond *Amen*[1]. Puis a lieu la distribution et le partage des aliments consacrés à chacun [...]. Nous appelons cet aliment « eucharistie », et personne ne peut y prendre part, [...] s'il n'a reçu le baptême.

■ D'après Justin, *Apologies*, vers 150 après J.-C.
1. « Ainsi soit-il ».

« Je vous donne un commandement nouveau : Aimez-vous les uns les autres ; comme je vous ai aimés. »

Évangile de Jean, 13, 34-35.

3 La prière, pour communiquer avec Dieu

Bas-relief en marbre, Ve siècle, musée de l'Histoire de l'art, Vienne (Autriche).

> « Vous donc priez ainsi : Notre Père qui es aux cieux. »
>
> Évangile de Matthieu, 6.

> « Tout ce que vous demanderez, avec foi, par la prière, vous le recevrez. »
>
> Évangile de Matthieu, 12.

4 Une religion universelle

> Car vous êtes tous fils de Dieu par la foi en Jésus-Christ ; vous êtes tous baptisés : il n'y a plus ni Juif ni Grec ; il n'y a plus ni esclave ni homme libre ; il n'y a plus ni l'homme ni la femme ; car tous vous ne faites qu'un en Jésus-Christ.
>
> ■ Épître de Paul aux Galates, 3.

> « Pendant son dernier repas, Jésus prend du pain, le rompt et le donne à ses disciples : « Prenez et mangez, ceci est mon corps. » Puis, prenant la coupe, il dit : « Buvez-en tous, car ceci est mon sang. » Ainsi, chaque fois que vous mangez ce pain et que vous buvez cette coupe, vous annoncez la mort du Seigneur, jusqu'à ce qu'il revienne. »
>
> Évangile de Matthieu, 26.

5 L'eucharistie (ou communion), en souvenir du dernier repas de Jésus-Christ

Catacombes de Saint-Pierre-et-Marcellin, Rome, IIIe siècle.

COUP DE POUCE

Pour expliquer la vie des premiers chrétiens, réponds aux questions suivantes :
- Comment devient-on chrétien ? → **Doc 1**
- Pourquoi peut-on affirmer que le christianisme est une religion universelle ? → **Doc 4**
- En qui et en quoi croient les chrétiens ? → **Doc 1, 3, 4 et 5**
- Quand et comment le Dieu des chrétiens est-il honoré ? → **Doc 2, 3 et 5**

**J'enquête** *EN ÉQUIPES !*

SOCLE Compétences

▶ **Domaine 5 :** j'ordonne des faits les uns par rapport aux autres.
▶ **Domaine 2 :** j'organise mon travail dans le cadre d'un groupe pour élaborer une production collective.

Le christianisme : des persécutions à la religion officielle

CONSIGNE

Répartis en équipes, vous êtes invités à expliquer l'évolution de la situation des chrétiens dans l'Empire romain.

Chaque équipe présente son travail au reste de la classe. À partir des présentations orales, racontez en quelques phrases comment et pourquoi, entre le Ier et le IVe siècle, le christianisme, d'abord persécuté, devient la religion officielle de l'Empire romain.

VOCABULAIRE

▶ **Martyr**
Du grec *martus*, « témoin ». Personne qui a préféré mourir plutôt que de renoncer à sa foi.

▶ **Persécutions**
Violences exercées contre des personnes en raison de leurs croyances ou de leurs idées.

ÉQUIPE 1

Les chrétiens persécutés

Votre équipe doit se mettre à la place des chrétiens et expliquer les persécutions dont ils sont victimes dans l'Empire romain.

❶ Quelle est l'attitude des chrétiens face au culte impérial ?
❷ Quelle est l'attitude des païens face aux chrétiens ?
❸ Que subissent les chrétiens ?

1 Pourquoi sont-ils persécutés ?

Pour le salut des empereurs, nous prions notre Dieu éternel, le Dieu véritable, le Dieu vivant. Celui-là seul est Dieu. Les empereurs sont sous son autorité, placés au second rang.

Par des prières incessantes, nous demandons pour les empereurs une longue vie, un règne tranquille, des troupes valeureuses, un Sénat fidèle, un peuple loyal.

◾ Tertullien, auteur chrétien, *Aux nations*, Livre 1, début du IIIe siècle.

2 Lettre de martyrs à Lyon (Gaule romaine), 177

Les chrétiens furent insultés, frappés, pillés, lapidés, emprisonnés. [...] Chaque jour on essayait de les faire jurer par les idoles des païens ; mais comme ils étaient restés fermes [...], la foule devint furieuse contre eux au point de n'avoir aucune pitié ni pour les enfants ni pour les femmes. Après avoir généreusement supporté tous les supplices, Ponticus rendit l'âme. Restait la bienheureuse Blandine [...]. Après les fouets, après les fauves, après le gril, elle fut finalement jetée dans un filet et livrée à un taureau.

◾ Lettres des martyrs de Lyon, Eusèbe de Césarée, *Histoire ecclésiastique*, début IVe siècle.

3 Un « graffiti » contre les chrétiens
Dessin du IIe siècle, musée des Thermes, Rome.

❶ Jésus représenté avec une tête d'âne, animal le plus méprisé à l'époque.
❷ Un chrétien.
❸ « Alexamenos adore son dieu ».

Deux siècles de persécutions par les empereurs

Votre équipe est chargée d'expliquer l'attitude des empereurs romains face aux chrétiens.

1 Que décident les empereurs au sujet des chrétiens ?
2 Quel empereur semble le plus opposé aux chrétiens ?
3 Les empereurs parviennent-ils à faire disparaître le christianisme dans l'Empire ?

4 L'empereur Trajan et les chrétiens

L'empereur Trajan écrit à Pline, gouverneur d'une province.

Mon cher Pline, tu as suivi la conduite que tu devais dans l'examen des causes de ceux qui t'avaient été dénoncés comme chrétiens. Les chrétiens ne doivent pas être systématiquement poursuivis. S'ils sont dénoncés et confirment qu'ils sont chrétiens, il faut les condamner, mais celui qui aura nié être chrétien et honorera nos dieux, même s'il a été suspect auparavant, obtiendra le pardon.

■ Pline le Jeune, *Correspondance*, X, IIᵉ siècle.

Trajan, empereur de 98 à 117.

5 La « grande persécution » de l'empereur Dioclétien

Les persécutions les plus violentes ont lieu sous son règne, principalement à l'est de l'Empire.

On afficha un édit stipulant que les adeptes de cette religion seraient exclus de toute charge officielle et de toute dignité et passibles de torture, que toute action dirigée contre eux serait recevable [...]. Les arrestations n'épargnaient ni l'âge, ni le sexe ; toutes se terminaient par le bûcher.

■ Lactance, auteur chrétien, *De la mort des persécuteurs*, vers 260-325.

Dioclétien, empereur de 284 à 305.

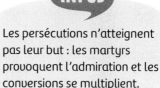
INFOS

Les persécutions n'atteignent pas leur but : les martyrs provoquent l'admiration et les conversions se multiplient.

6 Les supplices infligés aux chrétiens
Mosaïque romaine du Iᵉʳ siècle.

ÉQUIPE
3

Le triomphe du christianisme

Votre équipe est chargée d'expliquer comment et pourquoi les empereurs font triompher le christianisme dans l'Empire.

1 Quelle décision est prise par l'empereur Constantin ?
2 Quelle décision est prise par l'empereur Théodose ?
3 Pourquoi ont-ils pris ces décisions ?

7 **Constantin, premier empereur chrétien**

Chrisme

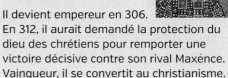
BIOGRAPHIE

CONSTANTIN (272-337)

Il devient empereur en 306. En 312, il aurait demandé la protection du dieu des chrétiens pour remporter une victoire décisive contre son rival Maxence. Vainqueur, il se convertit au christianisme.

8 **Constantin tolère le christianisme**

Étant réunis à Milan, moi Constantin Auguste et moi Licinus Auguste donnons aux chrétiens comme à tous, la liberté de pratiquer la religion de leur choix, sans être inquiétés ni molestés. [...]

Aux autres [les païens], est accordée la même autorisation, comme il convient à une époque de paix.

■ Édit de Milan (313).

9 **Le christianisme, unique religion de l'Empire**

À la fin du IVe siécle, les empereurs imposent le christianisme afin de redonner une nouvelle unité à l'Empire.

Il a paru bon que les temples païens soient fermés et que leur accès soit interdit. [...] Nous voulons de même que tous s'abstiennent des sacrifices.

Mais si quelqu'un venait à commettre un crime de ce genre, qu'il soit frappé de l'épée vengeresse.

■ Édit de l'empereur Théodose (391).

Monnaie de Constantin Ier le Grand

En 312, il aurait fait confectionner cette enseigne surmontée du chrisme pour remporter la bataille contre son rival Maxence.

L'Église chrétienne dans l'Empire romain

Votre équipe est chargée de décrire l'organisation de l'Église chrétienne et de montrer comment cette Église se met au service de l'empereur.

1 Comment chaque communauté chrétienne est-elle organisée ?
2 Qu'est-ce qui montre que les chrétiens n'ont plus à se cacher pour pratiquer leur religion ?
3 Quel lien se crée entre l'empereur et l'Église chrétienne ?

10 L'organisation de l'église

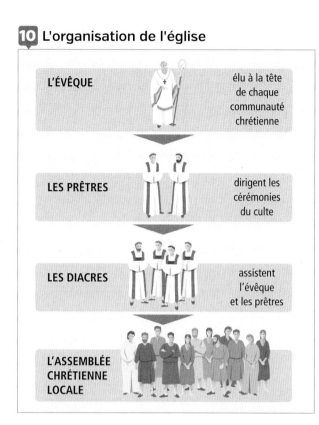

L'ÉVÊQUE	élu à la tête de chaque communauté chrétienne
LES PRÊTRES	dirigent les cérémonies du culte
LES DIACRES	assistent l'évêque et les prêtres
L'ASSEMBLÉE CHRÉTIENNE LOCALE	

VOCABULAIRE

▸ **Credo**
Mot latin qui signifie « je crois ». Formule qui résume les croyances des chrétiens.

▸ **Église**
Du grec *ecclesia* : « assemblée ». Communauté des croyants.

11 Le concile de Nicée (325)

L'empereur Constantin convoqua tous les évêques à Nicée (actuelle Turquie) pour définir le credo des chrétiens.

Nous croyons en un seul Dieu, Père tout-puissant, créateur du ciel et de la terre, des choses visibles et invisibles.

Nous croyons en un seul Seigneur, Jésus-Christ, fils de Dieu. Il est descendu du ciel pour nous et pour notre salut, et s'est fait homme. Crucifié pour nous sous Ponce Pilate, il a souffert sa passion et fut mis au tombeau. Il est ressuscité le troisième jour, et il est monté au ciel. Il reviendra pour juger les vivants et les morts et son règne n'aura pas de fin.

Nous croyons en l'Esprit Saint qui donne la vie. Nous reconnaissons un seul baptême pour la rémission des péchés. Nous attendons la résurrection des morts, et la vie du monde à venir.

12 La construction des premières églises

Vue de la basilique de Constantin, construite par l'empereur entre 326 et 333 sur l'emplacement de l'actuelle basilique Saint-Pierre du Vatican (Rome).
Fresque du IVe siècle, Vatican (Italie).

SOCLE Compétences

▶ **Domaine 5 :** je connais le passé pour comprendre le présent.
▶ **Domaine 3 :** je respecte toutes les croyances.

Quels sont les héritages des premiers chrétiens ?

A Les traces de la religion chrétienne dans notre vie quotidienne

Mars 2016

1	M	Aubin
2	M	Ch. le Bon
3	J	Guénolé
4	V	Casimir
5	S	Olive
6	**D**	Colette
7	L	Félicité
8	M	Jean de Dieu
9	M	Françoise
10	J	Vivien
11	V	Rosine
12	S	Justine
13	**D**	Rodrigue
14	L	Mathilde
15	M	Louise
16	M	Bénédicte
17	J	Patrice
18	V	Cyrille
19	S	Joseph
20	**D**	Printemps
21	L	Clémence
22	M	Léa
23	M	Victorien
24	J	Catherine
25	**V**	Annonciation
26	S	Larissa
27	**D**	Pâques
28	**L**	L. de Pâques
29	M	Gladys
30	M	Amédée
31	J	Benjamin

Mai 2016

1	D	Fête du travail
2	L	Boris
3	M	Phil., Jacq.
4	M	Sylvain
5	**J**	Ascension
6	V	Prudence
7	S	Gisèle
8	**D**	Armist. 1945
9	L	Pacôme
10	M	Solange
11	M	Estelle
12	J	Achille
13	V	Rolande
14	S	Matthias
15	**D**	Pentecôte
16	L	L. Pentecôte
17	M	Pascal
18	M	Éric
19	J	Yves
20	V	Bernardin
21	S	Constantin
22	**D**	Émile
23	L	Didier
24	M	Donatien
25	M	Sophie
26	J	Bérenger
27	V	Augustin
28	S	Germain
29	**D**	Aymar
30	L	Ferdinand
31	M	Visitation

Décembre 2016

1	J	Florence
2	V	Viviane
3	S	Fr.-Xavier
4	**D**	Barbara
5	L	Gérald
6	M	Nicolas
7	M	Ambroise
8	J	Im. Concept.
9	V	Pierre Fourier
10	S	Romaric
11	**D**	Daniel
12	L	Jean. F. de C.
13	M	Lucie
14	M	Odile
15	J	Ninon
16	V	Alice
17	S	Gaël
18	**D**	Gatien
19	L	Urbain
20	M	Théophile
21	M	Hiver
22	J	Fr.-Xavière
23	V	Armand
24	S	Adèle
25	**D**	Noël
26	L	Étienne
27	M	Jean
28	M	Innocents
29	J	David
30	V	Roger
31	S	Sylvestre

1 **Le calendrier chrétien**

Certains jours fériés correspondent aux principales fêtes chrétiennes.

2 **Naissance et mort de Jésus selon les Évangiles**

> ### Le sais-tu ?
>
> Les chrétiens fêtent la naissance de Jésus le 25 décembre. Cette date correspond à la fête païenne du solstice d'hiver qui symbolise le renouveau.

25 décembre : naissance de Jésus.
Huile sur bois, XIVe siècle.

Mars ou avril : crucifixion de Jésus (un vendredi) puis, trois jours après (dimanche), résurrection.
Huile sur bois, XIVe siècle.

40 jours après sa résurrection, dernière apparition de Jésus à ses disciples. Il monte au ciel vers la vie éternelle.
Manuscrit, XIVe siècle.

50 jours après Pâques, l'esprit de Dieu se pose sur les apôtres et les invite à répandre la « Bonne nouvelle ».
Fresque, XIVe siècle.

B Les chrétiens, aujourd'hui, dans le monde

CHIFFRES CLÉS

Les chrétiens dans le monde

➡ **2,2 milliards**
de chrétiens, soit **un tiers**
de la population mondiale.

Europe 26 %
Afrique 23 %
Amériques 37 %
Asie-Océanie 14 %

3 **Le pape, chef de l'Église chrétienne catholique**

Le pape François, après avoir célébré la messe de Pâques, bénit les fidèles depuis la basilique Saint-Pierre-de-Rome, avril 2015.

4 **Baptême dans une église du Guatemala (2013)**

5 **Sortie de messe dans un village de l'Aveyron, France (2011)**

En France et dans tous les pays de tradition chrétienne, il y a des églises dans toutes les villes et les villages. La messe est célébrée le dimanche.

QUESTIONS

▶ **J'observe les traces du passé**

❶ **Doc 4 et 5.** Recherche dans le chapitre des documents qui évoquent les pratiques des chrétiens. Que constates-tu ?
Les pratiques des chrétiens d'aujourd'hui sont-elles les mêmes que celles des chrétiens de l'Antiquité ?

❷ **Doc 1 à 3.** Comment le christianisme, né dans l'Antiquité, est-il aujourd'hui présent dans notre vie quotidienne ?

▶ **Je fais le lien entre le passé et le présent**

❸ **Chiffres clés.** Né dans l'Empire romain, où le christianisme est-il pratiqué aujourd'hui ?

❹ Pourquoi, même si l'on n'est pas chrétien, est-il important de connaître la religion chrétienne ?

Les chrétiens dans l'Empire romain (Ier–IVe siècle)

→ Qu'est-ce que le christianisme ?
Comment, après avoir été persécuté, devient-il la religion officielle de l'Empire romain ?

A La naissance d'un nouveau monothéisme

1. **Vers 28**, dans la province romaine de Palestine, un Juif nommé **Jésus** se présente comme le **messie** attendu par le peuple juif. Il enseigne l'**amour de Dieu et de son prochain** et semble avoir attiré les foules. Les chefs religieux juifs le dénoncent comme agitateur et les autorités romaines le condamnent à mort. Il est **crucifié** à **Jérusalem** en **30**.

2. Après la mort de Jésus, ses premiers disciples, **les apôtres**, affirment qu'il est **ressuscité**. Des Juifs et de nombreux **païens se convertissent** et forment des **communautés chrétiennes**. Les chrétiens reçoivent le **baptême**, croient au **Dieu** de la **Bible**, incarné en **Jésus-Christ**, et en la **vie éternelle** auprès de Dieu après leur mort. Le dimanche, ils se réunissent sous la direction d'un **prêtre** pour prier, lire les **Évangiles** et partager la **communion**.

B Les empereurs romains face aux chrétiens

1. Les chrétiens sont bien intégrés dans l'Empire, mais ils refusent de **rendre un culte à l'empereur**, un crime puni de mort. À partir du Ier siècle, les empereurs romains multiplient les **persécutions de chrétiens**. Mais les **martyrs** provoquent l'admiration, et les **conversions vers le christianisme se multiplient**.

2. Au début du IVe siècle, l'empereur Constantin se convertit au christianisme. En **313**, par l'**Édit de Milan**, il accorde aux **chrétiens la liberté de pratiquer leur religion**.

C Le christianisme, religion officielle de l'Empire

1. Les successeurs de Constantin sont tous chrétiens. En **380**, l'empereur **Théodose proclame le christianisme religion officielle** de l'Empire romain. Puis, en 392, il interdit les cultes païens.

2. Les **églises chrétiennes** s'organisent, avec à leur tête un **évêque**, dont le supérieur est l'**évêque de Rome : le pape**. Constantin réunit les évêques au **concile de Nicée** en 325 : le **« credo »**, qui définit les croyances des chrétiens, est fixé. Les **basiliques**, premières églises chrétiennes, sont construites. Le christianisme triomphe. Aujourd'hui, il est la **première religion dans le monde**, avec **plus de deux milliards de chrétiens**.

D'où vient le mot...
CHRÉTIEN ?
Du grec *christos* ou *christ* qui signifie « messie » en hébreu, c'est-à-dire « envoyé de Dieu ». Le chrétien est celui qui croit en Jésus, appelé Christ, et en son message.

VOCABULAIRE

▶ **Baptême**
Cérémonie religieuse qui permet à une personne d'entrer dans la communauté chrétienne.

▶ **Communion**
Moment où les chrétiens réunis célèbrent le dernier repas de Jésus-Christ avec ses disciples (la Cène) en partageant le pain et le vin.

▶ **Évangiles**
Du grec *Evangelion*, « bonne nouvelle ». Récit en quatre livres de la vie et du message de Jésus, écrit par des témoins de Jésus ou par ceux qui les ont connus (Matthieu, Luc, Marc et Jean).

▶ **Martyr**
Du grec *martus*, « témoin ». Personne qui a préféré mourir plutôt que de renoncer à sa foi.

▶ **Persécutions**
Violences exercées contre des personnes en raison de leurs croyances ou de leurs idées.

À l'origine, Jésus

- **Vers – 5** : naissance en **Palestine**, province romaine.

- **Vers 28** : affirme être le **messie (« Christ »)** attendu par le peuple Juif.

- **Vers 30** : dénoncé par des religieux juifs, il est **condamné à mort** par les autorités romaines et meurt à Jérusalem, sur la croix.

Les premiers chrétiens (Ier siècle)

- Les **apôtres** affirment que Jésus est ressuscité (**Évangiles**).

- Premières **communautés chrétiennes**.

- Naissance de la religion chrétienne :
  - Croyance en **Dieu**, en **Jésus-Christ** et en sa **résurrection**.
  - **Baptême**.
  - **Assemblée du dimanche** et **communion**.

L'attitude des empereurs

Du Ier au IIIe siècle : les persécutions

- **Pourquoi ?** Refus des chrétiens de **pratiquer le culte impérial**, crime puni de mort.

- **Conséquences ?** Face aux nombreux **martyrs**, **multiplication des conversions** au christianisme.

Au IVe siècle : le christianisme reconnu

- **Édit de Milan (313)** L'empereur Constantin reconnaît le droit de pratiquer la religion chrétienne.

- Organisation des **églises chrétiennes**.

- **Édit de Théodose (380)** Le christianisme devient la religion officielle de l'Empire.

Je révise chez moi

● **Je vérifie que je connais les principaux repères du chapitre.**

Je sais définir et utiliser dans une phrase :
- chrétiens
- évangiles
- persécutions

Je sais situer :

Dans le temps :
– la vie de Jésus
– le christianisme persécuté
– le christianisme, religion officielle

Dans l'espace :
– La Palestine, Jérusalem et Rome

site élève
⬇ fond de carte et frise

Je sais expliquer :
- qui est Jésus.
- ce qu'est la religion chrétienne.
- les attitudes successives des empereurs romains face au christianisme.

Comment apprendre ma leçon ?

J'apprends le vocabulaire en réalisant un mur de mots

Pour mémoriser la leçon et bien se préparer aux évaluations, il faut connaître tous les mots clés de la leçon.

▶ Étape 1

- Relis ta leçon. Sur une feuille en format paysage, place au fur et à mesure les mots importants, les dates clés et les espaces géographiques étudiés.

> En étant capable de lier les mots importants à la leçon, tu maîtrises mieux ton cours et tu sauras plus facilement comment répondre lors des évaluations.

Martyrs   Persécutions
Jérusalem   Constantin
313   Jésus   Baptême
Évangiles

▶ Étape 2

- Ton mur de mots est construit. Demande à un camarade de t'interroger.

▶ **Exemple** pour le mot « **Constantin** »

L'empereur Constantin se convertit au christianisme. En 313, par l'édit de Milan, il accorde aux chrétiens la liberté de pratiquer leur religion.

Tu aurais pu aussi être interrogé sur la date 313 et donner la même réponse que pour Constantin.

Jésus Persécutions
Martyrs Évangiles
Jérusalem   Baptême
Constantin

Tu peux aussi créer un nuage de mots sur internet ! Utilise un logiciel comme Wordle.

Je vérifie mes connaissances

1 Je fais la différence entre histoire et croyances

site élève
📥 tableau à imprimer

Lis les affirmations ci-dessous, puis recopie le tableau
et classe-les en indiquant celles qui se rapportent
à l'histoire (qui ont été rapportées par des historiens)
et celles qui correspondent aux croyances des chrétiens.

	L'histoire des chrétiens	Les croyances des chrétiens
Jésus-Christ est ressuscité après sa mort.		
Les chrétiens auront la vie éternelle après la mort au royaume des cieux.		
Jésus est condamné à mort et crucifié sur ordre des autorités romaines.		
Jésus est le messie.		
Jésus accomplit de nombreux miracles.		
Jésus-Christ est un Juif né en Palestine.		
Constantin permet aux chrétiens de pratiquer leur religion.		
Des empereurs romains ont ordonné la persécution des chrétiens.		

2 Je raconte à partir des images

Rédige une phrase ou explique oralement ce que chaque document, issu du chapitre,
t'a appris sur les chrétiens dans l'Empire romain.

a.

b.

c.

3 J'ai bien compris ma leçon

Pour chaque mot ou expression, indique en une phrase ce que tu as appris au cours du chapitre
à son propos. Attention, des erreurs ou des intrus se sont glissés ! Relève-les et justifie ton choix.

Basilique   Jésus   Pape   Prière

    Martyr païen   Persécutions de Constantin   Apôtres

4 Retrouve d'autres exercices sous forme interactive sur le site Nathan.

site élève
📥 exercices interactifs

Exercices

1 J'analyse des documents iconographiques : les symboles chrétiens

↳ **SOCLE :** Domaine 5

Au temps des persécutions, les chrétiens doivent se cacher.
Voici quelques signes qu'ils utilisaient pour coder leurs écrits.

QUESTIONS

❶ Que signifient ces symboles chrétiens ?

❷ De quelle époque datent-ils ? Pourquoi les a-t-on trouvés sur le territoire de l'Empire romain ?

❸ Retrouve dans les documents du chapitre des traces de certains de ces signes.

Le poisson en grec se dit *icthus*.

Ce mot est formé des initiales de Iesus CHristos THeou Uios Soter = Jésus-Christ fils de Dieu Sauveur.

Le berger avec une brebis sur ses épaules = Jésus-Christ

Jésus, dans ses enseignements, se présentait comme le bon berger qui veille sur ses brebis, les croyants.

Le Chrisme = Le Christ

Au centre, il y a un X et un P qui s'entrecroisent. Ce sont les deux premières lettres du mot « Christ » en grec [χριστοσ]. Le α et le ω sont les première et dernière lettres de l'alphabet grec. Cela signifie que le Christ est Dieu, début et fin de toute chose.

L'ancre = la foi

De même que l'ancre stabilise le bateau dans le port, la foi permet aux chrétiens de tenir dans les épreuves.

Le phénix = la résurrection

Cet animal imaginaire est connu dans la mythologie pour pouvoir renaître de ses cendres. Il est l'image de la résurrection des morts.

2 Le triomphe du christianisme dans l'Empire romain

↳ **SOCLE :** Domaines 1 et 2

QUESTIONS

❶ En une ou deux phrases, indique ce que raconte ce document.

❷ Quelle est l'attitude des chrétiens ? D'après tes connaissances, quelle décision impériale leur permet d'avoir cette attitude ?

❸ Comment réagissent les païens face aux chrétiens ? À cette date, ont-ils encore le droit de pratiquer leur religion ?

❹ Relève la phrase du texte qui montre que le christianisme est triomphant dans l'Empire romain.

En Afrique, à Carthage, la déesse *Caelestis* avait un vaste temple, entouré des sanctuaires de tous leurs dieux romains ; son esplanade s'étendait sur près de deux mille pas. Il était fermé depuis assez longtemps et envahi par une haie de broussailles épineuses quand le peuple chrétien voulut l'affecter au service de la vraie religion ; mais le peuple païen affirmait en criant que là-dedans se trouvaient des dragons et des serpents chargés de protéger le temple : ce qui ne fit qu'enflammer davantage l'empressement des chrétiens ; ils débroussaillèrent tout sans subir le moindre mal. Lorsqu'on célébra la fête solennelle de la Sainte Pâque, au milieu de la foule qui s'était rassemblée en ce lieu, [...] l'évêque Aurelius établit là son trône à la place de *Caelestis* et y siégea.

■ Quodvultdeus, *Livre des promesses et des prédications de Dieu*, 5, vers 399-421.

3 Je comprends le langage des arts

↳ **Socle :** Domaine 1

1 La basilique chrétienne de Sainte-Sabine (Rome)

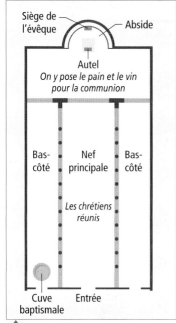

2 Plan de la basilique

QUESTIONS

1 Quelle est la forme de la basilique chrétienne ?

2 Comment se nomment les différentes parties qui la composent (A, B, C) ?
Quelle est la fonction de chacune d'elles ?

3 D'après tes connaissances, pourquoi les basiliques chrétiennes sont-elles aussi vastes ?

MON BILAN DE COMPÉTENCES

Domaine du socle	Compétences travaillées	Pages du chapitre
D1 Les langages pour penser et communiquer	• J'extrais des informations pour répondre à des questions	Je découvre........ p. 140-141
	• Je sais argumenter à l'écrit ou à l'oral	J'enquête.............. p. 142-143
	• Je me pose des questions et je justifie mes réponses	Exercice 2............. p. 154
	• Je comprends le langage des arts	Exercice 3............. p. 155
D2 Méthodes et outils pour apprendre	• Je partage la tâche à réaliser.	J'enquête.............. p. 142-143
	• J'organise mon travail dans le cadre d'un groupe	J'enquête.............. p. 144-147
	• J'organise mon travail personnel	Apprendre à apprendre. p. 151
D3 La formation de la personne et du citoyen	• Je respecte toutes les croyances	D'hier à aujourd'hui...... p. 148-149
D5 Les représentations du monde et l'activité humaine	• Je sais me repérer dans le temps et dans l'espace et ordonner les faits les uns par rapport aux autres	Repères.................. p. 138-139 Je découvre............ p. 140-141
	• Je comprends un fait religieux	J'enquête.............. p. 144-147
	• Je connais le passé pour comprendre le présent	D'hier à aujourd'hui...... p. 148-149 Exercice 1............. p. 154

9 L'Empire romain et les autres mondes anciens

➔ Comment la « route de la soie » a–t–elle relié l'Empire romain à la Chine des Han ?

En 6ᵉ

Chapitre 7
J'ai découvert les échanges commerciaux entre Rome et les provinces de l'Empire romain au IIᵉ siècle après J.-C.

Ce que je vais découvrir

Les contacts entre l'Empire romain et la Chine des Han s'effectuent par la « route de la soie ».

1 La « route de la soie » relie les deux empires à partir du Iᵉʳ siècle avant J.-C.

Les ruines d'un caravansérail (logement de caravanes) sur la « route de la soie »
(IIᵉ siècle après J.-C., ancienne cité de Jiaohe, province du Xinjiang, Chine).

Pour les Romains, le monde est divisé en deux : leur empire et celui de la Chine. Pourtant, ils ne se sont jamais rencontrés. Ce sont les marchands d'Asie centrale qui les ont mis en relation.

2 **La soie arrive à Rome vers -50 avant J.-C.**

La soie est un tissu de luxe, très à la mode chez les riches Romaines.

(Femme vêtue de soie, Pompéi, villa des Mystères, milieu du Ier siècle avant J.-C.)

L'Empire romain et la Chine des Han

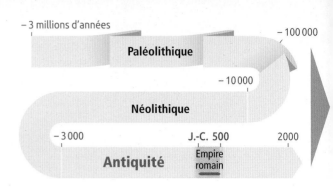

−3 millions d'années

Paléolithique

− 100 000

− 10 000

Néolithique

− 3 000

J.-C. 500

2000

Antiquité

Empire romain

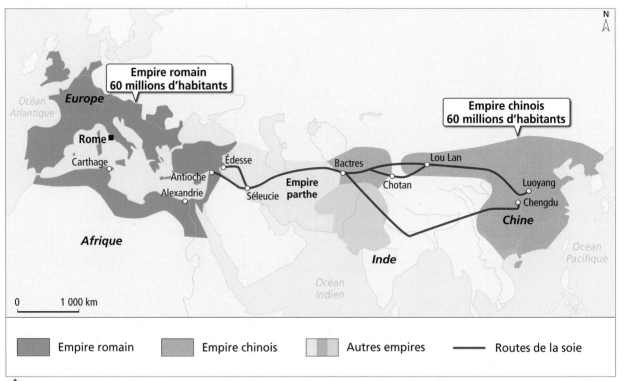

Empire romain
60 millions d'habitants

Europe

Océan Atlantique

Rome ■

Carthage

Antioche

Édesse

Alexandrie

Séleucie

Empire parthe

Bactres

Chotan

Empire chinois
60 millions d'habitants

Lou Lan

Luoyang

Chengdu

Chine

Afrique

Inde

Océan Indien

Océan Pacifique

N

0   1 000 km

Empire romain   Empire chinois   Autres empires   ——— Routes de la soie

1 Au Iᵉʳ siècle après J.-C., un monde divisé en deux empires : l'Empire romain et l'Empire chinois

2 Une caravane sur la route de la soie
Peinture chinoise, vers 900 après J.-C.

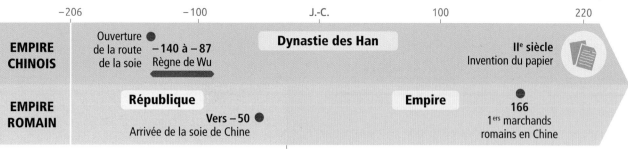

	−206		−100	J.-C.	100	220

EMPIRE CHINOIS

Ouverture de la route de la soie ● −140 à −87 Règne de Wu

Dynastie des Han

IIe siècle Invention du papier

EMPIRE ROMAIN

République

Vers −50 ● Arrivée de la soie de Chine

−27

Empire

166 1ers marchands romains en Chine

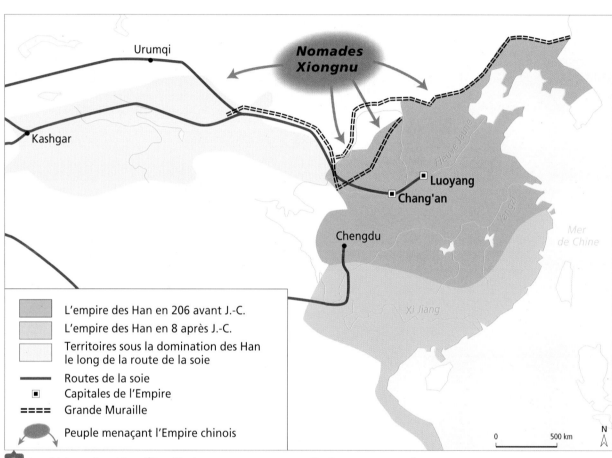

3 La Chine des Han (IIe siècle avant J.-C. – Ie siècle après J.-C.)

D'où vient l'expression...

LA « ROUTE DE LA SOIE » ?

Cette expression date du XIXe siècle. Elle correspond à un réseau de routes, parfois périlleuses, sur une distance d'environ 7 000 kilomètres depuis la Chine jusqu'à la Méditerranée, comme un fil de soie déroulé entre l'Orient et l'Occident. La soie était le produit commercial le plus important le long de cette route.

QUESTIONS

▶ **Je me repère dans le temps et dans l'espace**

❶ Quels grands empires sont traversés par la route de la soie ? Quels continents cette route met-elle en relation ?

❷ Quelle dynastie règne sur la Chine à l'époque de l'Empire romain ? À quelle période correspond son règne ?

J'enquête

TÂCHE COMPLEXE

SOCLE Compétences
- **Domaines 1 et 2** : je me pose des questions et je justifie mes réponses.
- **Domaine 5** : je me repère dans l'espace.

La route de la soie

CONSIGNE

Tu es un ambassadeur envoyé par l'empereur chinois Wu qui veut comprendre comment fonctionne la « route de la soie ». Tu sillonnes cette route pour obtenir des informations, puis tu rédiges un rapport que tu remets à l'empereur à ton retour.

INFOS

Au IIe siècle avant J.-C., l'empereur de Chine Wu envoie des ambassadeurs chargés de soie en Asie centrale pour obtenir l'aide des peuples nomades contre les envahisseurs qui le menacent.
Les marchands de la région décident de développer le commerce de la soie entre la Chine et le monde romain.

1 Ce que les Romains disent des Chinois

Les Romains, qui ne connaissent les Chinois que par les récits des marchands d'Asie centrale, les appellent les Sères, du latin serica *(soie).*

a. Les Sères ont plusieurs forêts peu épaisses : les arbres qu'elles renferment portent une espèce de laine[1] qu'ils détachent par de fréquents arrosages ; ils peignent ensuite cette matière humide et coûteuse, puis la filent pour en faire de la soie.

■ Ammien Marcellin, *Histoires*, IVe siècle après J.-C.
1. Les mûriers sur lesquels les vers sécrètent la soie.

b. Les Sères dépassaient la taille ordinaire, avaient les cheveux rouges, les yeux bleus, la voix horrible et ne parlaient pas aux étrangers. À l'arrivée des marchands, les Sères venaient au-devant d'eux. Les marchandises étaient posées sur la rive opposée du fleuve à côté de ce qu'ils avaient à vendre et ils les emportaient si l'échange leur convenait.

■ Pline, *Histoire naturelle*, Ier siècle après J.-C.

3 Un caravanier

Marchand chinois de la route de la soie.
Statuette chinoise en terre cuite, VIIe siècle après J.-C, musée Guimet (Paris).

Produits vendus par les Romains	Produits vendus par les Chinois
• Des esclaves • Des tapis	• De la soie sous forme de fil ou de tissus • Du gingembre
• Des objets en verre • Du henné	• Des objets de laque • De la cannelle
• Des coraux • De l'or et de l'argent	• Du fer • De la rhubarbe
• Des vêtements de laine	

2 Les produits échangés sur la route de la soie

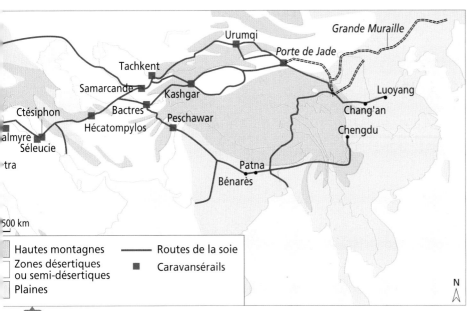

Urumqi

Grande Muraille

Tachkent

Porte de Jade

Samarcande

Luoyang

Kashgar

Ctésiphon

Bactres

Chang'an

Hécatompylos

Peschawar

Chengdu

almyre

Séleucie

tra

Patna

Bénarès

500 km

Hautes montagnes — Routes de la soie

Zones désertiques
ou semi-désertiques ■ Caravansérails

Plaines

N

VOCABULAIRE

▸ **Caravansérail**
Vaste cour entourée de bâtiments souvent fortifiés servant de gîtes d'étape pour les commerçants caravaniers, leurs marchandises et leurs montures.

▸ **Soie**
Fil naturel résultant de la solidification de la bave sécrétée par le ver à soie pour fabriquer son cocon.

4 **La route de la soie au IIe siècle après J.-C.**
Les villes caravanières d'Asie centrale accueillent les caravanes dans des caravansérails.

5 **Les caravanes**

Une caravane est constituée à chaque fois qu'un personnage important décide d'une expédition. La tâche est ardue et coûteuse. Il faut d'abord réunir des centaines d'animaux, chameaux et chevaux et trouver les hommes qui sont capables de les convoyer et de les soigner. Il faut encore prévoir l'itinéraire, les points où l'on trouvera de l'eau et des vivres pour les bêtes et leurs conducteurs. La caravane conduira les marchandises jusqu'à un point donné, où elles changeront de main. Là, elle sera dispersée, les bêtes seront vendues et les hommes rentreront seuls à Palmyre.

■ D'après *De Rome à la Chine. Sur les routes de la Soie au temps des Césars*, Jean-Noël Robert © Les Belles Lettres, Paris, 2014.

6 **Riche couple romain de Palmyre vêtu de soie**
Palmyre est une ville caravanière de l'Empire romain située sur la route de la soie.
Relief funéraire, Palmyre (actuelle Syrie), IIIe siècle après J.-C.

COUP DE POUCE

Pour t'aider à rédiger ton rapport, complète le schéma, en relevant dans chaque document les informations utiles pour répondre aux questions posées.

Où se situe la route de la soie ? Quels lieux relie-t-elle ?

Qui est à l'origine de la route de la soie ?

La route de la soie

Quels produits sont échangés et avec qui ?

Comment circulent les marchands sur cette route ?

SOCLE Compétences

▶ **Domaine 1** : j'exploite des informations et je justifie mes choix.
▶ **Domaine 5** : je sais définir ce qu'est une civilisation.

La Chine des Han

Question clé Quelle brillante civilisation s'est développée en Chine sous la dynastie des Han ?

BIOGRAPHIE

L'EMPEREUR WU (141-87 avant J.-C.)

▶ **Un grand conquérant**
- Il conquiert d'immenses territoires et double la superficie de l'Empire.
- Il prolonge la Grande Muraille et renforce l'armée pour protéger l'Empire contre les envahisseurs.
- Il noue des alliances avec les peuples d'Asie centrale et il est à l'origine de la route de la soie.

▶ **Un grand réformateur**
- Il réorganise l'État, entouré de fonctionnaires lettrés.
- Il crée un corps d'inspecteurs qui contrôlent les provinces en son nom.

▶ **Le « fils du Ciel »**
- Il est l'intermédiaire entre la société et le Ciel, de qui il aurait reçu son pouvoir.
- Il fait appliquer la pensée de Confucius.
- Il protège les arts et les lettres.
- Il favorise l'essor de la musique et de la poésie.

1 Les inventions chinoises sous les Han

Technique	Inventée en Chine	Introduite en Occident
La soie	Fin du IIe millénaire avant J.-C.	VIe siècle
Fonte du fer	IVe siècle avant J.-C.	XIVe siècle
La roue hydraulique pour irriguer les champs	Ier siècle avant J.-C.	XIIe siècle
La brouette	Ier siècle avant J.-C.	XIIIe siècle
Le papier	IIe siècle avant J.-C.	XIIIe siècle
La boussole	IIe siècle après J.-C.	XIIe siècle

2 Les enseignements de Confucius (philosophe chinois)

Sur le gouvernement

Que le souverain soit souverain, le ministre ministre, le père père et le fils fils.

Si vous cherchez à être bon, le peuple sera bon. L'homme de bien [le souverain] a la vertu du vent, l'homme de peu, la vertu de l'herbe. Sous le souffle du vent, l'herbe ne peut que se courber.

Ne fais pas aux autres ce que tu ne voudrais pas qu'on te fasse. Fais aux autres ce que tu voudrais qu'on te fasse.

Sur les fonctionnaires

En servant ton souverain, respecte d'abord les tâches à accomplir et mets la rémunération en second.

■ D'après Confucius (551 - 479 avant J.-C.), *Entretiens*.

INFOS

La calligraphie chinoise est un ensemble de signes, ou idéogrammes. Chaque signe représente une idée.

馬

« Le cheval » en calligraphie chinoise.

3 Des fonctionnaires au service de l'empereur

Pour être recruté, le fonctionnaire ou mandarin passe un concours : il doit maîtriser la calligraphie et connaître les textes de Confucius.

Terre cuite du Ier siècle après J.-C, musée archéologique de Xianyang, (Chine).

4 L'armée des Han

L'empereur Wu renforce son armée pour mieux lutter contre les peuples envahisseurs.
Terre cuite, Ier siècle avant J.-C.

5 Le monde des morts chez les Han

Pour les Chinois, le jade empêche le corps de se décomposer après la mort.
Masque funéraire en jade, retrouvé dans la tombe d'un roi, Ier siècle avant J.-C.

Activités

Question clé | **Quelle brillante civilisation s'est développée en Chine sous la dynastie des Han ?**

ITINÉRAIRE 1

Je comprends les documents

❶ **Biographie et doc 4.** Que devient le territoire de l'Empire des Han à l'époque de l'empereur Wu ? Comment est-il protégé ?

❷ **Biographie, doc 2 et 3.** Avec l'aide de qui l'empereur Wu gouverne-t-il son Empire ? Selon quels enseignements ?

❸ **Biographie, doc 1, 3 et 5.** Quel essor des techniques et des arts caractérise la Chine des Han ?

J'explique par écrit

❹ À l'aide des questions précédentes, réponds en quelques phrases à la question clé.

OU

ITINÉRAIRE 2

Je justifie mes choix

À l'aide des documents, je trouve des arguments pour répondre à la question clé.

MÉTHODE

Recopie et remplis le tableau ci-dessous.

Le territoire de l'Empire	
Le gouvernement de l'Empire	
Les arts et les techniques	
La pensée de Confucius	

Les relations de l'Empire romain avec les autres mondes anciens

→ **Comment la route de la soie a-t-elle relié l'Empire romain à la Chine des Han ?**

A La route de la soie, lien entre les Romains et les Chinois

1. L'**Asie centrale** ancienne, bordée à l'ouest par l'**Empire romain** et à l'est par l'**Empire chinois**, est composée de royaumes sillonnés par des peuples nomades. L'empereur chinois **Wu** (141-87 avant J.-C.) entre en contact avec eux afin de combattre les envahisseurs qui menacent son Empire. En échange, il leur offre de la **soie**. Ces peuples nomades décident d'en faire le commerce tout le long d'une route entre la Chine et la Méditerranée : la **route de la soie**.

2. C'est un réseau de **voies terrestres** de 7 000 km, qui relie l'Asie à l'Europe. Les **marchands** les parcourent en **caravanes** et font étape dans des **caravansérails**. Dès le Ier siècle avant J.-C., la soie, produit de luxe réservé aux plus riches, arrive chez les Romains. Rome envoie en Chine du **vin**, de la **laine**, de la **verrerie**.

B Deux empires qui se partagent le monde

1. Les Romains et les Chinois se connaissent, mais ils **ne se sont jamais rencontrés**. Ils vivent dans **les deux grands empires du monde**, très peuplés (près de 60 millions d'habitants) et prospères. Pour se protéger des envahisseurs, les empereurs chinois ont construit la **Grande Muraille**, et les empereurs romains, le **limes**.

2. Comme l'Empire romain, la Chine de la **dynastie des** Han est bien administrée. L'empereur chinois, « fils du Ciel », gouverne son empire avec des **fonctionnaires lettrés**, les **mandarins**. **Wu** unifie l'Empire par l'adoption d'une **écriture courante** qui permet de simplifier l'accès à la lecture et l'écriture. Il développe un **réseau routier**, à l'image du réseau romain.

C La Chine des Han, une civilisation savante

1. La Chine est une civilisation dont l'avance technologique est considérable. Les Chinois savent **filer et tisser la soie**. Dix siècles avant les Européens, ils mettent au point des **techniques d'irrigation** (roue hydraulique), inventent la **charrue**, le **gouvernail**, le **papier**.

2. **L'empereur Wu** favorise le développement d'un **art raffiné** (objets en laque, en jade...). Il fait appliquer dans la société les enseignements du **philosophe Confucius**, qui invite à être respectueux.

Le sais-tu ?

Les Chinois ont entendu parler de la puissance de l'Empire romain par les marchands de la route de la soie. Ils donnent à cet Empire le nom de *Dat Quin*, « **la grande Chine** », désignation extraordinaire de la part d'un peuple peu porté à faire des compliments.

VOCABULAIRE

▶ **Caravane**
Groupe de personnes (voyageurs, marchands, nomades...) qui traversent ensemble un espace désertique.

▶ **Caravansérail**
Vaste cour entourée de bâtiments souvent fortifiés servant de gîtes d'étape pour les commerçants caravaniers, leurs marchandises et leurs montures.

▶ **Confucianisme**
Enseignement de Confucius (VIe siècle avant J.-C.) qui invite à la sagesse et à la vertu.

▶ **Limes**
Voir définition p. 130.

▶ **Mandarin**
Fonctionnaire chinois qui sait lire et écrire. Il est recruté par concours et formé à l'université impériale.

Les relations entre l'Empire romain et la Chine des Han

Deux empires qui se partagent le monde

- **Des empires semblables… :**
  - Vastes, peuplés
  - Bien administrés
  - Protégés contre les envahisseurs (Grande Muraille et *limes*)

- **… qui contrôlent de vastes espaces d'échanges**
  - Mer Méditerranée pour Rome
  - Une partie de la route de la soie pour les Chinois

Un lien : la route de la soie

- **Création d'un réseau de routes en Asie centrale**
  7 000 km entre la Chine et la Méditerranée, jalonnés de **caravansérails**.

- Un commerce aux mains des **marchands d'Asie centrale**, organisés en **caravanes**.

- **Des produits échangés**
  - **La soie**, fabriquée par les Chinois et vendue aux Romains.
  - **Du vin, de la laine, du verre** fabriqués à Rome et vendus aux Chinois.

La Chine des Han, une civilisation savante

- **Des inventeurs en avance sur leur temps**
  - Soie, papier
  - **Techniques agricoles :** roue hydraulique, charrue

- **Le rôle de l'empereur Wu**
  - **Écriture courante,** pour simplifier la lecture
  - Enseignements de **Confucius**
  - Développement des **arts**

● **Je vérifie que je connais les principaux repères du chapitre.**

Je sais définir et utiliser dans une phrase :
- la route de la soie
- la dynastie des Han
- caravansérail

Je sais situer sur une frise et un planisphère :
- **Dans le temps :**
  – la dynastie des Han.
- **Dans l'espace :**
  – la route de la soie,
  – l'Empire romain et l'empire des Han.

site élève
⬇ fond de carte et frise

Je sais expliquer :
- qui est l'empereur Wu.
- le parcours de la soie, de sa production à sa consommation (production, itinéraire, transport, marchands…).
- quelles inventions les Chinois nous ont transmises.

Apprendre à apprendre

Comment apprendre ma leçon ?

J'apprends en réalisant un carnet de voyage

Tu imagines être un marchand d'Asie centrale qui voyage au temps de la Chine des Han et tu rédiges ton carnet de voyage.

▶ **Étape 1**

- Relève ce que tu as appris dans ce chapitre : des repères géographiques et chronologiques, des définitions et des explications sur les thèmes de la leçon.

> Ton carnet de voyage doit être rédigé à l'aide des éléments du cours. N'hésite pas à l'illustrer.

LA ROUTE DE LA SOIE

 Tu peux t'aider de la boîte à idées.

BOÎTE À IDÉES

route de la soie — empereur Wu — caravane — armée des Han — liens entre Romains et Chinois — mandarins — Confucius — civilisation

▶ **Étape 2**

- Rédige plusieurs paragraphes qui racontent des épisodes de ton voyage.

« Jour 7 : Quelle brillante civilisation... »

La civilisation chinoise est très avancée sur le plan technologique, artistique et culturel. Les Chinois accomplissent de nombreuses choses, ils savent filer et tisser la soie. Pour faire de l'agriculture, ils utilisent la roue hydraulique qui leur permet d'irriguer les champs... Ils ont par ailleurs inventé la calligraphie, un ensemble de signes ou d'idéogrammes qui représentent une idée.

馬

Je vérifie mes connaissances

1 J'indique la ou les bonne(s) réponse(s).

1. La route de la soie est :

- **a** une route commerciale à travers l'Empire romain.
- **b** une route maritime dans l'océan Indien.
- **c** un réseau de routes terrestres en Asie centrale.

2. L'empire des Han, c'est :

- **a** un empire sous la domination de l'Empire romain.
- **b** un empire dirigé par des nomades.
- **c** un empire protégé par la Grande Muraille.

3. Les empereurs chinois de la dynastie des Han :

- **a** rencontrent régulièrement les empereurs romains.
- **b** gouvernent avec des mandarins.
- **c** encouragent l'invention de techniques nouvelles.

2 Je raconte à partir des images.

Rédige une phrase ou explique oralement ce que chaque document, issu du chapitre, t'a appris sur les relations de l'Empire romain avec les mondes anciens de l'Asie.

a. Femme romaine vêtue de soie b. Caravanier c. Fonctionnaire

3 Je classe les mots importants de la leçon.

Recopie les encadrés et place les mots de vocabulaire que tu as appris et qui correspondent à chacun des thèmes de la leçon sur les relations de l'Empire romain avec les mondes anciens.

L'Empire romain

Les mondes anciens

La route de la soie

La Chine des Han

4 Je sais employer un vocabulaire historique précis.

Remplace les mots soulignés par le vocabulaire que tu as appris dans cette leçon.

- **a** Elle est portée par les riches romaines.
- **b** Les groupes de marchands qui se déplacent en Asie centrale font étape dans des hôtels.
- **c** Ce personnage appartient à une dynastie régnant sur l'empire de Chine de 206 avant J.-C. à 220 après J.-C. et il unifie l'Empire chinois.
- **d** Dans des temps anciens, ces deux empires se partageaient le monde.
- **e** Les pensées de ce philosophe sont appliquées en Chine et invitent au respect.

5 Retrouve d'autres exercices sous forme interactive sur le site Nathan.

site élève
⬇ exercices interactifs

1 J'extrais des informations pertinentes de documents :
La Chine des Han, une civilisation de l'écrit

↳ **SOCLE** : Domaine 1

1 L' « empereur » en calligraphie chinoise

2 Vers l'écriture moderne

C'est à l'époque de la dynastie des Han qu'est fixée la calligraphie de l'écriture chinoise. Le bois et le bambou sont les principaux matériaux. Ils sont utilisés sous la forme de tablettes par les fonctionnaires ou sous la forme de lattes très étroites reliées les unes aux autres par des fils de soie ou de chanvre et enroulées, sur lesquelles peuvent être copiés des textes beaucoup plus longs. Les rouleaux de bois ou de bambou, utilisés depuis des siècles, seront peu à peu abandonnés au profit du papier.

De nombreux indices indiquent qu'une partie non négligeable de la population savait lire et écrire. Le développement des inscriptions publiques est également le signe d'une plus grande diffusion de l'écrit.

■ « La Chine des Han », *Textes et documents pour la classe*, n° 1083, nov. 2014.

3 Manuscrit sur papier

Ce manuscrit qui date du Ier siècle après J.-C. a été découvert dans une tombe, sous un miroir de même forme.
Musée municipal de Lanzhou.

QUESTIONS

1 Doc 1 et 3. Que représentent ces documents ?

2 Doc 2. Quelle est l'importance de l'écriture dans la Chine des Han ?

3 Doc 2 et 3. À ton avis, pourquoi le papier a-t-il joué un rôle important dans le développement de la calligraphie en Chine ?

4 Pourquoi peut-on dire que la Chine des Han est une civilisation de l'écrit ?

MÉTHODE

▶ Pour croiser des documents, il faut **s'interroger sur la relation entre ces documents**.
Par exemple, indiquer comment le texte explique les images.

▶ Il faut ensuite **sélectionner les informations** pour ne garder que celles qui éclairent le thème étudié.

❷ Je connais la civilisation des Han : la soie, une invention chinoise

↳ **Socle :** Domaine 5

1 **La fabrication de la soie**
Aquarelle chinoise sur papier de riz, musée du Tissu, Lyon.

2 **Un secret bien gardé**

Nourris de feuilles de mûriers, les vers à soie sécrètent un fil très fin d'un kilomètre de long, qu'ils enroulent en cocon. Celui-ci est jeté dans de l'eau bouillante afin de préparer le fil pour le tisser.

Sous les Han, la production de fils et de tissus se fait en grande quantité. C'est un produit de grande valeur dont la fabrication est un secret : le révéler entraîne la peine de mort.

■ *La Chine ancienne*, Guide des arts, Hazan, © Réseau Canopé, p. 255.

Ver à soie (bombyx), dynastie des Han, bronze doré, 5,6 cm, musée de Minneapolis (États-Unis).

QUESTIONS

❶ Qu'est-ce qui permet de fabriquer de la soie ?

❷ À ton avis, pourquoi les Chinois veulent-ils garder le secret de sa fabrication ?

MON BILAN DE COMPÉTENCES

Domaine du socle	Compétences travaillées	Pages du chapitre
D1 Les langages pour penser et communiquer	• J'exploite des informations et je justifie mes choix. • Je sais extraire des informations pertinentes de documents.	J'enquête .... p. 160-161 Je découvre .... p. 162-163 Exercice 1 .... p. 168
D2 Méthodes et outils pour apprendre	• Je justifie mes réponses. • J'organise mon travail personnel. • Je sais mobiliser mes connaissances.	J'enquête .... p. 160-161 Apprendre à apprendre ...... p. 166 Exercice 1 .... p. 168
D5 Les représentations du monde et l'activité humaine	• Je situe chronologiquement la Chine des Han et la route de la soie • Je localise l'Empire romain, l'Empire des Han et la route de la soie • Je connais la civilisation des Han.	Je me repère .... p. 158-159 J'enquête .... p. 160-161 Je découvre .... p. 162-163 Exercice 2 .... p. 169

Géographie

Le monde vu de nuit (2016).

10 Habiter une métropole

→ Qu'est-ce qu'une métropole ?
Qui sont ses habitants
et comment y vivent-ils ?

En CM1	En CM2	Ce que je vais découvrir
J'ai appris à caractériser les différentes fonctions d'une ville : se loger, travailler, avoir des loisirs.	J'ai appris comment on se déplace en France, dans une ville et d'une ville à l'autre.	**En 6e**, j'étudie la diversité des modes de vie dans les métropoles du monde.

1 Le Carnaval de Rio de Janeiro (2014)

Avec près de 12 millions d'habitants, Rio de Janeiro fait partie des 20 plus grandes métropoles du monde. Véritable fête populaire, le carnaval réunit chaque année, à la fin du mois de mars, les habitants et des touristes venus du monde entier.

ASIE
●Tokyo
Japon

AMÉRIQUE
DU SUD
● Rio de Janeiro
Brésil

Le sais-tu ?

Les lumières urbaines sont si nombreuses et si puissantes qu'elles permettent de localiser les villes depuis l'espace, la nuit.

2 **Le quartier de Shibuya à Tokyo (2012)**

Tokyo est la métropole la plus peuplée du monde (38 millions d'habitants).
Le quartier de Shibuya, réputé pour ses boutiques de mode, est l'un des plus animés de la ville ; il compte de nombreux théâtres, des centres commerciaux et des bureaux.

SOCLE Compétences

▶ **Domaine 1 :** j'utilise différents langages.
▶ **Domaine 5 :** j'établis des liens entre l'espace et l'organisation de la société.

Habiter Lagos, métropole d'un pays en développement

Question clé Comment les Lagossiens habitent-ils leur ville ?

Lagos
Nigeria
AFRIQUE

A Une ville immense, des transports difficiles

1 Ochuko raconte...

« Je passe jusqu'à 30 heures par semaine dans ma voiture pour me rendre sur mon lieu de travail sur l'île de Lagos. Je vis à 32 kilomètres de là, dans le quartier de Ojo.

Je pourrais parcourir cette distance en moins d'une heure sans les routes en mauvais état et surtout les gigantesques embouteillages chaque matin et chaque soir. Je mets donc environ trois heures pour me rendre au travail même si je quitte mon domicile dès 5 h 30. Je suis tout le temps fatigué et je fais une sieste de 20 ou 30 minutes dans mon bureau pour tenir le coup. Je passe plus de temps derrière mon volant qu'avec mes enfants.

Les nouveaux arrivants, le manque de terrains et de logements disponibles ont fait grimper les prix, repoussant toujours plus loin les moins fortunés. Je gagne correctement ma vie, mais je devrais payer trois fois plus que mon loyer actuel si je souhaitais vivre plus près de mon bureau. »

◼ D'après www.jeuneafrique.com, AFP, 22 janvier 2014.

VOCABULAIRE

▸ **Pays en développement**
Pays où les conditions de vie ne sont pas jugées satisfaisantes. Celles-ci progressent, mais à des rythmes différents selon les pays.

CHIFFRES CLÉS

➡ **12,6 millions** d'habitants à Lagos en 2014 (1re ville d'Afrique)

➡ **24,6 millions** prévus en 2030

◼ Source : ONU, 2015.

2 La métropole de Lagos

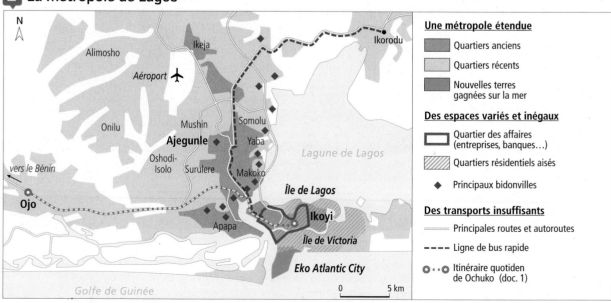

N

Alimosho
Ikeja
Ikorodu
Aéroport ✈
Onilu
Mushin
Somolu
Ajegunle
Yaba
Oshodi-Isolo
Surulere
Makoko
Lagune de Lagos
vers le Bénin
Ojo
Île de Lagos
Ikoyi
Apapa
Île de Victoria
Eko Atlantic City
Golfe de Guinée

0   5 km

Une métropole étendue
⬛ Quartiers anciens
⬜ Quartiers récents
▨ Nouvelles terres gagnées sur la mer

Des espaces variés et inégaux
▭ Quartier des affaires (entreprises, banques…)
▨ Quartiers résidentiels aisés
◆ Principaux bidonvilles

Des transports insuffisants
══ Principales routes et autoroutes
---- Ligne de bus rapide
o•·o Itinéraire quotidien de Ochuko (doc. 1)

3 Vue du centre-ville de la métropole, situé sur l'île de Lagos

1 Quartier des affaires
2 Vieux immeubles d'habitation
3 Pont de Third Mainland Bridge
4 Bidonville de Makoko construit sur le lagon
5 Lagon

4 Une solution aux embouteillages

« Cela fait presque 40 ans qu'on est confrontés au problème des embouteillages », reconnaît Dayo Mobereola, le directeur du bureau LAMATA en charge des transports à Lagos. « Nous avons maintenant un plan d'aménagement pour anticiper l'avenir et éviter la paralysie. Il s'étend sur 30 ans pour 20 milliards de dollars et propose 9 lignes de bus et 7 trains de banlieue pour que les Nigérians renoncent à leur voiture ».

Mais la construction de ces nouvelles infrastructures passe par la destruction de bidonvilles[1] entiers, sans compensation pour leurs habitants, ce qui crée de nouveaux problèmes : ceux-ci risquent de devoir aller vivre encore plus loin de leur travail.

◼ D'après www.jeuneafrique.com, AFP, 22 janvier 2014.

1. Voir définition p. 176.

Activités

Question clé **Comment les Lagossiens habitent-ils leur ville ?**

ITINÉRAIRE 1

▶ **Je comprends le sens général des documents**

1 Dans quelle ville Ochuko habite-t-il ? Présente-la (localisation, nombre d'habitants).

2 Doc 1 à 3. Dans quel quartier Ochuko habite-t-il ? Où travaille-t-il ?

3 Doc 1 et 2. Pourquoi la vie quotidienne d'Ochuko est-elle difficile ?

4 Doc 4. Pourquoi Ochuko peut-il espérer une amélioration de ses conditions de vie ? Tous les habitants de Lagos vont-ils bénéficier de ces améliorations ?

OU

ITINÉRAIRE 2

▶ **Je complète un schéma (étape 1)**

Recopie ce schéma, puis commence à le compléter pour répondre à la question clé.

Se loger
→ Doc 1 et 2

Se déplacer
→ Doc 1, 2 et 3

Habiter Lagos, c'est...

Pratiquer des activités (Travail, achats)
→ Doc 1 et 3

Vivre ensemble

B Inégalités et diversité culturelle

5 **Le bidonville de Makoko (2014)**
À Lagos, 2 habitants sur 3 vivent dans un bidonville.

CHIFFRES CLÉS

➡ **5 %** des habitations à Lagos ont l'**eau courante**

➡ **53 %** sont raccordées aux **égouts**

6 Une métropole pauvre qui se transforme lentement

Les autorités locales ont marqué des points : chute de l'insécurité, retour de l'ordre au bord des routes, création de squares et d'éclairages, extension du réseau d'eau, construction de quartiers résidentiels, multiplication par 500 du nombre de camions de collecte des ordures...

Les élus locaux le reconnaissent : les efforts de modernisation se sont concentrés sur le centre des affaires et les banlieues sécurisées pour riches Nigerians et expatriés[1] fortunés.

Mais la rénovation urbaine s'étend peu à peu aux quartiers populaires et souvent insalubres[2]. C'est ici que se concentrent les deux tiers de la population, le petit peuple de Lagos, avec ses commerçants, vendeurs des rues, chauffeurs de taxis, chômeurs.

■ D'après Olivier Tallès, « Lagos, ville africaine en devenir », *La Croix*, 1er février 2013.

1. Étranger venu travailler dans un autre pays que le sien.
2. Qui manque d'hygiène et d'équipements simples.

7 **Un quartier aisé sur l'île de Victoria (2013)**
Pour des raisons de sécurité, les populations riches vivent regroupées.
Environ 10 000 millionnaires habitent à Lagos.

9 **Julie raconte...** site élève
⬇ lien vers le podcast

Julie est une française qui vit à Lagos depuis 5 ans.

" Lagos attire chaque jour de nouveaux arrivants venus du reste du pays.

Autant d'origines, de parlers différents, mais à Lagos on se retrouve tous autour du *pidgin*.

Le *pidgin* ou *broken english* emprunte certains mots et sonorités à la langue anglaise. C'est une langue neutre à Lagos où des milliers d'identités différentes se côtoient.

Le *pidgin* est la langue qui unit à mesure que la ville grossit. "

■ D'après www.rfi.fr – Extrait de l'émission *7 milliards de voisins* – Article du 13 août 2012.

8 **Le marché de Balogun sur l'île de Lagos (2015)**
Les marchés à Lagos sont des lieux où les populations se mélangent, où pauvreté et richesse cohabitent.
Plus de deux cents origines s'y retrouvent, soit une multitude de langues et de cultures.

Activités

Question clé Comment les Lagossiens habitent-ils leur ville ?

ITINÉRAIRE 1

▶ **Je comprends le sens général des documents**

❺ Doc 5 et 7. Pourquoi peut-on dire qu'il y a des inégalités à Lagos ?

❻ Doc 6. Quelles solutions sont proposées pour améliorer la vie des habitants ?

❼ Doc 8 et 9. Montre que la métropole de Lagos est un lieu d'échanges et de rencontres.

▶ **J'argumente à l'écrit**

❽ À l'aide de tes réponses aux questions 1 à 7, réponds à la question clé.
Présente ton texte en quatre parties :
1. Se loger – **2.** Pratiquer des activités (emploi, achats...) – **3.** Se déplacer –
4. Vivre ensemble.

ou

ITINÉRAIRE 2

▶ **Je complète un schéma (étape 2)**

À l'aide des documents 5 à 9, termine de compléter le schéma pour répondre à la question clé.

Étude de cas

SOCLE Compétences
▶ **Domaine 1 :** j'utilise différents langages.
▶ **Domaine 5 :** j'établis des liens entre l'espace et l'organisation de la société.

Habiter Londres, métropole d'un pays développé

Question clé Comment les Londoniens habitent-ils leur ville ?

Londres
Royaume-Uni

A Une ville mondiale attractive

1 La métropole de Londres

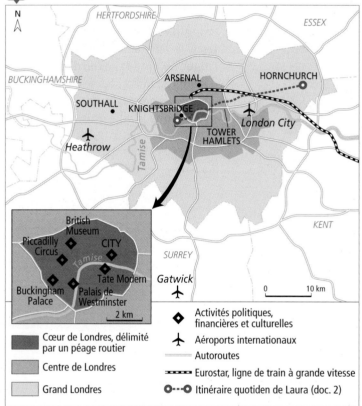

HERTFORDSHIRE
ESSEX
BUCKINGHAMSHIRE
ARSENAL
HORNCHURCH
SOUTHALL
KNIGHTSBRIDGE
London City
Heathrow
Tamise
TOWER HAMLETS
KENT
SURREY
Gatwick

British Museum
Piccadilly Circus
CITY
Tamise
Tate Modern
Buckingham Palace
Palais de Westminster
2 km

0   10 km

◆ Activités politiques, financières et culturelles
✈ Aéroports internationaux
═══ Autoroutes
•═•═• Eurostar, ligne de train à grande vitesse
○--○ Itinéraire quotiden de Laura (doc. 2)

▮ Cœur de Londres, délimité par un péage routier
▮ Centre de Londres
▯ Grand Londres

2 Laura raconte...

« Comme plus d'un million de navetteurs[1], je fais le voyage quoti-diennement vers le centre de Londres.

Personne n'aime les va-et-vient quotidiens, quel que soit le transport qu'il prend. Mais si vous voulez un travail que vous appréciez (ou au moins l'argent qu'un emploi dans la capitale rapporte), alors vous faites la navette tous les jours.

Tous les jours, je fais le trajet aller-retour entre Hornchurch et le cœur du riche quartier de Knightsbridge, au centre de Londres.

Aujourd'hui, le train était à l'heure et un siège était libre. Les 420£ (environ 570 €) de frais de transport prélevés chaque mois sur mon salaire à l'esprit, j'ai apprécié chaque seconde de ce voyage. »

■ D'après Laura Zito, *The Huffington Post*, 7 août 2015.

1. Habitant qui effectue un déplacement quotidien entre son domicile et son lieu de travail.

3 La ville de Hornchurch, dans le Grand Londres

Laura (doc 2) vit à Hornchurch, une ville de 25 000 habitants située à moins de 1 heure en train du centre de Londres.

4 La City,
le centre d'affaires
de Londres (2013)

5 Le quartier de
Piccadilly Circus,
centre de Londres
(2014)

Avec ses nombreux
magasins et théâtres,
il attire beaucoup de
touristes.

Activités

Question clé Comment les Londoniens habitent-ils dans leur ville ?

ITINÉRAIRE 1

ou

ITINÉRAIRE 2

▶ **Je comprends le sens général des documents**

❶ Dans quelle métropole Laura habite-t-elle ?
Présente-la (localisation, nombre d'habitants).

❷ Doc 1 à 4. Dans quel quartier Laura
habite-t-elle ? Où travaille-t-elle ?

❸ Doc 1 et 2. Comment Laura effectue-t-elle
ses déplacements quotidiens entre son domicile
et son travail ?

❹ Doc 1, 4 et 5. Pourquoi le centre de Londres
attire-t-il autant ?

▶ **Je complète un schéma (étape 1)**

Recopie ce schéma, puis commence à le
compléter pour répondre à la question
clé.

Se loger
➜ Doc 1, 2 et 3

**Pratiquer
des activités**
(travail, achats,
loisirs)
➜ Doc 1, 4 et 5

**Habiter
Londres,
c'est...**

Se déplacer
➜ Doc 1 et 2

**Vivre
ensemble**
➜ Doc 4 et 5

B · Inégalités et diversité culturelle

6 · Le stade de football, un lieu pour vivre ensemble

L'équipe d'Arsenal (nord de Londres) salue son public après avoir remporté un match contre West Ham (est de Londres) en 2015.

> À Londres, chaque quartier a son grand club : Arsenal, Chelsea, Fulham, Queens Park Rangers, Tottenham ou West Ham.

7 · Londres, la ville des inégalités

La capitale britannique est la ville la plus inégalitaire des pays développés. Capitale mondiale des millionnaires et milliardaires, la ville comprend aussi des quartiers d'une extrême pauvreté : 28 % des habitants sont pauvres à Londres alors que 1 Londonien sur 35 possède plus d'un million de dollars (880 000 euros) et que le nombre de milliardaires s'élève désormais à 72.

Tower Hamlets, quartier de l'est londonien, abrite les quartiers les plus défavorisés de tout le pays et des niveaux de salaires parmi les plus élevés de la ville. La raison ? C'est dans la partie sud de ce quartier que se situe Canary Wharf, abritant les sièges européens de banques. À peine plus d'un kilomètre sépare les tours de ce cœur financier de la population la plus pauvre du Royaume-Uni. Le contraste est saisissant.

■ Valentine Pasquesoone, extrait de l'émission « L'angle éco », Francetv info, 17 février 2015.

9 Des logements de plus en plus chers

Le coût moyen d'un logement à Londres s'élève désormais à plus de 500 000 £ (630 000 €).

« Il est de plus en plus difficile pour des Londoniens ordinaires de trouver à se loger alors que dans le même temps, l'on construit des tours de luxe », confirme Paul Watt, professeur d'urbanisme à Londres. « La vraie solution est évidente : construire des centaines de milliers de nouveaux logements », a déclaré récemment le maire de Londres Boris Johnson. Il a promis 55 000 nouveaux logements « abordables ».

■ D'après AFP, 28 novembre 2014.

8 Le quartier de Southall, surnommé *Little India* (2013)

Le quartier concentre beaucoup d'habitants originaires de la région du Penjab, en Inde. D'autres quartiers de Londres regroupent ainsi des communautés étrangères : les Jamaïcains à Brixton, les Pakistanais à Ilford, les Coréens à New Malden ou encore les Français à South Kensington.

Activités

Question clé — **Comment les Londoniens habitent-ils dans leur ville ?**

ITINÉRAIRE 1

ou

ITINÉRAIRE 2

▶ **Je comprends le sens général des documents**

5 Doc 7 et 9. Pourquoi peut-on dire que les inégalités sont fortes à Londres ?

6 Doc 6 et 8. Quels liens existent entre les habitants d'un même quartier ?

7 Doc 9. Quelle solution est proposée pour que Londres ne devienne pas un lieu uniquement habité par des populations aisées ?

▶ **J'argumente à l'écrit**

8 Dans le cadre d'un échange scolaire, ton correspondant anglais te demande de lui décrire la vie à Londres telle que tu l'as étudiée en géographie. Rédige ton courrier en quatre parties :
1. Se loger – **2.** Pratiquer des activités (travail, achats, loisirs) – **3.** Se déplacer – **4.** Vivre ensemble.

▶ **Je complète un schéma (étape 2)**

À l'aide des documents 6 à 9, termine de compléter le schéma pour répondre à la question clé.

- Se loger
  → Doc 7, 8 et 9
- Pratiquer des activités (travail, achats, loisirs)
  → Doc 7, 8 et 9
- **Habiter Londres, c'est...**
- Se déplacer
- Vivre ensemble
  → Doc 6, 7 et 8

SOCLE Compétences

▶ **Domaine 4 :** je formule des hypothèses et je les vérifie.

MISE EN PERSPECTIVE

Que veut dire habiter une métropole ?

ÉTAPE 1

Je compare Lagos et Londres

A Recopie le tableau suivant.

site élève
⬇ tableau à compléter

	Lagos	Londres
Se loger		
Se déplacer		
Pratiquer des activités (travail, loisirs, achats...)		
Vivre ensemble		
Des améliorations pour demain		

B D'après ce que tu as appris de la vie à Lagos et à Londres, remplis le tableau avec les phrases ci-dessous. Attention, une même phrase peut correspondre à Londres et à Lagos.

1. La qualité des logements est satisfaisante.
2. Les habitants vivent souvent loin de leur lieu de travail.
3. Les transports en commun sont peu développés.
4. Selon leur niveau de vie, les habitants résident dans des quartiers différents.
5. Des aménagements urbains sont réalisés pour le bien-être de tous les habitants.
6. Les déplacements quotidiens sont longs et difficiles.
7. La population la plus pauvre habite dans des quartiers insalubres à la périphérie.
8. Les transports en commun sont nombreux et bien organisés.
9. Les activités (travail, achats, loisirs...) se concentrent dans le centre-ville.
10. Des habitants de niveau de vie différent vivent dans les mêmes quartiers

C Entoure dans le tableau les phrases que tu retrouves dans les 2 colonnes.

ÉTAPE 2

J'en déduis des hypothèses

D À l'aide du tableau, choisis ci-dessous les quatre hypothèses qui te semblent le mieux compléter la phrase suivante.

Une hypothèse est une idée que l'on propose, sans dire si elle est vraie ou fausse, et qu'il faudra ensuite vérifier.

De manière générale, habiter une métropole, c'est plutôt...

1. Vivre tous ensemble dans un seul espace, sans inégalités ni différences.
2. Rencontrer des habitants très variés et qui résident dans des espaces différents selon leur niveau de vie.
3. Dans tous les cas, profiter d'excellentes conditions de vie et de déplacement.
4. Se rendre dans le centre pour travailler, faire ses courses ou s'amuser, car cet espace concentre emplois, magasins, loisirs.
5. Passer beaucoup de temps dans les transports pour se déplacer.
6. Vivre, pour la majorité des habitants, en périphérie, de plus en plus loin du centre.

ÉTAPE 3

Je vérifie si mes hypothèses sont justes

Nous savons que **Mumbaï (doc 1)**, **Los Angeles (doc 2)** et **Manille (doc 3)** sont des métropoles **(voir carte p. 184-185)**.

E Observe les photographies 1 à 3 ci-dessous.
Indique à quelle(s) hypothèse(s) retenue(s) dans l'étape 2 correspond chaque photographie.

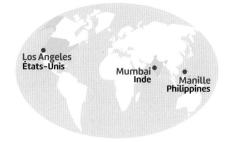

Los Angeles
États-Unis
Mumbai
Inde
Manille
Philippines

1 **Le centre de Mumbai (2014)**
Avec plus de 20 millions d'habitants, Mumbai est la 6e métropole mondiale.

2 **La banlieue de Los Angeles aux États-Unis (2012)**
Avec plus de 12 millions d'habitants, Los Angeles est l'une des villes les plus étendues au monde : elle se déploie sur plus de 100 km du nord au sud et d'est en ouest !

3 **Le bidonville de Tondo, à Manille (2013)**
Manille compte près de 13 millions d'habitants. Près de la moitié de la population vit dans des bidonvilles.

Un monde habité : les grandes métropoles

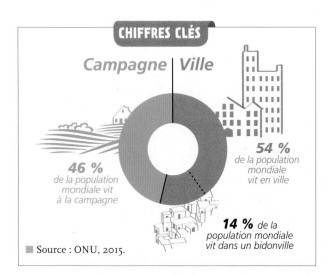

CHIFFRES CLÉS

Campagne | Ville

46 %
de la population
mondiale vit
à la campagne

54 %
de la population
mondiale
vit en ville

14 % de la
population mondiale
vit dans un bidonville

■ Source : ONU, 2015.

AMÉRIQUE
DU NORD

New York

Los Angeles

Tropique
du Cancer

OCÉAN
ATLANTIQU

Mexico

Équateur

AMÉRIQUE
DU SUD

OCÉAN

PACIFIQUE

Lima

São Paulo

Ric
Ja

Tropique
du Capricorne

Buenos A

N

0   1 000 km

Échelle à l'Équateur

Cercle polaire antarctique

QUESTIONS

▶ **Je situe dans l'espace**

❶ Localise Lagos et Londres sur le planisphère.
Font-elles partie des 10 plus grandes métropoles
mondiales ?

❷ Quel continent compte le plus grand nombre
de métropole ?

Un monde habité → chap. 14

*Le chapitre 14 peut être traité « de manière filée tout au long
de l'année » (B.O.)*

❸ Identifie à quelles densités de population
correspondent les espaces fortement urbanisés.

❹ À l'aide de la carte p. 210, indique à quels
espaces naturels correspondent souvent les
espaces faiblement urbanisés.

VOCABULAIRE

▶ **Densité**

Nombre d'habitants par km² (voir p. 266).

▶ **Métropole**

Grande ville qui concentre les habitants, les activités et les pouvoirs de commandement.

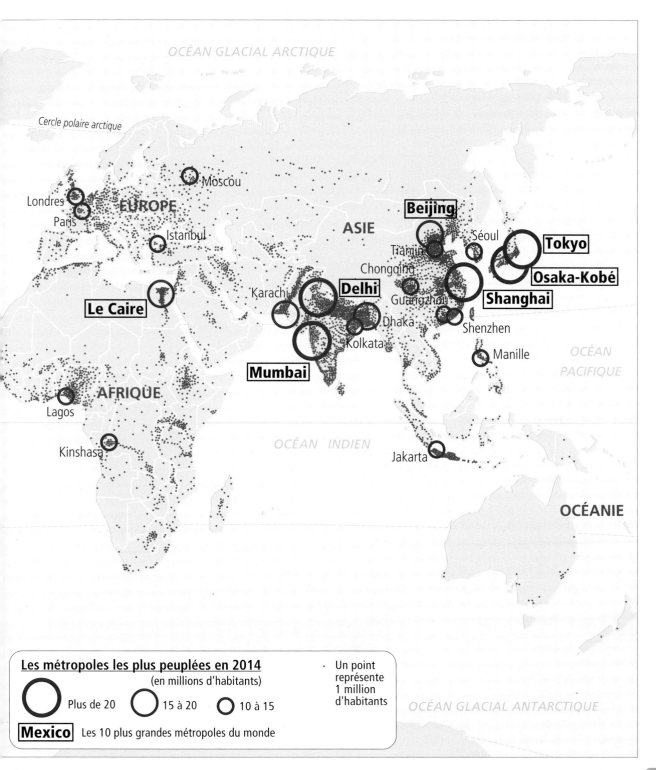

OCÉAN GLACIAL ARCTIQUE

Cercle polaire arctique

Moscou

Londres

EUROPE

Paris

ASIE

Beijing

Séoul

Tokyo

Istanbul

Tianjin

Osaka-Kobé

Chongqing

Delhi

Le Caire

Karachi

Guangzhou

Shanghai

Dhaka

Shenzhen

Kolkata

Manille

OCÉAN
PACIFIQUE

Mumbai

AFRIQUE

Lagos

Kinshasa

OCÉAN   INDIEN

Jakarta

OCÉANIE

Les métropoles les plus peuplées en 2014

(en millions d'habitants)

Plus de 20   15 à 20   10 à 15

· Un point représente 1 million d'habitants

OCÉAN GLACIAL ANTARCTIQUE

Mexico   Les 10 plus grandes métropoles du monde

Habiter une métropole

→ Qu'est-ce qu'une métropole ?
Qui sont ses habitants et comment y vivent-ils ?

A Un espace urbain organisé

1. Toutes les **métropoles** s'organisent autour d'un **centre** qui concentre des **équipements et les activités**. C'est l'espace le plus fréquenté par les habitants. Ils y ont accès à des services **économiques** (banques, commerces, bureaux...), politiques (ministères, préfecture...) et **culturels** (musées...).

2. Le **centre est la vitrine de la métropole**. Dans les villes qui ont une histoire ancienne comme Londres, le centre est riche de **monuments** ; dans les villes plus récentes, comme Lagos, le centre est reconnaissable à ses **gratte-ciel**.

3. Les habitants des métropoles sont nombreux à **loger dans les banlieues** et, au-delà, dans les **espaces périurbains, loin de leur lieu de travail et du centre**. Leurs logements sont très variés : lotissements de maisons individuelles, quartiers résidentiels fermés, grands ensembles, **bidonvilles**.

B Une grande diversité d'habitants

1. Dans une métropole se croisent différents types d'habitants : les **résidents permanents**, les **migrants pendulaires** ou « navetteurs », des **touristes**. Chacun fréquente la métropole pour des raisons différentes, à des moments différents de la journée.

2. Parce qu'elles concentrent les activités, les métropoles rassemblent une **population très diversifiée**, socialement et culturellement. Mais, si tous les habitants se croisent dans le centre, ils ne résident pas tous dans les mêmes quartiers. Cette **séparation** est de plus en plus affirmée dans les métropoles, notamment dans celles des pays en développement.

C Une qualité de vie inégale

1. Les **déplacements** sont très nombreux au quotidien, les **modes de transport** variés et la **circulation** souvent difficile. Les **embouteillages polluent** particulièrement le centre-ville. Partout, les **problèmes de transports** nuisent à la qualité de la vie des habitants.

2. La **qualité de vie** est très différente d'une métropole à l'autre. Dans les pays développés, les populations disposent des **services urbains** : eau potable, électricité, ramassage des ordures... Dans les **pays en développement** (PED), ces services sont très insuffisants, notamment dans les **bidonvilles**.

VOCABULAIRE

▸ **Bidonville**
Ensemble des habitations construites avec des matériaux de récupération.

▸ **Espaces périurbains**
Espaces qui s'urbanisent progressivement autour des villes et qui s'étalent de plus en plus loin.

▸ **Métropole**
Grande ville qui concentre les habitants, les activités et les pouvoirs de commandement.

▸ **Migrants pendulaires**
Travailleurs qui font l'aller-retour quotidien entre leur domicile et leur lieu de travail.

CHIFFRES CLÉS

→ **3,4 milliards**
de personnes dans le monde habitent en **ville**.

→ **En 1960**,
3 personnes sur 10
vivent en ville.

→ **En 2014**,
5 personnes sur 10
vivent en ville.

→ **En 2050**,
7 personnes sur 10
vivront en ville.

■ ONU, 2015.

Se loger, résider

- Des **habitations** loin du centre, en banlieue.
- Des espaces qui offrent majoritairement une **bonne qualité de vie** dans les **pays développés**.
- Des espaces parfois insalubres, notamment dans les **pays en développement** (**bidonvilles**).

Vivre ensemble

- Rencontrer différents habitants : **résidents, usagers occasionnels ou touristes**.
- **Cohabiter avec des gens différents de soi** (culture, cuisine…).
- **Fréquenter différents types de quartiers** : centre, quartiers riches, bidonvilles…

Habiter une métropole, c'est…

Pratiquer des activités

- **Travailler** dans une entreprise souvent située à proximité du centre.
- Faire des **achats, pratiquer des loisirs** dans le centre, cœur économique et culturel.

Se déplacer

- Trajets **domicile/travail** de plus en plus longs.
- Utilisation de sa **voiture** ou des **transports en commun** à disposition.
- Nombreux **embouteillages** et forte **pollution**.

● **Je vérifie que je connais les principaux repères du chapitre.**

Je sais définir et utiliser dans une phrase :

▸ métropole
▸ bidonville
▸ espaces périurbains

Je sais situer sur un planisphère :

▸ les deux métropoles étudiées, Lagos et Londres.
▸ les 10 villes les plus peuplées du monde.

site élève
⬇ planisphère

Je sais expliquer :

▸ comment s'organise une métropole.
▸ qui habite les métropoles et comment on y vit.
▸ les problèmes que l'on rencontre dans les métropoles.

Comment apprendre ma leçon ?

J'apprends à sélectionner les informations

Pour mémoriser la leçon, il faut d'abord apprendre à trier les informations et savoir ce qui est important à retenir.

> Il ne s'agit pas de tout apprendre par cœur !

▶ **De quoi parle la leçon ?**

Je me souviens du thème principal de la leçon.

Habiter une métropole

▶ **Quelle question s'est-on posée pendant la leçon ?**

Je relis le début du chapitre.

Qu'est-ce qu'une métropole ? Qui sont ses habitants et comment y vivent-ils ?

▶ **Quels sont les repères géographiques importants ?**

Je retrouve les grands repères dans la double-page « Carte ». ➔ **p. 184-185**

▶ **Quelles sont les grandes idées ?**

Je recherche les thèmes importants abordés dans le chapitre.

Se loger ➤ Se déplacer ➤ Pratiquer des activités ➤ Vivre ensemble ➤ Des améliorations pour demain

▶ **Quels sont les mots nouveaux ?**

Je retrouve les mots importants du chapitre.

Métropole, bidonville...

▶ **Comment illustrer les idées importantes du chapitre ?**

J'associe une idée importante du chapitre à une image marquante, d'après les exemples suivants.

Le centre-ville d'une métropole concentre les activités et les personnes.

Les déplacements sont souvent difficiles dans la ville.

Je vérifie mes connaissances

1 Je connais le vocabulaire de la leçon.

Recopie puis relie chaque mot à sa définition.

1. Bidonville ●

2. Urbanisation ●

3. Métropole ●

● **a.** Augmentation de la population urbaine et extension des villes (étalement urbain).

● **b.** Ensemble d'habitations construites avec des matériaux de récupération.

● **c.** Grande ville qui concentre les habitants, les activités et les pouvoirs de commandement.

2 Je connais les différents espaces d'une métropole

J'associe chaque image à l'un des espaces suivants :

espace périurbain –centre-ville – quartier des affaires

a. Nairobi, Kenya.

b. Québec, Canada

c. Barcelone, Espagne

3 Aide cet élève en améliorant son devoir.

Recopie sur ton cahier chacune des phrases suivantes en ajoutant un complément d'information (un exemple, une définition, un lieu).

site prof.
⬇ exercice différencié

a. Les métropoles sont très peuplées. Les inégalités entre les habitants y sont fortes. Beaucoup d'habitants des villes vivent dans des bidonvilles où les conditions de vie sont difficiles.

b. Les métropoles sont attirantes, elles concentrent de nombreuses activités, commerces ou loisirs. Pour pratiquer toutes ces activités, les habitants utilisent différents modes de transport.

c. Habiter dans une métropole, c'est rencontrer beaucoup de gens différents. Mais tous les habitants ne se mélangent pas pour vivre ensemble.

4 Vrai ou faux ?

Parmi ces 5 affirmations, 3 sont fausses. Sauras-tu les retrouver ?

a Dans une métropole, on se loge de plus en plus loin de son travail.

b Dans une métropole, on fréquente peu les espaces du centre-ville, car ils sont peu attirants.

c Dans une métropole, on se déplace beaucoup et toujours en transports en commun.

d Dans une métropole, on vit avec beaucoup de gens différents.

e Dans une métropole, tous les habitants ont accès aux mêmes services.

5 Retrouve des exercices supplémentaires sous forme interactive sur le site Nathan.

site élève
⬇ exercices interactifs

Exercices

1 Je décris et j'explique un planisphère sur les bidonvilles

↳ **Socle** : Domaine 1

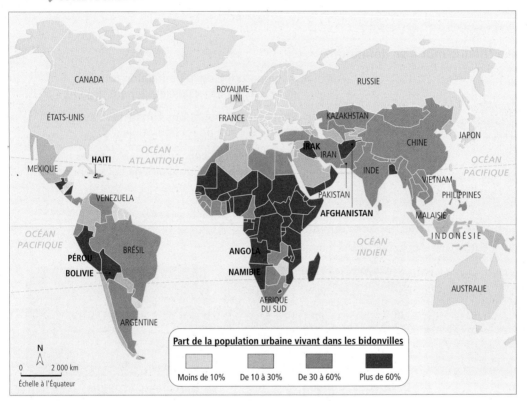

Part de la population urbaine vivant dans les bidonvilles

Moins de 10% De 10 à 30% De 30 à 60% Plus de 60%

N
0   2 000 km
Échelle à l'Équateur

QUESTIONS

❶ Quel espace est représenté sur ce planisphère ?

❷ Quel est le thème principal du planisphère ?

❸ Dans quelles régions du monde les bidonvilles sont-ils très nombreux ?
Pourquoi, selon toi ?

2 Je comprends un document sur l'urbanisation

↳ **Socle** : Domaine 2

Aujourd'hui, plus de la moitié de la population mondiale vit dans des villes. D'ici 2050, cette proportion devrait passer à 66 %, selon les Nations unies. Aujourd'hui, l'Amérique du Nord et l'Amérique latine font partie des régions les plus urbanisées.

[...] Parallèlement à cette urbanisation, les enjeux les plus importants se concentreront surtout dans les pays en développement, où le rythme d'urbanisation est le plus rapide. Les villes devront offrir de meilleures possibilités de revenu et d'emploi, assurer un accès égal aux services et améliorer les équipements (eau, égouts, transports, logement, énergie, information et communications).

■ D'après le Fond monétaire international, décembre 2014.

QUESTIONS

❶ Quelle sera la proportion de population urbaine en 2050 ?

❷ Quelles sont les deux régions du monde où l'urbanisation devrait fortement progresser ?

❸ Que devront offrir les villes de demain pour que leurs habitants y vivent bien ?

③ J'étudie un paysage de métropole

↳ **Socle :** Domaine 5

ASIE
**Shanghai
Chine**

1 Le quartier de Puxi à Shanghai (Chine), 2015

QUESTIONS

❶ Où se trouve le paysage photographié ?

❷ Quel type de bâtiments observe-t-on au premier plan, à gauche ? Puis en arrière-plan et sur la droite ?

❸ Selon toi, à quoi sert chacun de ces deux espaces ? Quelle peut être leur fonction ?

❹ Quel moyen de transport relie l'espace en arrière-plan au reste de la ville ? Qu'en déduis-tu sur les déplacements dans la ville ?

MÉTHODE

Pour étudier un paysage, il faut :

1. Le localiser : nommer le lieu représenté et le situer (pays, continent).

2. Le décrire :

– identifier des grands ensembles ou les différents plans (1er, 2e, 3e plan...) ;

– utiliser un vocabulaire géographique précis (« gratte-ciel », « mode de transports »...).

MON BILAN DE COMPÉTENCES

Domaine du socle	Compétences travaillées	Pages du chapitre
D1 Les langages pour penser et communiquer	• Je sais utiliser différents langages • Je sais décris et expliquer un planisphère	Étude de cas .... p. 174-177 Étude de cas .... p. 178-181 Exercice 1 .... p. 190
D2 Méthodes et outils pour apprendre	• J'organise mon travail personnel • Je comprends un document sur l'urbanisation	Apprendre à apprendre .... p. 188 Exercice 2 .... p. 191
D4 Les systèmes naturels et les systèmes techniques	• Je sais formuler des hypothèses et les vérifier	Des études de cas au monde .... p. 182-183
D5 Les représentations du monde et l'activité humaine	• Je sais établir des liens entre l'espace et l'organisation de la société • Je sais me repérer dans l'espace • J'étudie un paysage de métropole	Étude de cas .... p. 174-177 Étude de cas .... p. 178-181 Carte .... p. 184-185 Exercice 3 .... p. 191

Un sans domicile fixe habite-t-il la ville ?

DÉBAT

1 Un sans domicile fixe (SDF) à Paris
Quai Saint-Michel, Paris, décembre 2014.

2 Le point de vue du géographe

Même recroquevillé sur le pont, l'habitant ne fait pas n'importe quoi. Il n'a pas choisi le lieu par hasard. Il se place là où circulent des milliers de personnes. Cela multiplie ses chances d'être aidé. Ces hommes et ces femmes, malgré leur misère, demeurent des habitants. Ils habitent les villes autrement : prendre une grille du métro pour une source de chaleur, trouver refuge dans le recoin peu visible d'un immeuble, etc. Ces indésirables pour les uns, vulnérables pour les autres, mettent en œuvre, tant bien que mal, leurs compétences d'habiter.

■ D'après Olivier Lazzarotti, « Habiter le monde », *Documentation photographique*, n° 8 100, juillet-août 2014.

QUESTIONS

▶ **Je confronte mon point de vue à celui des autres**

1 **Doc 1.** Pourquoi la personne photographiée est-elle appelée un « sans domicile fixe » ?

2 **Doc 1.** Selon toi, cette personne sans adresse habite-t-elle la ville ?

▶ **J'écoute les autres, j'apprends à formuler et à justifier mon point de vue**

3 **Doc 1 et 2.** Quels sont les arguments proposés par l'auteur pour affirmer que les SDF habitent eux aussi la ville ?

▶ **Je nuance mon point de vue**

4 Après avoir étudié les documents et écouté les avis de tes camarades, propose une réponse argumentée à la question de départ.

L'art dans la ville : le *street art*

1 Une œuvre de *street art* à New York

Audrey de Mulberry, œuvre murale de Tristan Eaton peinte pour le projet « Little Italy Street Art », en partenariat avec l'association des commerçants de The Little Italy, New York, 2013.

QUESTIONS

Identifier et situer l'œuvre d'art

1 Doc 1 et Mémo Art. Où cette œuvre d'art a-t-elle été peinte ? Comment se nomme ce type d'œuvres d'art ?

2 Doc 1. Quand et à la demande de qui cette œuvre a-t-elle été réalisée ?

Décrire l'œuvre et en expliquer le sens

3 Doc 1 et Mémo Art. Décris la réalisation (taille, couleurs, éléments qui la composent, technique...). Quels éléments sont particulièrement mis en valeur ?

 **mémo ART**

Le *Street Art*, un succès planétaire

▶ **L'art urbain**, ou *street art*, est un mouvement artistique contemporain qui s'expose dans la rue, à la vue de tous, pour interpeller, modifier notre **perception de la ville**.

▶ Il s'agit principalement d'un **art temporaire et public**, souvent illégal. Les artistes urbains utilisent de **nombreuses techniques d'expression** telles que les pochoirs, autocollants, affiches, mosaïques...

▶ On trouve des réalisations de *street art* dans **toutes les grandes villes** du monde.

À toi de jouer !

Dessine sur ton cahier une façade d'immeuble et imagine pour ce mur une œuvre de *street art* qui montre les activités de ta ville.

Dans quelles villes souhaitons-nous habiter demain ?

EN ÉQUIPES !

CONSIGNE

Dans le cadre d'un projet sur la ville de demain, vous devez décrire l'évolution future de la métropole la plus proche de chez vous et la façon dont nous l'habiterons dans 20 ans.

- Chaque équipe doit choisir le scénario qui semble offrir le mode de vie le plus acceptable, puis l'exposer pour sa ville, à l'oral, au reste de la classe.
- Chaque équipe réalise une affiche présentant les 4 scénarios retenus, qui viendra enrichir une exposition sur la ville de demain.

ÉQUIPE 1

Comment se déplacer ?

Quelle est l'évolution possible des modes de transport urbains ?

Scénario 1 De plus en plus de voitures

La très forte utilisation de la voiture individuelle se poursuivra. Le réseau routier sera très performant, mais limité dans ses capacités, et la pollution s'accentuera.

Un embouteillage à Bangkok (Thaïlande), 2015

Scénario 2 D'autres modes de transport

Des modes de transport plus respectueux de l'environnement se développeront.

L'objectif d'une mobilité alternative est de transférer le trafic sur des modes de transport respectueux des hommes et des femmes et de la nature. Les alternatives de mobilité sont donc des offres de transports combinés, pour remplacer efficacement la voiture individuelle. La vraie ville alternative à la voiture ne serait donc ni la ville exclusivement réservée à la marche, ni celle du vélo ou des transports en commun, mais un mélange des trois.

On observe également que cette évolution vers une mobilité durable repose grandement sur l'évolution des comportements des usagers dans leur choix des modes de transport.

◼ D'après le ministère de l'Écologie, de l'Énergie, du Développement durable et de la Mer, *Ville et mobilité durables*, 2010.

Vivre loin ou se regrouper ?

La population des villes continuera à augmenter. Selon vous, quel scénario est le plus respectueux des hommes et des femmes ? Quel scénario est le plus respectueux de l'environnement naturel ?

Vue aérienne de la banlieue d'Istanbul (Turquie), 2012.

Scénario 1 **Croissance urbaine horizontale**

Les habitants s'éloigneront du centre par choix, pour vivre dans une maison individuelle, ou par contrainte, car le prix de l'immobilier diminue au fur et à mesure que l'on s'éloigne du centre.

Les gratte-ciels de Hong Kong, 2014.

Scénario 2 **Croissance urbaine verticale**

Le développement vertical de la ville sera favorisé. Les habitants se rapprocheront du centre, qui sera de plus en plus peuplé.

Des activités à proximité ou à distance ?

ÉQUIPE 3

Votre équipe doit expliquer à la classe comment seront regroupées les activités : dans des quartiers d'habitation ou dans des quartiers spécialisés ?

① Les transports urbains (métro, RER, train).

② Le centre commercial des Quatre Temps (230 commerces sur 4 niveaux).

③ et ④ Des immeubles de bureaux.

La Défense, Paris, 2014.

Scénario 1 Des activités regroupées

Les quartiers urbains spécialisés concentrant les emplois, les services et les achats continueront à se développer loin des zones d'habitation.

Scénario 2 Des espaces de vie plus réduits

Les activités se développeront au cœur des quartiers d'habitation.

Plus l'énergie devient coûteuse, plus les habitants sont contraints de fonctionner à l'échelle locale. Une solution est de fixer de façon plus efficace les services dans les territoires (services, emplois, loisirs...). Ce scénario de rapprochement limite les distances, renforce les mobilités douces (marche, vélo...) et favorise la mise en place d'une ville organisée par quartiers (au moins pour les services de la vie quotidienne).

Les services vont de plus en plus s'effectuer *via* le numérique (achats en ligne, supermarchés virtuels et livraisons à domicile...).

■ D'après Jean Ollivro, « La mondialité », « La distance objet géographique », *Atala*, 2009.

Une boulangerie de quartier, Paris, 2015.

Vivre entre soi ou vivre ensemble ?

Selon votre équipe, quel scénario est le plus acceptable et durable pour l'avenir des villes et de leurs habitants ?

Un éco-quartier à Grenoble, France, 2013.

Scénario 1
Vivre ensemble

Les nouvelles constructions seront maîtrisées, soucieuses de l'environnement et structurées autour d'éco-quartiers[1]. Les nouveaux aménagements mélangeront toutes les catégories sociales et la convivialité sera favorisée par l'habitat collectif et les nombreux espaces publics.

1. Quartiers respectueux des enjeux écologiques, du bien vivre ensemble.

La séparation entre riches et pauvres à Mexico (Mexique), 2015.

Scénario 2
Vivre entre soi

La ville s'organisera par quartiers, séparés notamment entre riches et pauvres ; l'accès aux ressources dépendra des revenus.

De la ville de demain à la ville futuriste...

Plan du projet Lilypad

Ce projet architectural vise à adapter la ville aux contraintes de demain. Totalement autosuffisante, la cité flotterait sur les océans. Pour ses 50 000 habitants, elle offrirait des espaces d'habitation, de travail, de commerces et de loisirs.
Proposition d'implantation sur la côte au large de Monaco.

11 Habiter un espace à fortes contraintes et/ou de grande biodiversité

→ Comment les humains habitent-ils dans un milieu très contraignant ?

En CM1

J'ai appris qu'habiter, c'est se loger, travailler, pratiquer des activités de loisirs...

En CM2

J'ai appris qu'habiter, c'est aussi se déplacer, communiquer avec les autres.

Ce que je vais découvrir

Je vais apprendre comment on habite un espace à forte(s) contrainte(s) naturelle(s) et/ou de grande biodiversité.

1 **Le désert du Sahara, un espace particulièrement contraignant**

Les habitants du Sahara doivent s'adapter à une forte contrainte climatique. Ici, une pompe électrique fonctionnant à l'énergie solaire a été installée. Elle permet de faire remonter l'eau du sous-sol.
Mauritanie, 2012.

Le sais-tu ?

En 1835, Charles Darwin, naturaliste anglais, explore les îles Galápagos. Il découvre de nombreuses espèces rares, dont certaines sont uniques au monde en raison de leur isolement.

Galapagos
Sahara
AMÉRIQUE DU SUD
AFRIQUE

2 Les îles, des espaces isolés

Les îles de l'archipel des Galápagos, situées au milieu de l'océan Pacifique, constituent une réserve de biodiversité unique qui attire les touristes du monde entier.

Thème 2 Habiter un espace de faible densité **199**

Habiter le Groenland, un territoire polaire

Question clé Comment habite-t-on dans un désert froid ?

Pôle Nord
+
Groenland
Uummannaq

A Le Groenland, un lieu de vie très contraignant

1 Chris raconte...

Chris est anglais. Il vit au Groenland depuis 4 ans.

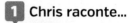

La vie à Uummannaq est très difficile à cause du climat. Le temps ici rend difficile l'accès à de nombreux services et facilités comme les centres médicaux. Il n'y a pratiquement aucune route car le sol est fait de roche. L'accès aux produits frais peut être très difficile. Chaque année, en avril, nous manquons de nourriture (surtout du fromage, yaourt, fruits et légumes) car le dernier bateau qui nous approvisionne part en novembre. Cela revient très cher d'avoir de nouvelles provisions : pendant l'hiver, elles doivent être acheminées par hélicoptère. Cela explique pourquoi presque tout le monde ici possède au moins deux congélateurs, ce qui paraît fou en Arctique !

Ici, nous avons peu de neige, mais sur la côte est du Groenland, ils sont habitués à creuser des tunnels entre les maisons !

■ www.educapoles.org

CHIFFRES CLÉS

Groenland
(Territoire autonome du Danemark)

➡ **Superficie : 2 170 000 km²**, soit **3 fois la France**

➡ **56 000 habitants** (2015)

➡ **Densité : 0,026 habitant par km²** (France : 118 hab./km²)

➡ **85 %** de la population vit **en ville**

2 Le Groenland

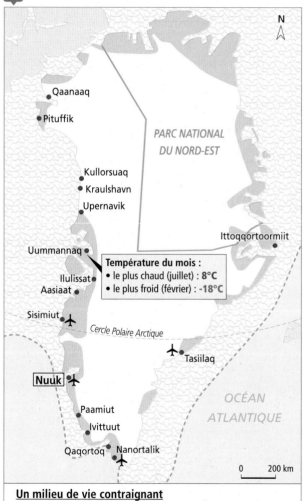

N

Qaanaaq
Pituffik

PARC NATIONAL DU NORD-EST

Kullorsuaq
Kraulshavn
Upernavik

Ittoqqortoormiit

Uummannaq

Température du mois :
• le plus chaud (juillet) : **8°C**
• le plus froid (février) : **-18°C**

Ilulissat
Aasiaat

Sisimiut

Cercle Polaire Arctique

Tasiilaq

Nuuk

OCÉAN ATLANTIQUE

Paamiut
Ivittuut
Qaqortóq Nanortalik

0   200 km

Un milieu de vie contraignant

☐ Épaisse couche de glace recouvrant les terres (inlandsis)

▨ Terres libres de glace (toundra)

⬚ Banquise (mer gelée) en hiver

Un territoire habité et protégé

• Villes de plus de 1000 habitants

✈ Principaux aéroports

Nuuk Capitale (15 000 habitants)

☐ Parc national

3 ▸ Uummannaq en été

Les maisons, construites en bois, sont peintes. Chaque couleur indique une fonction : rouge pour l'administration, bleu pour l'énergie, jaune pour la santé. Ces couleurs permettent aussi aux habitants de se repérer dans la nuit polaire et en cas de mauvaise visibilité.

4 ▸ Uummannaq en hiver

La nuit polaire s'étend de novembre à février. Durant cette période, les habitants ne voient la lumière du soleil que 1 à 2 heures par jour !

Activités

Question clé | **Comment habite-t-on dans un désert froid ?**

ITINÉRAIRE 1

ou

ITINÉRAIRE 2

▸ **Je comprends le sens général des documents**

❶ **Doc 2.** Dans quelle région du monde est situé le Groenland ? S'agit-il d'un espace très peuplé ?

❷ **Doc 1 et 4.** Quelles contraintes rendent la vie difficile en hiver ?

❸ **Doc 1 et 3.** Relève différents moyens utilisés par les habitants pour surmonter ces contraintes.

❹ **Doc 1 à 4.** Complète ces affirmations à l'aide de preuves trouvées dans les documents :
a. Le Groenland est un désert froid car...
b. Le Groenland est un lieu de vie très contraignant parce que...

▸ **Je complète un schéma (étape 1)**

À l'aide des documents 1 à 4, commence à compléter pour répondre à la question clé.

> Vivre dans un désert froid
> → Doc 2

> Vivre ensemble dans un espace de faible densité
> → Chiffres-clés

> Habiter le Groenland, c'est...

> Vivre en s'adaptant aux contraintes
> → Doc 1, 3 et 4

> Vivre dans un espace menacé à préserver
> → Doc 2

B Des modes de vie adaptés

5 Olé raconte...

Olé, 50 ans, chasseur.

« J'habite à Kullorsuaq. La chasse au phoque, c'est mon activité préférée. Quand internet est arrivé dans la région, nous avons sauté dans le train en marche. Aujourd'hui, nous nous servons principalement de nos smartphones. Les échanges commerciaux sont plus faciles avec Facebook, cela nous sert aussi à connaître le prix d'achat et de vente de nos produits. En général, nous utilisons beaucoup nos portables, même quand nous partons en traîneau. Avant, nous n'avions que la radio pour communiquer de village en village. Entre Kullorsuaq et le village le plus proche, Kraulshavn, il y a une distance de 100 km. »

site élève
⬇ lien vers la vidéo

6 Imaka raconte...

« Je travaille comme surveillant dans un internat, mais la pêche reste ma grande passion. À Tasiilaq, je suis l'un des derniers encore capables de chasser le narval[1] depuis un kayak, seulement armé d'un harpon. Cette technique de pêche est en train de se perdre progressivement car elle est dangereuse. Je suis originaire d'Issertaq, le village qui fait les meilleurs *mushers* (conducteurs de traîneaux) de la région. Parfois, je travaille avec mon fils Lars et accompagne des clients faire des randonnées avec ses chiens. Le tourisme est une bonne chose pour nous car cette activité, en plus de nous faire vivre, nous permet de préserver nos traditions en les valorisant. »

■ Géraldine Rué, « Dans la capitale du Groenland Est », paru dans le blog « Décollage immédiat », *M, le magazine du Monde*, 19 janvier 2014.

1. grand mamifère marin.

7 Le tourisme de croisière (2014)
Les touristes sont de plus en plus nombreux à se rendre dans cet espace pour découvrir sa grande biodiversité (voir p. 212) mais aussi pour venir voir de leurs propres yeux les pans de glacier s'effondrer sous l'effet du réchaufffement climatique.

8 Naja raconte...

Naja, 28 ans, fait ses études au Danemark.

" Moi, je prévois de revenir au Groenland, mais je connais quelques personnes qui veulent rester ici. Ils ne se voient pas d'avenir en revenant au Groenland. Autant que l'emploi, c'est le mode de vie continental qui les retient, le Groenland semblant tout petit vu de loin. Tout le monde connaît tout le monde et les rumeurs se répandent vite. Les choses peuvent aussi être un peu ennuyeuses, on ne peut pas conduire d'une ville à une autre comme au Danemark. Il faut prendre le bateau ou l'avion. "

■ « Les jeunes du Groenland tentés par l'émigration au Danemark », d'après AFP, 5 avril 2015.

9 Tournoi de football féminin à Tasiilaq (2012)

Activités

Question clé | **Comment habite-t-on dans un désert froid ?**

ITINÉRAIRE 1

▶ **Je comprends le sens général des documents**

❺ **Doc 5, 6, 8 et 9.** Relève les activités pratiquées par les habitants du Groenland. Souligne ensuite en rouge celles qui sont traditionnelles et en bleu les plus modernes.

❻ **Doc 5 et 6.** Comment les habitants du Groenland parviennent-ils à communiquer malgré les contraintes ?

❼ **Doc 6 et 7.** Pourquoi les touristes viennent-ils au Groenland ?

❽ **Doc 8.** Comment les jeunes jugent-ils la vie au Groenland ?

▶ **Je m'exprime à l'oral pour penser, communiquer et échanger**
site prof.
⬇ fiche d'activité

❾ Imagine une conversation au téléphone entre un Groenlandais et un Français. Le premier raconte sa vie difficile au Groenland, l'autre lui explique pourquoi il trouve que c'est un espace fascinant, à préserver.

ou

ITINÉRAIRE 2
site prof.
⬇ coup de pouce

▶ **Je complète un schéma (étape 2)**

À l'aide des informations des documents 5 à 9, termine de compléter le schéma pour répondre à la question clé.

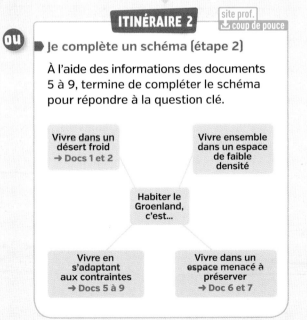

Étude de cas

TÂCHE COMPLEXE

SOCLE Compétences
- **Domaine 5 :** je sais établir des liens entre l'espace et l'organisation d'une société.
- **Domaine 2 :** Je réalise un projet.

Habiter la forêt amazonienne, un espace de grande biodiversité

Amazonie

AMÉRIQUE DU SUD

CONSIGNE

Raoni, un chef indien kayapo, est venu défendre l'Amazonie à Paris lors de la 21ᵉ Conférence des Nations unies sur les changements climatiques (COP21) en 2015. Son combat t'a particulièrement touché. Tu t'engages dans la rédaction d'un article sur cet espace habité à la fois contraignant, riche par ses traditions culturelles et sa grande biodiversité, mais aussi convoité et menacé.

VOCABULAIRE

Biodiversité
Nombre d'espèces et d'êtres vivants sur un espace donné. On parle de grande biodiversité quand ce nombre est important.

1 Raoni raconte son combat

site élève
⬇ *lien vers l'interview*

❝ Aujourd'hui, il y a beaucoup de menaces qui pèsent sur les terres des Indiens d'Amazonie. Le plus grand souci, c'est la déforestation, qui est un danger pour l'avenir des générations futures. Mon peuple dépend vraiment de la nature, c'est là où nous chassons, où nous pêchons, où nous vivons. À la chambre des députés du Brésil, il y a aujourd'hui des projets qui visent à modifier complètement le tracé des limites des terres et les conditions d'attribution des terres aux Indiens. Ils veulent nous enlever la gestion de nos propres terres, pour pouvoir y développer l'exploitation minière, en soutirer d'autres ressources ou encore y planter du soja destiné à l'exportation. Les barrages hydroélectriques, c'est très grave pour les peuples indigènes indiens. Si les politiciens brésiliens les autorisent, cela va rendre notre vie encore plus difficile, et nous sommes prêts à combattre leur construction. ❞

■ Interview réalisée par Anne Barrol et Jean Leymaire, le 24 novembre 2015 sur France Info.

2 Un village au Pérou, 2013
Préparation du repas dans un village de la tribu des Ashaninka.

3 Amir raconte...

❝ L'abattage illégal des arbres nous empêche de sauvegarder nos coutumes : l'espace urbain gagne du terrain. Nous ne sommes plus qu'à 35 km de la ville. Cela change notre façon de nous nourrir et de chasser, car les animaux sont en voie d'extinction. Notre rôle est de nous protéger pour ne pas disparaître. Je ne suis pas un adepte d'une forêt vierge, ce serait utopique. Il s'agit d'exploiter la forêt de manière rationnelle : gérer l'abattage, l'agriculture, la qualité des produits de notre culture, comme le café. Notre plan stratégique sur 50 ans est de planter des arbres, je me suis déjà rendu dans 35 pays pour transmettre notre message. ❞

■ Paris Match, « Le premier Indien hyper connecté d'Amazonie », *Paris Match*, 22 mars 2015.

4 Une mine d'or illégale, janvier 2014

Avec la montée du cours de l'or, l'orpaillage (recherche et exploitation artisanale de l'or) s'est développé. Les dégâts sont importants : déforestation et usage de mercure provoquant de graves problèmes de pollution et de santé.

CHIFFRES CLÉS

➡ **33 millions d'habitants**
sur 6,5 millions de km²

➡ **5 habitants par km²**
(France : 118 hab./km²)

➡ **50% des forêts tropicales**
du monde

➡ **370 tribus,** dont une douzaine sans aucun contact avec le reste du monde

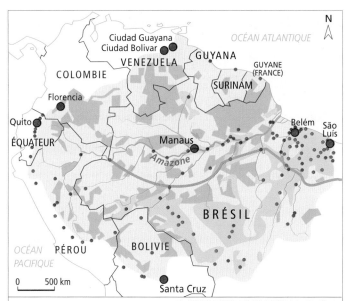

N

OCÉAN ATLANTIQUE

Ciudad Guayana
Ciudad Bolivar
VENEZUELA GUYANA
COLOMBIE   SURINAM
                  GUYANE (FRANCE)
Florencia
Quito   Belém São Luís
ÉQUATEUR   Manaus
        Amazone
              BRÉSIL
OCÉAN PÉROU BOLIVIE
PACIFIQUE
0   500 km
              Santa Cruz

Une forêt équatoriale habitée

☐ Zones habitées par des tribus indigènes

• Villes de 50 000 à 1 million d'habitants

⬤ Villes de plus de 1 million d'habitants

— Route transamazonienne

Une forêt menacée et à protéger

☐ Zones de déforestation

☐ Zones protégées

Une biodiversité unique

🪲 **2,5 millions** d'espèces d'insectes

🌿 **40 000** espèces de plantes

🐟 **3 000** espèces de poissons

🐦 **1 294** espèces d'oiseaux

🐸 **427** espèces d'amphibiens

🐍 **378** espèces de reptiles

🐾 **311** espèces de mammifères

5 L'Amazonie, un espace de grande biodiversité

COUP DE POUCE

Pour t'aider à organiser ton article, recopie et complète le tableau ci-dessous à l'aide des informations relevées dans les documents.

Un espace de faible densité et contraignant	Doc 2 et 5
Un espace de grande biodiversité	Doc 5
Un espace riche de traditions culturelles	Doc 1 et 2
Un espace convoité et menacé	Doc 1, 3 et 4

Habiter la région du Ladakh (Inde) dans l'Himalaya

Question clé Comment les humains habitent-ils une région de haute montagne ?

1 Lhamo raconte...

ASIE
Himalaya
Ladakh
Inde

" Je m'appelle Lhamo, je suis née là-haut dans les hautes montagnes de l'Himalaya. Mon pays est le pays des neiges éternelles et des glaciers qui donnent l'eau du grand fleuve, des yaks et des chèvres aux longs poils. Le fleuve, c'est celui qui coule juste à côté de mon village. En hiver, il transporte des morceaux de glace, on l'appelle alors le *chadar*, le « fleuve gelé ». Chaque enfant qui naît dans mon village, un jour, marchera sur la glace. Je suis la quatrième enfant de la famille ; ma maman, Ama, a accouché à la maison ; mon père était en montagne avec ses troupeaux. Au village, je dois aider les grands et monter dans les alpages. Comme j'ai des bonnes notes à l'école, mon père a dit que c'est moi qui irai à la grande école de Leh, il m'accompagnera par le grand fleuve gelé. Un seul de ses enfants peut y aller car cela coûte cher. Mon frère Tashi sera placé au monastère qui s'accroche à la falaise. "

■ Extrait du documentaire *Lhamo, l'enfant de l'Himalaya* de Véronique, Anne et Erik Lapied, www.lapiedfilm.com, 2013.

CHIFFRES CLÉS

➡ **Himalaya : 8 sommets** de **plus de 8 000 mètres** d'altitude

➡ **Région de Leh :** densité inférieure à **2 hab./km²**

➡ **1981 :** création du **parc national d'Hemis**, premier parc national de haute altitude.

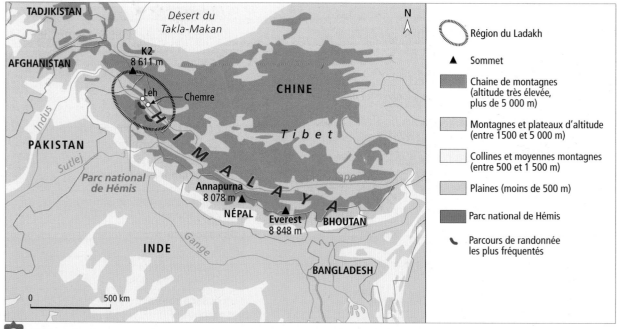

2 L'Himalaya

① À plus de 3 500 m d'altitude se trouvent les terrasses aménagées pour les cultures de subsistance, c'est-à-dire uniquement destinées à nourrir la population de la vallée de Chemre.

② Les routes sont souvent bloquées l'hiver, parfois des tronçons s'effondrent. L'été, la boue et les éboulements rendent les trajets périlleux.

3 La vallée de Chemre, un territoire aménagé par les humains

4 Les effets du changement climatique sur la vie des habitants

La famille de Tatbar ne pouvait plus se nourrir sur ses seules terres à cause des pénuries d'eau dues au changement climatique : les chutes de neige ont diminué et, en haute altitude, les glaciers ont reculé. En conséquence, les ruisseaux sont à sec au printemps. Or, cette période est cruciale pour l'agriculture. Dans les villages, beaucoup de jeunes sont partis à Leh, la grande ville de la région avec ses 28 000 habitants, ou plus loin, pour travailler dans le tourisme. Le mouvement s'est amplifié ces dernières années avec la venue toujours plus fréquente de trekkeurs[1] occidentaux. Le Ladakh devenant un paradis du *trekking*, le tourisme offre des opportunités de travailler dans des restaurants, des agences de voyages, comme porteur ou cuisinier dans des treks.

■ Jérémie Berlioux, « Exode rural au paradis des trekkeurs », *Le Monde Académie*, 21 octobre 2013.

1. Touristes qui pratiquent le *trek* ou *trekking*, de la grande randonnée itinérante sur plusieurs jours.

Activités

Question clé Comment les humains habitent-ils dans une région de haute montagne ?

ITINÉRAIRE 1

▶ **Je comprends le sens général des documents**

① Présente la région du Ladakh en la localisant et en la situant.

② **Doc 1 à 3.** Relève des informations montrant que la haute montagne est un milieu contraignant.

③ **Doc 3.** Où est installé le village par rapport au versant ?

④ **Doc 1 à 4.** Relève les activités (travail, loisirs...) pratiquées par les habitants du Ladakh. Souligne en rouge celles qui sont traditionnelles et en bleu, celles, plus récentes, qui se développent.

OU

ITINÉRAIRE 2

▶ **J'imagine, je conçois et je réalise une production**

En groupes, réalisez un diaporama pour répondre à la question clé.

MÉTHODE

Votre diaporama sera constitué de 4 écrans :
Écran 1. Vivre dans un milieu montagnard **Doc 1, 2 et 3**
Écran 2. Vivre dans un espace contraignant **Doc 1 à 4**
Écran 3. Vivre dans un désert humain **Doc 1, 2 et 4**
Écran 4. Vivre dans un espace menacé, à préserver **Doc 2 et 4**

Que veut dire habiter un espace contraignant et/ou de grande biodiversité ?

MISE EN PERSPECTIVE

ÉTAPE 1 — Je fais ressortir des éléments caractéristiques

A Recopie le tableau suivant dans ton cahier.

	Habiter le Groenland, l'Amazonie ou l'Himalaya, c'est...	
Vivre dans un milieu contraignant		
Vivre ensemble dans un espace isolé		
Vivre en s'adaptant aux contraintes		
Vivre dans un espace menacé et à préserver		

site élève
⤓ tableau à compléter

B D'après ce que tu as découvert de la vie au Groenland, en Amazonie ou en Himalaya, remplis le tableau avec les mots proposés ci-dessous. Attention, tu n'as le droit d'utiliser que 8 expressions (une par case), choisis-les bien pour qu'elles résument **le mieux possible** la vie dans le ou les espaces que tu as étudié(s).

● **Vivre dans un milieu contraignant**
Fortes pentes / forêt dense / glace / isolement / froid / pas de routes / neige / biodiversité / isolement / banquise / manque d'eau / chaleur / manque d'espace / déplacements difficiles

● **Un espace occupé par des habitants**
Fuite des jeunes / habitants peu nombreux / téléphone portable / grandes villes / réseaux sociaux / faible densité / transports modernes / peu de commerces et de loisirs / village / population vieillissante

● **Des adaptations, des activités**
Cultures en terrasses / pêche / cultures vivrières / véhicule à moteur / élevage / transports traditionnels / habitat en fond de vallée / habitat en clairière / électricité / chasse / tourisme / habitat chauffé

● **Des menaces et des protections**
Orpaillage / réchauffement climatique / déforestation / pollution / écotourisme / parc naturel / fréquentation touristique / préservation de la biodiversité / améliorer les transports / préserver les traditions

ÉTAPE 2 — J'en déduis des hypothèses

Une hypothèse est une proposition que l'on énonce sur un fait, sans dire si elle est vraie ou fausse, et qu'il faudra ensuite vérifier.

C À l'aide du tableau, choisis ci-dessous les quatre hypothèses qui te semblent le mieux compléter la phrase suivante.

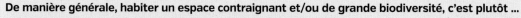

De manière générale, habiter un espace contraignant et/ou de grande biodiversité, c'est plutôt ...
● Vivre dans un espace très peuplé et bien relié au reste du monde.
● Vivre dans un milieu difficile marqué par la contrainte et l'isolement.
● Agir pour préserver et protéger un espace fragile et menacé.
● S'adapter, aménager et tirer profit des ressources du milieu pour ses activités.
● Vivre dans un espace fréquenté par de très nombreux habitants.
● Profiter d'une grande diversité d'activités à pratiquer (travail, achats, loisirs).
● Bénéficier des techniques modernes (transports, communications) pour rompre l'isolement.

ÉTAPE 3

Je vérifie si mes hypothèses sont justes

Nous savons que les **Andes** (doc 1), le **désert de Gobi** (doc 2) et la **plaine du Serengeti** dans les Hauts-Plateaux africains (doc 3) sont situés dans des espaces à fortes contraintes et/ou de grande biodiversité (voir carte p. 211).

D Observe les photographies 1 à 3 ci-dessous.
Indique à quelle(s) hypothèse(s) retenue(s) dans l'étape 2 correspond chaque photographie. Attention, un document peut illustrer plusieurs hypothèses.

Désert de Gobi Chine

Andes Bolivie

Tanzanie Plaine du Serengeti

1 Récolte du quinoa sur les hauts plateaux arides des Andes, Bolivie (2014)

Adapté à ce milieu difficile, cette céréale fait l'objet aujourd'hui d'une forte demande à l'étranger pour ses qualités nutritionnelles. Le quinoa était déjà cultivé dans les Andes en 3000 avant J.-C.

2 Habiter le désert de Gobi en Chine, entre tradition et modernité (2014)

Les habitations sont équipées d'antennes paraboliques et de panneaux solaires.

3 Un safari dans la plaine du Serengeti en Tanzanie (2013)

L'exceptionnelle biodiversité de cet espace est aujourd'hui menacée par le développement de l'activité touristique.

Les espaces à fortes contraintes et/ou de grande biodiversité

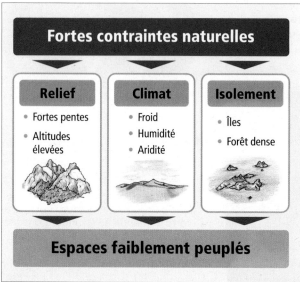

1 Les contraintes naturelles

▶ **Je situe dans l'espace**

❶ Localise le Groenland, l'Amazonie et l'Himalaya sur le planisphère et trouve quels types de contraintes naturelles ils subissent. Cite d'autres espaces marqués par les mêmes contraintes que les espaces que tu as étudiés.

❷ Relève deux espaces désertiques chauds et deux îles ou archipels qui subissent l'isolement.

❸ Cite deux régions dans lesquelles des actions de protection de la biodiversité sont menées.

Un monde habité → chap. 14

Le chapitre 14 peut être traité « de manière filée tout au long de l'année » (B.O.).

❹ Repère les trois espaces étudiés dans ce chapitre : le Groenland, l'Amazonie, l'Himalaya. Pourquoi peut-on dire que ce sont des déserts humains ?

❺ Nomme les autres déserts humains qui apparaissent.

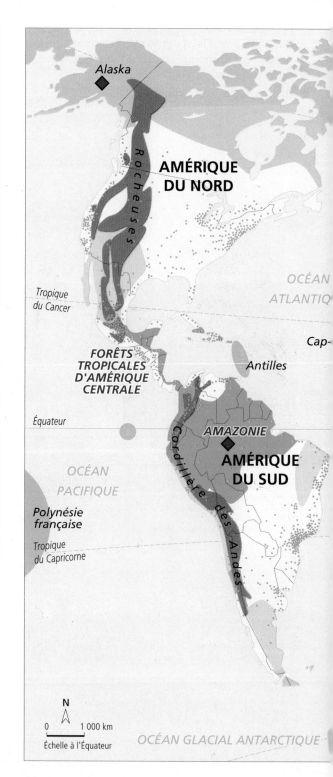

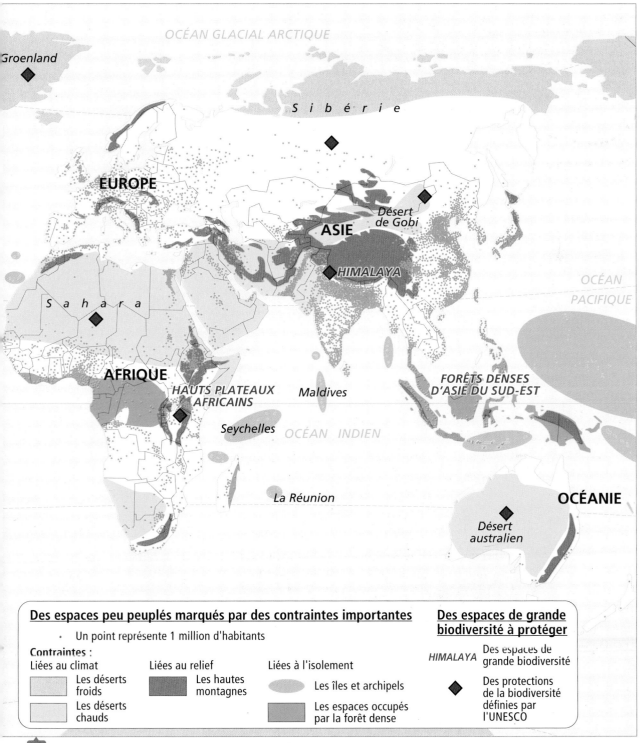

VOCABULAIRE

▶ **Biodiversité**

Nombre d'espèces et d'êtres vivants sur un espace donné.
On parle de grande biodiversité quand ce nombre est important.
La richesse biologique est sensible aux effets de l'activité humaine.

▶ **Contrainte naturelle**

Obstacle posé par la nature qui limite l'implantation des humains
et la mise en valeur de leur espace.

OCÉAN GLACIAL ARCTIQUE

Groenland

Sibérie

EUROPE

ASIE

Désert
de Gobi

HIMALAYA

Sahara

OCÉAN

PACIFIQUE

AFRIQUE

HAUTS PLATEAUX
AFRICAINS

Maldives

FORÊTS DENSES
D'ASIE DU SUD-EST

Seychelles

OCÉAN INDIEN

La Réunion

OCÉANIE

Désert
australien

Des espaces peu peuplés marqués par des contraintes importantes

· Un point représente 1 million d'habitants

Contraintes :

Liées au climat

Liées au relief

Liées à l'isolement

Les déserts
froids

Les hautes
montagnes

Les îles et archipels

Les déserts
chauds

Les espaces occupés
par la forêt dense

**Des espaces de grande
biodiversité à protéger**

HIMALAYA   Des espaces de
grande biodiversité

◆   Des protections
de la biodiversité
définies par
l'UNESCO

2 Les espaces à fortes contraintes et/ou de grande biodiversité

Habiter un espace à forte(s) contrainte(s)

→ **Comment les humains habitent-ils dans un milieu très contraignant et/ou de grande biodiversité ?**

A Des humains peu nombreux

1. Dans ces espaces, les habitants **sont peu nombreux** en raison de **contraintes naturelles** qui rendent toute activité humaine difficile. Ces contraintes peuvent être liées au **climat** : le **froid extrême** ou le **manque d'eau** rendent l'agriculture impossible. Elles peuvent également être liées au **relief** : en haute montagne, la pente et l'altitude sont des obstacles pour pratiquer l'agriculture ou se déplacer. Enfin, elles peuvent être liées à **l'isolement** : les îles, la **forêt dense**, l'**inlandsis** sont des espaces difficiles d'accès.

2. Ces espaces de faible densité peuvent être dotés d'une **grande biodiversité**. En effet, peu habités, ils sont faiblement aménagés par les humains ; la faune et la flore en sont mieux préservées.

B Des modes de vie adaptés en évolution

1. Les habitants se sont depuis longtemps **adaptés à ces contraintes** en **tirant profit des ressources locales** pour se nourrir, se vêtir ou se soigner. Ils pratiquent la pêche, la chasse, les cultures traditionnelles adaptées au milieu, l'élevage nomade.

2. Des **aménagements** ont été réalisés pour s'adapter à ces contraintes. Ainsi, dans les régions de montagne, la **construction de terrasses** permet de cultiver malgré la pente.

3. Aujourd'hui, les **progrès techniques** dans les transports, l'énergie ou les communications permettent de réduire l'impact de certaines de ces contraintes. Ils entraînent aussi des transformations majeures dans les modes de vie.

C Des espaces exploités mais fragiles

1. Parfois, **les contraintes naturelles deviennent des atouts** : la beauté unique des paysages, la richesse biologique de certains territoires attirent des **touristes** du monde entier. Ces espaces, jusque-là isolés, deviennent attractifs. La **volonté de les préserver** conduit à la mise en œuvre de projets qui associent développement et protection des milieux et des cultures traditionnelles.

2. La situation est encore plus complexe dans les territoires **riches en ressources naturelles** (les minerais, l'or, le bois, le caoutchouc...) En effet, leur exploitation peut être source de richesse et de développement mais aussi **dégrader l'environnement**. Cela crée des **conflits**, parfois violents, entre les habitants.

CHIFFRES CLÉS

→ **Régions désertiques chaudes**
Plus de 100 jours par an à + 40°C

⇒ **Régions polaires**
Les températures **ne dépassent jamais** 10 °C

→ **Hautes montagnes**
L'Everest (Himalaya), **8 848 mètres** : plus haut sommet du monde

→ **Îles**
L'Océanie et ses îles représentent **1/3 de la surface de la Terre.**

VOCABULAIRE

▸ **Aménagement**
Action volontaire de mise en valeur d'un espace.

▸ **Biodiversité**
Nombre d'espèces et d'êtres vivants sur un espace donné. On parle de grande biodiversité quand ce nombre est important. La richesse biologique est sensible aux effets de l'activité humaine.

▸ **Contrainte naturelle**
Obstacle posé par la nature qui limite l'implantation des humains et la mise en valeur de leur espace.

▸ **Inlandsis**
Glacier de très grande étendue recouvrant la terre ferme et pouvant atteindre plusieurs milliers de mètres d'épaisseur.

Vivre dans un milieu contraignant

- **Contraintes naturelles** (froid, manque d'eau, relief, isolement)
- Lieux de vie **difficiles d'accès** et **isolés**
- **Conditions de vie** qui limitent les activités humaines et les déplacements

Vivre ensemble dans un espace de faible densité

- **Densités** de population **très faibles**
- **Sociétés traditionnelles**, regroupées en village et longtemps isolées
- Diffusion progressive **de modes de vie moderne**

Habiter un espace à forte(s) contrainte(s) naturelle(s) et/ou de grande biodiversité, c'est …

Vivre en s'adaptant aux contraintes

- **Habitats, modes de vie adaptés aux contraintes** et aux ressources locales
- **Aménager l'espace** pour surmonter les contraintes et développer des activités
- **Des espaces attractifs pour leurs ressources** (matières premières, tourisme)

Vivre dans un espace menacé à préserver

- **Biodiversité** parfois **menacée** par les activités humaines
- **Habitants qui s'engagent** pour défendre leur milieu de vie
- Politiques ou mesures de **préservation** ou de **protection de la biodiversité**

Je révise chez moi

● **Je vérifie que je connais les principaux repères du chapitre.**

Je sais définir et utiliser dans une phrase...

- ▶ contrainte naturelle
- ▶ biodiversité
- ▶ aménagement

Je sais situer sur un planisphère...

- ▶ les espaces à forte(s) contrainte(s) naturelle(s)
- ▶ les espaces de grande biodiversité

site élève
⤓ planisphère

Je sais expliquer...

- ▶ comment on habite un espace marqué par une forte contrainte naturelle (haute montagne, par exemple).
- ▶ ou comment on habite un espace marqué par une forte contrainte climatique (désert par exemple).
- ▶ ou comment on habite un espace d'une grande biodiversité (forêt dense).

Comment apprendre ma leçon ?

Je fabrique mes outils de révision : le trousseau de clés

Cet exercice permet de dégager ce qu'il faut retenir, de classer les informations par thème et donc de mémoriser la leçon.

▶ **Étape 1**

- Imprime ou dessine, sur du papier ou du carton, un trousseau de 4 clés sur des petites fiches. Découpe-les, puis inscris au recto de chaque clé l'un des 4 thèmes de la leçon.

> La question clé du chapitre va t'aider à organiser tes idées, ne l'oublie pas !

Vivre et se loger dans un milieu contraignant

Vivre ensemble dans un espace de faible densité

Vivre en surmontant les contraintes

Vivre dans un espace aménagé, à préserver

site élève
⬇ clés à imprimer

▶ **Étape 2**

- Sur le verso de chaque fiche, note les idées et les mots clés du thème.

Vivre et se loger dans un milieu contraignant

Contraintes naturelles : froid, relief, manque d'eau, isolement...
Habitats isolés et difficiles d'accès.
Conditions de vie qui limitent les activités humaines et les déplacements.

Tu peux utiliser les clés pour réviser les autres leçons de géographie : « Habiter une métropole », « Habiter les littoraux »... Si tu fabriques des clés pour ces leçons, **attribue une couleur par clé**. Cela te permettra de mobiliser plus facilement tes connaissances.

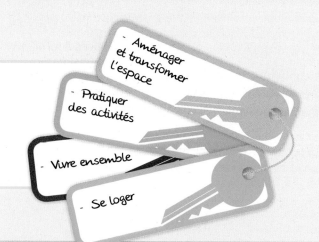

- Aménager et transformer l'espace
- Pratiquer des activités
- Vivre ensemble
- Se loger

Je vérifie **mes connaissances**

1 Je révise le vocabulaire.

Relie chaque mot à sa définition.

1. isolement ●

2. contrainte ●

3. biodiversité ●

4. aménagement ●

5. ressources naturelles ●

● **a.** Nombre d'espèces et d'êtres vivants sur un espace donné.

● **b.** Obstacle qui limite l'implantation des humains et la mise en valeur de l'espace.

● **c.** Action volontaire de mise en valeur d'un espace.

● **d.** Diverses ressources minérales ou biologiques nécessaires à la vie des humains et à leurs activités économiques.

● **e.** État d'un lieu écarté, perdu.

2 Je complète un planisphère.

site élève
⬇ planisphère à imprimer

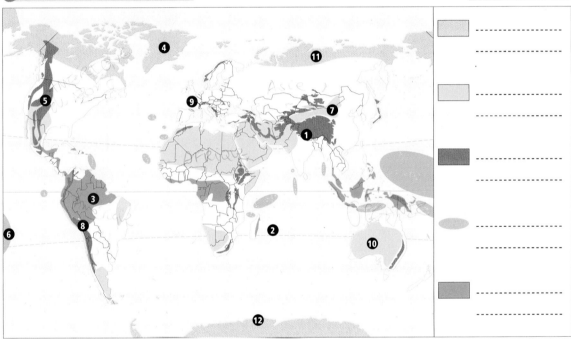

1. **Indique sur le planisphère les grands repères géographiques :**

   – Le nom des continents en noir.
   – Le nom des océans en bleu.
   – L'équateur, les cercles polaires, les tropiques.

2. **Associe chaque figuré de la légende à une proposition :**

   Déserts chauds – forêt dense – archipels – hautes montagnes – déserts froids

3. **Nomme les lieux associés à numéros en choisissant dans la liste ci-dessous :**

   Himalaya – La Réunion – Amazonie – Groenland – Les Rocheuses – Polynésie française – désert de Gobi – cordillère des Andes – Alpes – désert australien – Sibérie – Antarctique

3 Retrouve d'autres exercices sous forme interactive sur le site Nathan !

site élève
⬇ exercices interactifs

Exercices

1 Je décris un paysage de haute montagne : le Machu Picchu

↳ **Socle :** Domaine 5

La cité de Machu Picchu et ses terrasses agricoles, cordillère des Andes, Pérou (2015)
Machu Picchu est une ancienne cité de l'Empire inca du XVᵉ siècle, perchée à 2 430 m d'altitude.

QUESTIONS

1 Où cette photographie a-t-elle été prise ?

2 Quel type de paysage la photographie montre-t-elle ?

3 Quelles sont les contraintes de ce type d'espace ?

4 Pour quelle activité les habitants ont-ils aménagé des terrasses ? Quelle contrainte permettent-elles de surmonter ?

5 Dans les pages de ce chapitre (p. 198 à 215), retrouve une photographie montrant que cet aménagement est utilisé par les femmes et les hommes vivant en haute montagne ailleurs dans le monde.

2 Je connais les menaces qui pèsent sur la biodiversité

↳ **Socle :** Domaine 5

La forêt du Congo

Les forêts du bassin du Congo constituent le second plus grand massif de forêts équatoriales au monde après celles d'Amazonie.

La biodiversité en Afrique centrale est mise en danger par le commerce grandissant des animaux sauvages chassés pour diverses raisons (alimentation, trophée de chasse, commerce illégal...). Puisque environ 75 % des arbres des forêts tropicales du monde dépendent des animaux pour se régénérer, le braconnage[1] accentue l'appauvrissement du milieu en ressources forestières. Des lois contre la chasse illégale existent dans tous les pays du bassin du Congo, mais le manque de moyens financiers, entre autres, ne permet pas de contrôler efficacement ces pratiques illicites.

▪ *Forêts du monde*, Université Laval, 2014.

1. Activités de chasse ou de pêche illégales.

QUESTIONS

1 Par quelle activité humaine les forêts du Congo sont-elles menacées ?

2 Pourquoi les animaux sont-ils importants pour les arbres et pour les humains ?

3 Comment peut-on expliquer que les lois ne suffisent pas à protéger les animaux ?

3 Je réalise un croquis de paysage : une oasis dans un désert chaud

↳ **Socle** : Domaine 4

Oasis dans le Sahara, dans la vallée de la Todra au Maroc (2015)

Une oasis est une source d'eau isolée disponible dans un désert aride permettant aux humains de s'installer et de pratiquer une agriculture irriguée.

MÉTHODE

Réalisation du croquis

▶ Pour chaque élément du paysage, choisis un figuré et/ou une couleur et construis une légende.

▶ Sur un calque, délimite les différents éléments du paysage identifiés.

▶ Complète le calque (ou le fond de croquis distribué) avec les figurés et/ou les couleurs choisis.

▶ Donne un titre au croquis réalisé.

QUESTIONS

1 Où ce paysage est-il situé ?

2 Quelles sont les contraintes visibles dans ce paysage ?

3 Décris ce paysage : que vois-tu au premier plan ? Au deuxième plan ? Au dernier plan ?

4 Quel type de paysage est représenté ?

5 Réalise le croquis de ce paysage.
Pour cela, identifie et place dans la légende chacun des quatre éléments suivants : *village de Tinerhir – culture irriguée de légumes – désert du Sahara – culture des palmiers*

6 Colorie et complète le croquis de ce paysage.

MON BILAN DE COMPÉTENCES

Domaine du socle	Compétences travaillées	Pages du chapitre
D1 Les langages pour penser et communiquer	• Je m'exprime à l'écrit ou à l'oral de façon claire et argumentée	Étude de cas...... p. 200-203 Étude de cas...... p. 206-207
D2 Méthodes et outils pour apprendre	• Je réalise un projet • J'organise mon travail personnel	Étude de cas...... p. 204-205 Apprendre à apprendre... p. 214
D4 Les systèmes naturels et les systèmes techniques	• Je formule des hypothèses, et je les vérifie • Je réalise un croquis de paysage	**Des études de cas au monde**...... p. 208-209 Exercice 3 ...... p. 217
D5 Les représentations du monde et l'activité humaine	• Je sais établir des liens entre l'espace et l'organisation d'une société • Je décris un paysage de haute montagne • Je connais les menaces qui pèsent sur la biodiversité	Étude de cas...... p. 200-201 Étude de cas...... p. 204-205 Exercice 1 ...... p. 216 Exercice 2 ...... p. 216

L'art des Aborigènes du désert australien

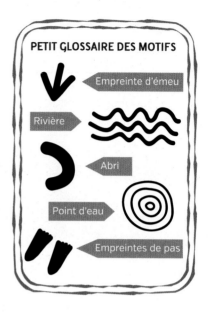

PETIT GLOSSAIRE DES MOTIFS

Empreinte d'émeu

Rivière

Abri

Point d'eau

Empreintes de pas

1 **Serpent et émeu**

La peinture aborigène est un art développé au cœur du désert australien.
Acrylique sur écorce de bois de Nym Buunduc (1900-1974).

mémo ART

▶ Ces peintures représentent souvent des **paysages**, peints comme s'ils étaient vus du ciel, et les éléments de la nature (sol, ciel, empreintes...) sont évoqués **par des signes :** des points, des traits, des lignes...

▶ Dans les croyances aborigènes, le serpent contrôle l'eau et indique une source d'eau proche.

▶ L'art aborigène est aussi un **art de la trace**, du parcours et de la traque de l'eau en particulier, cet élément vital dans les déserts australiens.

QUESTIONS

Je décris l'œuvre, j'explique le sens

1 Quel animal laisse des empreintes dans le paysage ? Que représente-t-il dans l'art aborigène ?

2 Les empreintes de l'animal tournent autour d'un motif fait de cercles rouges. Que signifient ces cercles ?

3 Que nous apprend la présence du serpent dans ce paysage ?

4 Pourquoi cette œuvre témoigne-t-elle des conditions de vie difficiles dans le désert australien ?

À toi de jouer !

Imagine toi aussi un dessin témoignant de la vie dans un désert froid ! Tu peux utiliser les motifs suivants : trou de pêche, empreintes d'ours, igloo, traces de traîneau, poisson...

Le réchauffement climatique et les pôles

CONSIGNE

Pour approfondir la découverte des modes de vie dans les espaces contraignants, tu dois préparer un exposé qui réponde à cette question : **Quelles sont les conséquences du réchauffement climatique pour les habitants des régions polaires ?** Pour cela, tu décides d'effectuer des recherches sur internet.

http://www.cnrs.fr/cw/dossiers/dospoles

CLIMAT
une enquête aux pôles

Pourquoi se rendre aux pôles pour y étudier le climat ?
Comment les recherches s'y organisent-elles ?
Quels sont les domaines scientifiques concernés ?
Comment vit-on aux pôles ?

Autant de questions auxquelles cette animation donne des éléments de réponse, de façon vivante et ludique, à travers de nombreux films, photos, interviews et textes.

ENTRER

ANR · Année · saga science · CNRS

EMI

Attention, internet est un outil très utile, mais qui peut réserver des pièges ! Grâce à cette activité, tu vas apprendre à l'utiliser correctement.

Étape 1 Puis-je faire confiance au site consulté ?

1 Un ami vient de t'envoyer un lien pour t'aider à réaliser ton exposé, tu décides d'aller voir ça d'un peu plus près.

Rends-toi sur le site indiqué ci-dessus.

2 Avant d'utiliser les informations de ce site, il est nécessaire d'enquêter en se posant les bonnes questions : qui sont les auteurs du site ? Peut-on leur faire confiance ?

Dès la page d'accueil, mène ton enquête et relève deux indices qui prouvent que l'information a été publiée par des spécialistes.

Étape 2 L'information correspond-elle à ce que je recherche ?

3 Que recherches-tu ? Si le site dans son entier est passionnant, il ne faut pas oublier que le thème de ton exposé porte sur les conséquences du réchauffement climatique pour les habitants.

Parcours le site pour trouver des informations sur ce sujet précis.

4 Lis attentivement les documents, puis recopie et complète ce tableau :

	Quelles sont les conséquences du réchauffement climatique pour les habitants des régions polaires ?	
Populations arctiques		
Bouleversement des modes de vie		
Disparition d'un patrimoine culturel		

5 Finalement, les informations de ce site étaient-elles de confiance et bien adaptées au sujet de l'exposé ? Peux-tu conseiller ce site à d'autres amis et leur envoyer l'adresse ?

Habiter un espace agricole de faible densité

→ Comment habite-t-on les espaces agricoles faiblement peuplés ?

1 **Culture du maïs en Arabie Saoudite**

À 75 km au sud de Riyad, capitale du royaume d'Arabie Saoudite, le maïs, très gourmand en eau, ne peut être cultivé que grâce à un système d'irrigation sophistiqué et coûteux.

Le sais-tu ?

L'Irlande est un pays rural de faible densité qui ne compte que 4,6 millions d'habitants. On y croise tellement de moutons qu'il existe une légende selon laquelle il y aurait plus de moutons que d'habitants... C'est faux ! puisqu'on recense 3,3 millions de moutons !

2 **Une ferme abandonnée en Irlande**

Certaines régions rurales peu peuplées des pays riches, à vocation agricole perdent des habitants. Vieillissement et disparitions d'activités sont des enjeux pour ces territoires.
Comté de Kerry, Irlande, 2015.

SOCLE Compétences
▶ **Domaine 5 :** je sais établir des liens entre l'espace et l'organisation d'une société.
▶ **Domaine 1 :** je décris et je m'exprime à l'oral de façon claire et argumentée.

Habiter les Grandes Plaines aux États-Unis

Question clé Comment les femmes et les hommes habitent-ils dans les Grandes Plaines ?

Grandes
plaines
États-Unis

A Un espace faiblement peuplé

1 Josh raconte...

Josh, 22 ans,
étudiant dans
l'Iowa depuis 2 ans.

❝ Je me suis vite rendu compte que l'Iowa est un État agricole, surtout connu pour sa production de maïs. Le paysage est assez plat : l'Iowa fait partie de la région des Grandes Plaines, région historiquement peuplée par des tribus indiennes.

Mais je tiens à préciser que oui, il y a des gens dans l'Iowa : on est 3 millions ! Et oui, aussi, ça peut paraître un endroit ennuyeux, mais c'est un endroit où il fait bon vivre. On y trouve de nombreuses fermes et leurs fameuses *barns* (granges), où j'ai eu la chance de découvrir la *barn dance*, une sorte de bal de campagne très célèbre. On trouve toujours des choses à faire, des forêts où aller se balader, des restaurants à essayer, des musées à visiter... ❞

■ D'après des témoignages publiés par la Fulbright Commission, 2013.

CHIFFRES CLÉS

➡ **L'agriculture** emploie **2 %** **des travailleurs américains**.

➡ **1er rang mondial** pour la production de **maïs** et de **soja**.

➡ **L'Iowa** compte **20 habitants par km²**, le **Montana 2,6 hab./km²**. **(États-Unis : 35 hab./km²)**

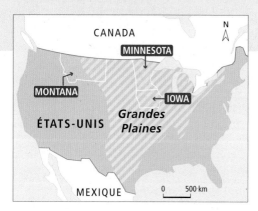

CANADA
MINNESOTA
MONTANA
IOWA
ÉTATS-UNIS *Grandes Plaines*
N
MEXIQUE   0   500 km

2 **Une ferme isolée dans un paysage d'*openfield*, Montana**
L'agriculture céréalière est très mécanisée, ce qui permet à très peu d'agriculteurs de cultiver d'immenses parcelles.

VOCABULAIRE

▸ ***Openfield***
Mot anglais signifiant « champ ouvert » et désignant un paysage agricole de grandes parcelles non délimitées par des haies ou clôtures.

FARGO, 45 km
113 000 hab.

FELTON

160 Ave N

140 St N

0   100 m

- ❶ Garage
- ❷ Entreprise de services informatiques agricoles
- ❸ Poste
- ❹ Bar-restaurant
- ❺ Chambre d'hôte
- ❻ Stations-service
- ❼ Café
- ❽ Supérette
- ❾ Coopérative agricole

160 Ave N

FELTON
180 hab.
voir zoom

70 St N

140 St N

Felton Creek

- ▦ Fermes, bâtiments d'une exploitation agricole (maisons, hangars, silos)
- ▬ Routes
- ▭ Pistes de graviers

N
0   1 km

3 Image satellite de l'espace agricole autour de Felton, Minnesota

Au XIXᵉ siècle, les Grandes Plaines ont été découpées en lots de forme géométrique. Ce découpage est encore visible dans le paysage aujourd'hui.

4 Alexa raconte...

Alexa, 15 ans, habite à Felton.

« J'habite à Felton, mais mon école est dans la grande ville de Fargo.

Avec ma sœur, nous prenons le bus de ramassage scolaire. Nous sommes les premières des 77 élèves à monter dedans.

Le trajet dure près d'une heure, sur les routes de gravier qui filent à travers les champs de maïs, de soja et de betterave à sucre.

Depuis que j'ai 3 ans, la première heure de ma journée d'école est consacrée aux trajets en bus... Parfois c'est agréable et calme, mais parfois cela peut être assez ennuyeux et long. Je passe la plupart du temps à dessiner, écrire et lire. »

▪ D'après H. Schmidt, *Inforum*, 5 octobre 2014.

Activités

Question clé — **Comment les femmes et les hommes habitent-ils les Grandes Plaines ?**

ITINÉRAIRE 1

▸ **Je comprends le sens général des documents**

❶ Localise et situe les Grandes Plaines.

❷ **Doc 2 et 3.** Décris le paysage. Pourquoi peut-on dire que cet espace est faiblement peuplé ?

❸ **Doc 3.** Relève les activités proposées à Felton.

❹ **Doc 3 et 4.** Combien de temps Alexa met-elle pour se rendre à l'école ? Quel transport utilise-t-elle ?

❺ **Doc 1.** Explique ce que veut dire Josh quand il affirme que « *ça peut paraître un endroit ennuyeux* ».

ou

ITINÉRAIRE 2

▸ **Je complète un schéma (étape 1)**

Recopie ce schéma, puis commence à le compléter pour répondre à la question clé.

Vivre dans un espace agricole → Doc 2, 3, 4		Se déplacer → Doc 3 et 4
	Habiter les Grandes Plaines aujourd'hui, c'est...	
Pratiquer des activités → Doc 1 à 4		Vivre ensemble dans un espace de faible densité → Doc 1 et 3

B Un mode de vie centré sur l'agriculture

5 Des *farmers* connectés au monde

Parfaitement intégrée aux échanges mondiaux, la région des Grandes Plaines exporte de vastes quantités de maïs vers l'Asie, l'Amérique du Sud, l'Afrique et vers l'Europe. Le temps des fermiers cultivant leur terre du matin au soir est bel et bien terminé. Les agriculteurs sont des entrepreneurs connectés à la Bourse de Chicago qui fixe le prix du grain quotidiennement. Les cultures sont surveillées par ordinateurs, de manière à ce que les bénéfices de la récolte soient les plus importants. S'organise ainsi une économie complexe faisant vivre toute une région, des vendeurs d'équipements agricoles aux entreprises agroalimentaires[1].

■ D'après Guillaume Poiret, « États-Unis/Canada, regards croisés », *Documentation photographique* n° 8092, mars-avril 2013.

1. Entreprises qui transforment des produits agricoles en produits alimentaires prêts à consommer.

6 Mécanisation et grandes surfaces cultivées

Dans l'Iowa, fils, père et grand-père d'une même famille s'accordent une pause pendant la moisson du maïs (2012).

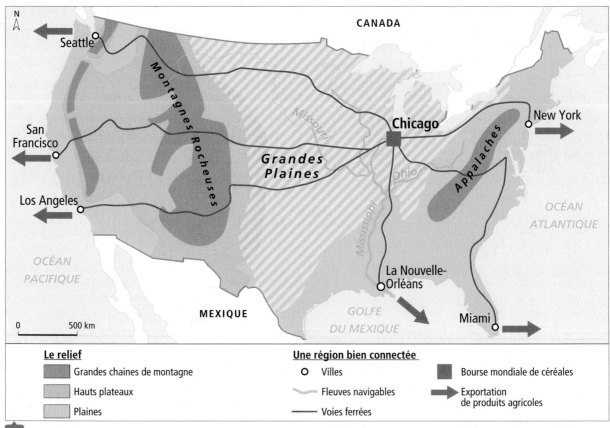

Le relief
- Grandes chaines de montagne
- Hauts plateaux
- Plaines

Une région bien connectée
- ○ Villes
- ～ Fleuves navigables
- — Voies ferrées
- ■ Bourse mondiale de céréales
- ➡ Exportation de produits agricoles

7 Les Grandes Plaines, un espace agricole bien relié aux villes et au monde

8 Jane raconte...

Jane Driscoll, 48 ans, exploitante à Mechanicsville (Iowa).

« Avec mes deux fils, nous cultivons 330 hectares de maïs et 240 de soja. Nous élevons 5 500 porcs par an, que nous vendons au marché des produits agricoles de Chicago. Je suis propriétaire d'un tiers de l'exploitation et je loue le reste des terres à deux propriétaires. Ici, il n'y a pas que le prix des céréales qui flambe. Le prix de la terre augmente[1]. À Lane Haven Farm, près de la ville de Waterloo, le prix de l'hectare a augmenté de 20 % en deux ans. Ça ne facilite pas l'agrandissement ou l'installation de jeunes. C'est un problème préoccupant car, dans l'Iowa comme dans l'Illinois, l'âge moyen des exploitants est de 55 ans. »

■ D'après M.-H. Vincent, *Réussir Grandes Cultures*, 7 décembre 2007.

1. Les terrains sont plus chers à mesure qu'on se rapproche des villes. Les terres agricoles sont recherchées pour construire et étaler les villes.

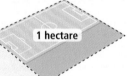

1 hectare = 1,5 terrain de football

1 hectare

9 *Iowa State Fair*, une grande foire agricole dans la ville de Des Moines (2015)

Une des nombreuses activités proposées à la foire agricole de l'Iowa : un concours traditionnel de danse des tracteurs.

Activités

Question clé — **Comment les femmes et les hommes habitent-ils dans les Grandes Plaines ?**

ITINÉRAIRE 1

▶ Je comprends le sens général des documents

❻ **Doc 5, 6 et 8.** Décris l'activité principale des habitants des Grandes Plaines.

❼ **Doc 5, 7 et 8.** Pourquoi peut-on affirmer que les agriculteurs travaillent de façon moderne en étant bien reliés aux villes et au monde ?

❽ **Doc 8 et 9.** À quelle occasion et pourquoi les habitants se rendent-ils en ville ?

▶ Je m'exprime à l'oral

❾ Prépare un exposé oral pour répondre à la question clé. Présente ton texte en quatre parties :
1. Vivre dans un espace agricole
2. Travailler, développer des activités
3. Se déplacer 4. Vivre ensemble.

ou ITINÉRAIRE 2

▶ Je complète un schéma (étape 2)

À l'aide des documents 5 à 9, termine de compléter le schéma pour répondre à la question clé.

Vivre dans un espace agricole → Doc 5 à 8

Se déplacer → Doc 7

Habiter les Grandes Plaines aujourd'hui, c'est...

Pratiquer des activités → Docs à 9

Vivre ensemble dans un espace de faible densité → Doc 6, 8 et 9

Étude de cas — TÂCHE COMPLEXE

SOCLE Compétences
- **Domaine 2** : je sais travailler en équipe.
- **Domaine 5** : je sais établir des liens entre l'espace et l'organisation d'une société.

Habiter un espace agricole faiblement peuplé à Madagascar

AFRIQUE

Madagascar

CONSIGNE

LA FAO, « Organisation des Nations unies pour l'alimentation et l'agriculture » souhaite ouvrir sur son site internet une rubrique pour les enfants, et c'est à ta classe qu'est confiée la tâche de rédiger le premier rapport qui sera bientôt en ligne.

Ensemble, vous devez enquêter sur la manière dont on habite un espace faiblement peuplé dans le Sud-Ouest de l'île de Madagascar.

CHIFFRES CLÉS

Le plateau de Mahafaly (Madagascar)

➡ **247 000 habitants**.

➡ **14,1 habitants/km²**.

➡ Climat **aride** (- de 550 mm de pluie par an).

➡ **78 %** de la population est **très pauvre**.

1 Émile raconte...

Émile Jean, 42 ans, paysan.

« Mon village se situe dans le sud de Madagascar. Je cultive du maïs et des légumes et j'élève deux ou trois zébus[1]. La moitié de la récolte sert à nous nourrir et je vends le reste. Il y a quelques années, nous avons perdu une partie de la récolte de manioc[2] à cause du manque de pluie. Il y a aussi beaucoup plus d'insectes. Nous avions l'habitude de planter même pendant la saison sèche, ce qui nous permettait d'éviter le manque de nourriture entre les saisons pluvieuses. Maintenant, ce n'est plus possible. Autrefois, il pleuvait abondamment au mois de janvier ; aujourd'hui, il n'y a plus une goutte de pluie. Je suis vraiment angoissé par la sécheresse qui dure. J'ai tellement peur de la famine. »

■ *Témoignages de Madagascar. Changement climatique et modes de vie ruraux*, WWF, 2011.

1. Bœuf africain à longues cornes.
2. Arbuste dont on consomme les racines.

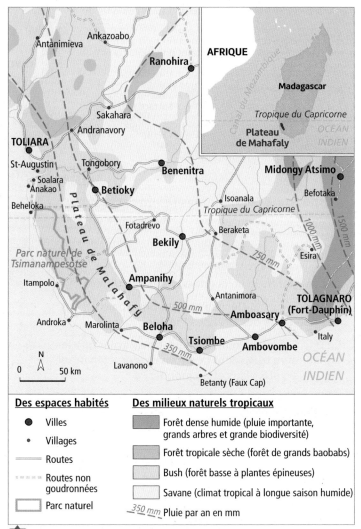

Des espaces habités
- ● Villes
- · Villages
- ── Routes
- ---- Routes non goudronnées
- ▭ Parc naturel

Des milieux naturels tropicaux
- Forêt dense humide (pluie importante, grands arbres et grande biodiversité)
- Forêt tropicale sèche (forêt de grands baobabs)
- Bush (forêt basse à plantes épineuses)
- Savane (climat tropical à longue saison humide)
- *350 mm* Pluie par an en mm

2 Un espace rural peu habité

3 **Un village de huttes traditionnelles**

Dans cette région au climat aride, les hameaux sont dispersés. Les habitants vivent sans confort (pas d'électricité, eau potable limitée).

4 **Désertification et départ des populations**

Sur le plateau de Mahafaly, le climat est aride et la saison des pluies est courte. Le vent, très fort, dessèche les plantes et contribue à la désertification, tout comme la destruction de la forêt, les feux de brousse ou le surpâturage.

Devant une telle situation, les populations s'expatrient et on voit des travailleurs mahafaly dans le nord et dans l'ouest. Il faut de l'argent pour faire vivre la famille restée au pays. Peut-être n'y a-t-il pas lieu de trop s'inquiéter, le Mahafaly qui a émigré est un homme qui a vu ce qui se passe ailleurs. Il est à son retour un élément moteur du progrès...

■ P. Ravalitera, « Madagascar : les grands problèmes socio-économiques du Sud », *L'Express de Madagascar*, 19 janvier 2016.

5 **Se déplacer pour vendre sur les marchés**

Les habitants se rendent sur les marchés afin de vendre une partie de leur récolte.

6 **Une agriculture vivrière traditionnelle**

Au moment de la saison des pluies, toute la famille sème les futures récoltes pour se nourrir.

COUP DE POUCE

Pour vous aider à préparer votre rapport, reprenez le modèle du schéma « Habiter Les Grandes Plaines américaines » p. 225, puis complétez-le à l'aide des documents.

- Vivre dans un espace agricole → **Doc. 1, 2 et 6**
- Pratiquer des activités (emplois, achats, loisirs) → **Doc. 1, 5 et 6**
- Se déplacer → **Doc. 2, 4 et 5**
- Vivre avec les autres dans un espace de faible densité → **Doc. 2, 3 et 6**

Des études de cas...

SOCLE Compétences

▶ **Domaine 4 :** je formule des hypothèses et je les vérifie.

Que veut dire habiter un espace agricole de faible densité ?

MISE EN PERSPECTIVE

ÉTAPE 1

Je compare les Grandes Plaines et le Sud de Madagascar

A Recopie le tableau suivant sur ton cahier.

site élève ⬇ tableau à compléter

	Les Grandes Plaines	Madagascar
Vivre dans un espace agricole		
Pratiquer des activités (emplois, achats, loisirs...)		
Se déplacer		
Vivre avec les autres dans un espace de faible densité		

B D'après ce que tu as découvert de la vie dans les Grandes Plaines américaines et dans le Sud de Madagascar, remplis le tableau avec les expressions proposées ci-dessous. Attention, tu n'as le droit d'utiliser que 8 expressions (une par case) : choisis-les bien pour qu'elles résument le mieux possible la vie dans le (ou les) espace(s) que tu as étudié(s).

- **Vivre dans un espace agricole**
Huttes / fortes densités / paysages monotones / petits villages / immeubles / grandes fermes isolées / champs à perte de vue / faible densité.

- **Pratiquer des activités (emplois, achats, loisirs...)**
Nombreux commerces / agriculture intensive et commerciale / activités peu variées / agriculture vivrière / produire pour soi / produire pour les autres.

- **Se déplacer**
Connexion au monde / bus / réseau routier insuffisant / pistes / voitures / isolement / charrettes / longs trajets / proximité / liens avec la ville.

- **Vivre avec les autres dans un espace de faible densité**
Marchés / vie de village / vieillissement de la population / partage autour de l'agriculture / grande diversité de population / départ des jeunes / foires / territoires en difficulté / entraide.

ÉTAPE 2

J'en déduis des hypothèses

C À l'aide du tableau, choisis ci-dessous les deux hypothèses qui te semblent le mieux compléter chacune des phrases suivantes.

> Une hypothèse est une proposition que l'on énonce sur un fait, sans dire si elle est vraie ou fausse, et qu'il faudra ensuite vérifier.

1. De manière générale, habiter un espace agricole faiblement peuplé dans un pays du Nord, c'est plutôt...

2. De manière générale, habiter un espace agricole faiblement peuplé dans un pays du Sud, c'est plutôt...

- Loger sur son lieu de travail dans une habitation entourée de champs cultivés.
- Toujours bénéficier de très bonnes conditions de vie.
- Travailler pour nourrir sa famille, pratiquer une agriculture vivrière.
- Vivre dans un espace densément peuplé.
- Souffrir de l'isolement, des problèmes de déplacement, jusqu'à quitter ces espaces.
- Travailler pour vendre, pratiquer une agriculture à fort rendement, très connectée au reste du monde.

ÉTAPE 3

Je vérifie si mes hypothèses sont justes

Nous savons que **l'Islande** (doc 1), **le Mali** (doc 2) et **l'Australie** (doc 3) sont situés dans des espaces agricoles faiblement peuplés (voir carte p. 231).

D Observe les photographies 1 à 3 ci-dessous.

❶ Indique à quelle(s) hypothèse(s) retenue(s) dans l'étape 2 correspond chaque photographie.

❷ Toutes les hypothèses sont-elles validées ? Justifie ta réponse.

Islande

Mali

Australie

1 Des fermes et des champs cultivés au sud de l'Islande, 2013

2 Villageois travaillant dans des champs de mil, Mali, 2014

3 Récolte du blé en Australie, 2015

Les espaces à vocation agricole

➡ **47 %** de la population mondiale est **rurale**.

➡ **38 %** des terres dans le monde sont dédiées à **l'agriculture**.

➡ **20 %** des travailleurs dans le monde sont **agriculteurs**.

QUESTIONS

▶ Je me situe dans l'espace

❶ Quelle forme d'agriculture est pratiquée dans les Grandes Plaines américaines ? Cite une autre région du monde où l'on pratique beaucoup cette forme d'agriculture. Ces deux exemples font-ils partie des pays riches ou des pays pauvres ?

❷ Quelle forme d'agriculture est pratiquée à Madagascar ? Cite une autre région du monde où l'on retrouve beaucoup cette forme d'agriculture. Ces deux exemples font-ils partie des pays riches ou des pays pauvres ?

❸ Quel lien peut-on établir entre le développement des pays et le type d'agriculture ?

Un monde habité → chap. 14

Le chapitre 14 peut être traité « de manière filée tout au long de l'année » (B.O.)

❹ À l'aide de la carte p. 210, indique à quels milieux naturels correspondent les espaces où l'agriculture est peu ou pas existante.

❺ Quelle forme d'agriculture retrouve-t-on dans les régions situées sous l'équateur ?

❻ Quel type d'agriculture est pratiqué en Chine, en Inde et en Europe ?

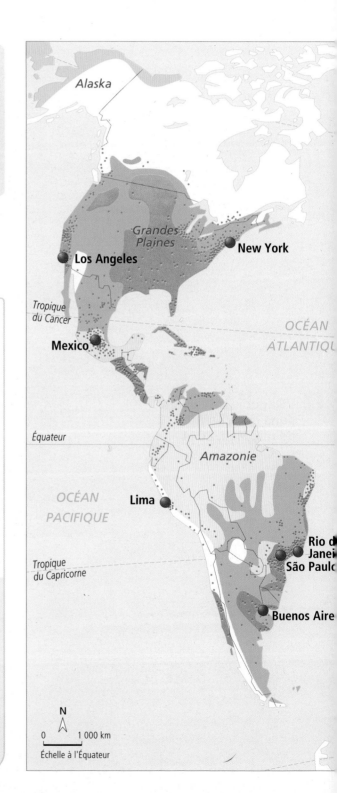

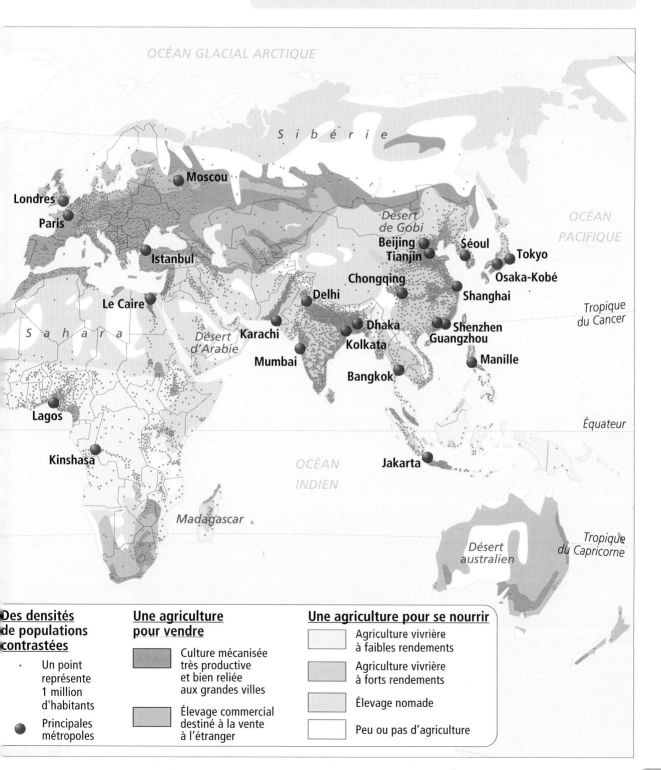

Des densités de populations contrastées

· Un point représente 1 million d'habitants

● Principales métropoles

Une agriculture pour vendre

■ Culture mécanisée très productive et bien reliée aux grandes villes

■ Élevage commercial destiné à la vente à l'étranger

Une agriculture pour se nourrir

Agriculture vivrière à faibles rendements

Agriculture vivrière à forts rendements

Élevage nomade

Peu ou pas d'agriculture

Habiter un espace agricole de faible densité

➡️ **Comment habite-t-on les espaces agricoles faiblement peuplés ?**

🅐 Dans les campagnes peu peuplées des pays riches

1. Dans les pays riches, les agriculteurs ont développé une **agriculture productiviste**. Les productions sont **destinées à la vente**. Dans les grandes exploitations, les **techniques** utilisées sont **modernes**, **innovantes**, et les **rendements élevés** comme dans les Grandes Plaines des États-Unis.

2. Ces espaces faiblement peuplés peuvent être **isolés**, mais **les moyens de transport** donnent accès à certains services ou loisirs présents dans les villes. Cependant, les distances sont importantes pour profiter des services essentiels comme l'école ou les hôpitaux. Les **nouvelles technologies** permettent néanmoins d'être relié au monde.

3. Les espaces agricoles proches des villes sont gagnés par des **populations nouvelles et urbaines** : le prix des terres augmente et les villes s'étalent, comme aux États-Unis. Certains espaces agricoles, trop éloignés du dynamisme des villes, **perdent des habitants et des activités** : ils sont alors en **déprise**, la population est **vieillissante**.

🅑 Dans les campagnes peu peuplées des pays pauvres

1. Pour nourrir leur famille, les agriculteurs pratiquent une **agriculture vivrière** dans de **petites exploitations**. Comme à Madagascar, le travail est essentiellement **manuel** et les **rendements faibles**. Mais certains espaces des pays pauvres développent une **agriculture commerciale** : culture du coton ou du cacao en Côte-d'Ivoire par exemple.

2. La vie s'organise autour du village, où les formes d'entraide sont nombreuses, notamment pour répondre au manque de services. **La mauvaise qualité des transports** renforce **l'isolement** de ces espaces agricoles et complique les déplacements.

3. Quand les conditions de vie sont trop difficiles, certains agriculteurs, en particulier les jeunes, quittent les campagnes pour aller vers la ville et changer d'activité : c'est l'**exode rural**. La ville est aussi un lieu où les habitants **vendent une partie de leur production**, font des achats et accèdent à certains services ou équipements. Les risques **d'érosion des sols**, la déforestation et la **désertification** sont des menaces qui fragilisent la vie dans ces espaces.

CHIFFRES CLÉS

➡️ Dans les **pays plus pauvres d'Afrique**, **90 %** de la **population** rurale n'a **pas accès à l'électricité.**

➡️ **Plus de 50 %** de la production agricole de la **planète** est fournie par **moins de 10 %** des **paysans mondiaux**.

➡️ Utilisation des engrais : **257 kg par hectare** de maïs aux **Etats-Unis**, **12 kg** en **Tanzanie**.

VOCABULAIRE

▸ **Agriculture productiviste**
Agriculture mécanisée et intensive (engrais, pesticides, semences sélectionnées) qui obtient de grandes productions destinées au commerce et à l'exportation.

▸ **Agriculture vivrière**
Agriculture destinée à nourrir la famille : petites exploitations, travail essentiellement manuel, peu de moyens techniques, récoltes faibles.

▸ **Déprise**
Abandon progressif de l'activité d'agriculture ou d'élevage.

▸ **Désertification**
Transformation des terres cultivables en désert

▸ **Exode rural**
Départ des habitants des campagnes vers les villes.

▸ **Rendement**
Production obtenue sur une surface donnée.

Se loger, résider

- Habiter dans **un village** ou dans **une ferme** isolés, entourés de champs cultivés.
- Habiter **près de son lieu de travail**, mais **loin des villes**.
- **Manquer d'équipements**, de services et de confort dans les pays les plus pauvres.

Se déplacer

- **Déplacements par la route**, axe majeur pour être relié aux villes.
- Déplacements nécessaires en ville pour de nombreux services.
- Des espaces qu'on cherche parfois à quitter : **exode rural**.

Habiter un espace de faible densité à vocation agricole, c'est…

Pratiquer des activités

- **Être agriculteur** et pratiquer une **agriculture vivrière** et/ou **commerciale** dans les pays pauvres.
- Être agriculteur et pratiquer une agriculture à **forts rendements** dans les pays riches.
- Chercher de nouvelles façons de pratiquer l'agriculture et de diversifier ses activités.

Vivre avec les autres

- Des espaces marqués par **l'isolement**.
- Se retrouver pour **les loisirs, les fêtes**.
- Des échanges facilités par les **nouvelles technologies**.

Je révise chez moi

● **Je vérifie que je connais les principaux repères du chapitre.**

Je sais définir et utiliser dans une phrase :

▶ agriculture vivrière
▶ agriculture productiviste
▶ désertification
▶ déprise
▶ exode rural

Je sais situer sur un planisphère :

▶ **les deux espaces agricoles étudiés**, les Grandes Plaines américaines et le Sud de Madagascar.
▶ **d'autres espaces faiblement** peuplés à vocation agricole.

site élève
⤓ planisphère

Je sais expliquer :

▶ comment on habite un espace faiblement peuplé à vocation agricole dans un pays développé.
▶ comment on habite un espace faiblement peuplé à vocation agricole et dans un pays en développement.
▶ les difficultés que rencontrent certains agriculteurs dans ces espaces.

Apprendre à apprendre

Comment apprendre ma leçon ?

Je révise en équipe

Travailler en équipe, c'est pouvoir s'encourager les uns les autres et s'entraîner en se posant des questions.

▶ ## Étape 1

- Ensemble, révisez la leçon et dégagez ce qu'il faut retenir.

> Vous pouvez aussi vous répartir les parties du chapitre à apprendre, puis les expliquer aux autres.

▶ ## Étape 2

- **Organisez des défis**
  Faites deux groupes. Chaque groupe prépare des questions sur le thème du chapitre et les pose au groupe adverse.
  Chaque question rapporte des points en fonction de la qualité des réponses.
  Il faut vous mettre d'accord sur le nombre de questions à poser
  (2 questions faciles, 3 de compréhension et 1 de synthèse...).

- Reproduisez le tableau ci-dessous, puis à vous de jouer !

site élève
⬇ tableau à imprimer

Niveau de difficulté	Exemples de question	Aïe ! 😞 0 point	À revoir 😐 1 point	Bien 🙂 2 points	Bravo 😃 3 points
NIVEAU 1 Questions simples sur des connaissances précises	• Citez un exemple d'espace agricole de faible densité dans un pays riche.				
NIVEAU 2 Questions de compréhension (Les points comptent double)	• Quelles sont les différences entre une agriculture vivrière et productiviste ? • Comment se déplace-t-on dans les espaces agricoles de faibles densités ? • Que deviennent les espaces agricoles proches des villes dans les pays riches ?				
NIVEAU 3 Questions de synthèse (Les points comptent triple)	• Comment vit-on dans les campagnes peu peuplées des pays riches ? • Comment vit-on dans les campagnes peu peuplées des pays pauvres ?				

- Après le défi, faites le point sur les parties du cours qui ne sont pas encore maîtrisées, puis posez-vous à nouveau des questions.

> N'hésite pas à questionner tes camarades si tu ne comprends pas quelque chose.

Je vérifie mes connaissances

1 **J'associe chaque image à une définition.**

1. Agriculture vivrière : agriculture destinée à la consommation des paysans qui la produisent.

2. Agriculture productiviste : agriculture qui produit beaucoup grâce à l'utilisation d'engrais ou de machines.

3. Déprise : abandon progressif de l'activité d'agriculture ou d'élevage.

a. Moisson dans un champ de blé en Normandie, France, 2012.

b. Ouganda, 2014.

c. Maison abandonnée, Irlande, 2014.

2 **Qui suis-je ?**

a. Associe à chaque portrait l'un des habitants de la liste ci-dessous.

Un habitant d'un village à Madagascar – un habitant des Grandes Plaines aux États-Unis d'Amérique – un habitant d'Amazonie au Brésil – un habitant d'un village du Massif central en France.

❶
J'habite une grande ferme isolée. Mes parents ont une très grande exploitation près de la forêt équatoriale dans laquelle ils cultivent des céréales.

❷
J'habite avec mes parents dans une ferme isolée. Mon père est éleveur de chèvres. Nous fabriquons du fromage. Mais, depuis quelques années, nous accueillons pendant les vacances des touristes dans une dépendance que nous avons aménagée.

❸
J'habite dans un village avec ma famille. Nous cultivons des céréales pour nous nourrir et vendre sur le marché, et nous élevons quelques zébus.

b. À toi de construire la devinette pour l'habitant qui n'a pas son portrait.

3 **Aide cet élève à améliorer son devoir.**

Recopie sur ton cahier chacune des phrases en cherchant dans le chapitre que tu as étudié un complément d'information (un exemple, une définition, un lieu).

a. Les hommes et les femmes qui y habitent sont en majorité des agriculteurs.

b. Dans les pays développés, les techniques modernes permettent de forts rendements pour l'agriculture.

c. Dans les pays pauvres, les habitants cultivent de quoi se nourrir et vont parfois vendre.

d. Les habitants des espaces peu peuplés à vocation agricole souffrent de l'isolement.

e. Les habitants ont des défis à relever dans le domaine de l'agriculture pour respecter l'environnement et produire assez pour nourrir la planète.

4 **Retrouve d'autres exercices sous forme interactive sur le site Nathan.**

site élève
⬇ exercices interactifs

Exercices

1 Je comprends un document numérique sur « la muraille verte d'Afrique »

↳ **SOCLE** : Domaine 2

www.fao.org/resources/photos/building-the-african-wall-piece-by-piece/fr/

| À propos | En action | Pays | Thèmes | Médias | Publications | Statistiques | Partenaires |

Accueil > Ressources > Photographies > Bâtir la muraille d'Afrique, pièce par pièce

Envoyer   Imprimer

Bâtir la muraille verte d'Afrique, pièce par pièce

Adoptée en 2007 par les Chefs d'État et de gouvernement africains, l'Initiative de la Grande Muraille Verte pour le Sahara et le Sahel (Projet GCP/INT/120/EC) vise à répondre aux effets préjudiciables d'ordre social, économique et environnemental de la dégradation des terres et de la désertification dans la région sahélo-saharienne. Cette initiative soutient les communautés locales dans la gestion et l'utilisation durables de leurs forêts, de leurs parcours et autres ressources naturelles sur terres arides. Elle a aussi pour vocation de contribuer à l'adaptation aux changements climatiques et à l'atténuation de leurs effets. Enfin, cette initiative a pour objectif d'améliorer la sécurité alimentaire et les moyens d'existence des populations du Sahel et du Sahara.

Un exemple du Niger montre que l'initiative panafricaine contre la désertification et la dégradation des terres prend forme.

8 / 14

Rends-toi sur le site de la FAO et tape dans la barre de recherche « Bâtir la muraille verte d'Afrique »

QUESTIONS

❶ D'où est extrait ce document et qui en est l'auteur ?

❷ Quel est le sujet de cette page ?

❸ Selon toi, pourquoi parle-t-on d'une grande muraille verte ?

❹ Que peux-tu en déduire sur le but de cette construction ?

La FAO est l'organisation des Nations unies pour l'alimentation et l'agriculture. Elle lutte contre les inégalités alimentaires dans le monde.

2 Je comprends un document et je raisonne

↳ **SOCLE** : Domaine 1

QUESTIONS

❶ Quel est le sujet de cette affiche ?

❷ À qui s'adresse-t-elle ?

❸ Localise l'espace qui est présenté.

❹ Que proposent les agriculteurs ardéchois ?

❺ Selon toi, quel est le but de cette affiche ?

Affiche du CIVAM Ardèche,
« Centre d'initiatives pour valoriser l'agriculture et le milieu rural », association qui regroupe des agriculteurs et des ruraux.

VOCABULAIRE

▸ **Agritourisme**
Fait de passer ses vacances dans une ferme. Cette forme de tourisme rural permet aux agriculteurs de trouver de nouveaux revenus.

3 J'étudie un paysage rural en Russie

↳ **Socle :** Domaine 4

Récolte des petits pois avant leur conditionnement en boîte de conserve dans une entreprise de la région de Krasnodar, Russie, 2015.

QUESTIONS

▶ **Je situe le paysage étudié**

❶ Où se situe ce paysage ?

▶ **Je décris le paysage**

❷ Combien de plans peut-on distinguer dans ce paysage ?

❸ Qu'observe-t-on dans chaque plan du paysage ?

▶ **J'explique le paysage**

❹ À quel type d'agriculture correspond ce paysage ? Relève deux indices qui te permettent de justifier ta réponse.

MÉTHODE

Décrire, c'est observer, **identifier** puis **dire ce que l'on voit** en s'appuyant sur une lecture attentive de la photographie.

● Comment a été prise la photo ? **Le cadrage** : loin, près. **L'angle de vue** : vue aérienne verticale, vue aérienne oblique, vue au sol.

● Puis décrire **les éléments du paysage** : devant, le 1er plan ; derrière, le 2e plan ; et encore derrière, l'arrière-plan.

MON BILAN DE COMPÉTENCES

Domaines du socle	Compétences travaillées	Pages du chapitre
D1 Les langages pour penser et communiquer	● Je m'exprime à l'oral de façon claire et argumentée ● Je comprends un document et je raisonne	Étude de cas .... p. 222-225 Exercice 2 .... p. 236
D2 Méthodes et outils pour apprendre	● Je sais travailler en équipe ● J'organise mon travail personnel ● Je comprends un document numérique	Étude de cas .... p. 226-227 Apprendre à apprendre p. 234 Exercice 1 .... p. 236
D3 La formation de la personne et du citoyen	● J'exprime ma sensibilité et mes opinions en respectant des autres	Parcours citoyen .... p. 238
D4 Les systèmes naturels et les systèmes techniques	● Je formule des hypothèses et je les vérifie ● J'étudie un paysage rural	Des études de cas au monde .... p. 228-229 Exercice 3 .... p. 237
D5 Les représentations du monde et l'activité humaine	● Je sais établir des liens entre l'espace et l'organisation d'une société ● Je me repère dans l'espace	Étude de cas .... p. 222-225 Étude de cas .... p. 226-227 Étude de cas .... p. 230-231

Quelle agriculture souhaitons-nous pour nourrir 7 milliards d'hommes ?

DÉBAT

ARGENTINE
LE SOJA DE LA FAIM

1 Extrait d'un documentaire diffusé en 2005

Ce documentaire de Marie-Monique Robin dénonce l'utilisation des OGM en Argentine. En effet, les cultures de soja, coton, ainsi les plantations de maïs sont majoritairement transgéniques en Argentine.

2 Deux autres points de vue sur la question

a. Selon l'Organisation des Nations unies pour l'alimentation et l'agriculture (FAO)

Le soutien aux pays en développement et à leurs secteurs agricoles est essentiel pour atteindre les objectifs mondiaux de lutte contre la faim et nécessite des secteurs agricoles plus durables, notamment des pratiques d'agro-écologie qui associent le développement agricole à la protection de l'environnement et à la biodiversité.

■ Organisation des Nations unies, 1 décembre 2015.

b. Selon les fabricants d'OGM

La majorité des populations des pays en développement vivant en zones rurales, elles dépendent directement de l'agriculture pour leur survie. Pour augmenter la production agricole, il faudra faire appel à toutes les solutions disponibles. Et pour cela, les OGM peuvent apporter de nouvelles solutions.

■ D'après le site OGM.org, Groupement national interprofessionnel des semences et plants.

QUESTIONS

▶ **Je confronte mon point de vue à celui des autres**

❶ Doc 1. Que dénonce ce documentaire ? Comment ?

▶ **J'écoute les autres, j'apprends à formuler et à justifier mon point de vue**

❷ Doc 2. Pourquoi faut-il aider l'agriculture des pays en développement ?

❸ Doc 2. Quels sont les avantages et les risques d'une agriculture qui utilise des OGM ?

▶ **Je fais la liste des arguments et je débats en classe**

❹ Faut-il utiliser les OGM dans l'agriculture pour nourrir 7 milliards d'humains ?

La BD, un regard pour comprendre le monde

La vie au Burkina Faso

Cosey, *Zélie Nord-Sud*,
collection « Signés »,
édition Le Lombard, 1994.

Burkina-Faso, région du Sahel.

Cet album de BD raconte l'histoire du retour au pays natal d'une jeune Burkinabé élevée en Suisse. Cosey, le dessinateur, exprime par son choix de couleurs, jaune et bleu, l'immensité du ciel, la chaleur du Sahel et la sécheresse du sol.
Le style réaliste et la précision documentaire nous immergent aux côtés de Zélie dans la découverte du Burkina Faso.

 **mémo ART**

▶ **La bande dessinée (BD)**

Baptisée **« 9ᵉ art »**, la BD est une histoire racontée en images à l'intérieur desquelles figurent des textes (commentaires et dialogues). Ces derniers, ainsi que certains bruits, sont inscrits dans des **« bulles »**.

▶ **L'organisation**

La planche est composée de **plusieurs bandes de vignettes**. La forme des vignettes peut varier selon le besoin du récit.

▶ **Et ailleurs ?**

Le concept de bande dessinée est appelé *manga* au Japon et *comics* aux États-Unis.

QUESTIONS

J'identifie et je situe l'œuvre d'art

❶ Comment se nomme ce type d'œuvre ?

Je décris l'œuvre et j'en explique le sens

❷ Comment le dessinateur parvient-il à nous faire ressentir la chaleur et la sécheresse ?

Je fais le lien entre l'art et la géographie

❸ Localise et situe ce village (continent, pays).

❹ Que nous apprend cette BD sur la façon d'habiter un village au Burkina Faso (type d'habitat, activités des femmes) ?

13 Habiter les littoraux

→ Pourquoi et comment la population mondiale habite-t-elle de plus en plus sur les littoraux ?

En CM1

J'ai appris à décrire les différentes fonctions des lieux touristiques en France : se loger, travailler, avoir des loisirs.

En CM2

J'ai appris que les femmes et les hommes aménagent et préservent la « nature » pour mieux vivre.

En 6e

En 6e, j'étudie la diversité des modes de vie sur les littoraux et leurs conséquences.

1 Sidney, un port très actif (2013)

Avec près de 5 millions d'habitants, Sydney est la ville la plus peuplée d'Australie. Située au bord de la mer de Tasman, elle est le cœur économique et financier du pays, mais aussi une destination touristique internationale.

Le sais-tu ?

Près de la moitié de la population mondiale habite à moins de 50 km de la mer !

2 **Cancún (Mexique) : un littoral aménagé pour le tourisme (2016)**

En 1970, Cancún était encore un village de pêcheur d'une centaine d'habitants.
Le tourisme a complètement transformé ce littoral mexicain : aujourd'hui, la ville de Cancún
compte 700 000 habitants et elle attire les touristes du monde entier.

Habiter Busan, le plus grand port de Corée du Sud

Question clé Comment les femmes et les hommes habitent–ils ce littoral industriel et portuaire ?

ASIE
**Busan
Corée du Sud**

A Un littoral dynamique et attractif

1 Kwan raconte

Kwan, pêcheur à Busan.

« Je suis pêcheur à Busan. Comme de nombreux habitants, j'habite à côté du port. Notre ville est encerclée par les montagnes, et la place manque. Le port s'étire sur une bande étroite de l'est vers l'ouest où de nombreuses activités portuaires et industrielles s'y concentrent. Notre ville attire également des touristes pour ses plages, ses sources d'eau chaudes, ses réserves naturelles et des événements tels que le célèbre festival international de cinéma qui a lieu chaque automne. »

■ D'après french.visitkorea.or.kr

VOCABULAIRE

▶ **Conteneur**
Grande caisse métallique utilisée pour transporter des marchandises diverses (objets de la vie de tous les jours, produits alimentaires...).

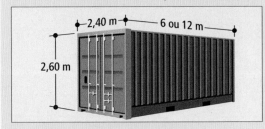

2,40 m — 6 ou 12 m
2,60 m

▶ **Littoral industrialo-portuaire**
Littoral qui concentre des activités portuaires et industrielles.

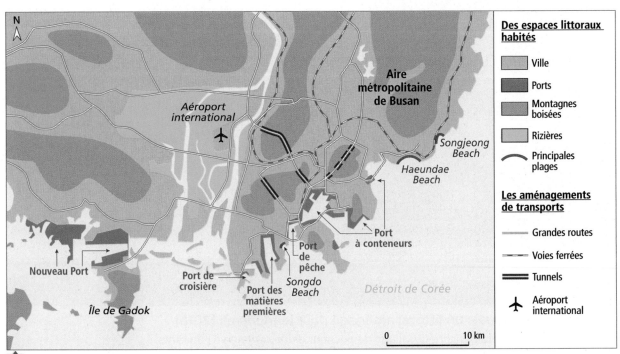

Aéroport international

Aire métropolitaine de Busan

Songjeong Beach

Haeundae Beach

Port à conteneurs

Port de pêche

Songdo Beach

Détroit de Corée

Nouveau Port

Port de croisière

Port des matières premières

Île de Gadok

Des espaces littoraux habités
- Ville
- Ports
- Montagnes boisées
- Rizières
- Principales plages

Les aménagements de transports
- Grandes routes
- Voies ferrées
- Tunnels
- ✈ Aéroport international

0   10 km

2 Le port de Busan

4 Production et exportation de voitures Renault à Busan (2011)

L'usine Renault de Busan produit environ 300 000 véhicules par an, exportés par cargo dans le monde entier. L'usine est construite sur un terre-plein à l'ouest de Busan.

3 Un espace densément occupé

Le littoral de Busan concentre de plus en plus les humains et leurs activités.

Activités

Question clé **Comment les femmes et les hommes habitent-ils ce littoral industriel et portuaire ?**

ITINÉRAIRE 1

➡ **Je comprends le sens général des documents**

❶ **Doc 1.** Où habite Kwan (ville, pays, continent) ?

❷ **Doc 1 à 3.** Relève toutes les informations qui montrent que Busan est un espace densément peuplé.

❸ **Doc 1 à 4.** Quelles activités les habitants de Busan peuvent-ils pratiquer ?

❹ **Doc 2 à 4.** Pourquoi le littoral de Busan attire-t-il les humains et leurs activités ?

ou

ITINÉRAIRE 2

➡ **Je complète un schéma (étape 1)**

À l'aide des documents 1 à 4, commence à compléter ce schéma.

Vivre dans un espace de forte densité
→ Doc 1 à 3

Pratiquer des activités
→ Doc 1 à 4

Habiter le littoral de Busan c'est...

Aménager et transformer l'espace
→ Doc 2 et 3

Préserver, protéger un espace menacé

B Un espace fortement aménagé et fragilisé

5 Des autoroutes aériennes encombrées

La route circulaire qui relie les différents terminaux, notamment l'ancien et le nouveau port, est régulièrement bloquée par les camions du port et les voitures des habitants de la ville.

6 Conflits d'usage et solutions possibles

La croissance très rapide du port (le trafic double en moyenne tous les 5 ans) entraîne des nuisances pour les habitants de Busan.

La coexistence des fonctions portuaires et urbaines dans un espace réduit est de plus en plus difficile : les habitants se plaignent des embouteillages, de la pollution atmosphériques et du bruit.

Pourtant, la baie de Busan se prête bien à l'accueil des navires, mais son utilisation pour l'installation de terminaux modernes se révèle difficile : l'endroit le plus favorable se situerait au fond de la baie, mais là se trouvent déjà les installations les plus anciennes. Les échanges de conteneurs d'un terminal à l'autre nécessitent donc de passer par une route circulaire, qui est aussi une voie urbaine. À terme, la ville portuaire de Busan est menacée d'asphyxie.

Face à ce risque, les autorités coréennes ont défini des projets de grande ampleur, notamment la création d'un nouveau port dans une zone non résidentielle. Ce nouveau port se doit d'être efficace d'un point de vue économique, mais aussi respectueux de l'environnement.

■ D'après A. Frémont et C. Ducruet, *L'Espace géographique*, et le rapport de l'OCDE *Impacts environnementaux de la navigation internationale*, 2010.

> **VOCABULAIRE**
>
> ▶ **Conflit d'usage**
> Opposition entre plusieurs habitants qui défendent leurs intérêts pour l'utilisation d'une ressource ou d'un territoire.
>
> ▶ **Terminal**
> Installation aménagée pour le chargement et déchargement des marchandises (conteneurs, matières premières, hydrocarbures...)

7 Le nouveau port de Busan, un grand projet d'aménagement (2016)

À 25 km de l'ancien port devenu trop petit, le nouveau port de Busan est construit sur un terre-plein artificiel. Aujourd'hui, 23 des 45 nouveaux terminaux à conteneurs prévus pour 2020 sont ouverts.

Espace maritime · Terre-plein artificiel · Littoral urbanisé · Reliefs

Zone industrielle portuaire — Espace habitable limité

Remblais : apports artificiel de terres, roches — Continent

Activités

Question clé Comment les femmes et les hommes habitent-ils ce littoral industriel et portuaire ?

ITINÉRAIRE 1

ou

Je comprends le sens général des documents

5 Doc 5 et 6. À quelles difficultés sont confrontés les habitants du port de Busan ?

6 Doc 6 et 7. Quels aménagements et solutions sont prévus pour y faire face ?

7 Doc 7. Comment le nouveau port de Busan est-il aménagé ?

J'argumente à l'écrit

8 Une revue de géographie souhaite publier un reportage sur la vie des habitants à Busan. Écris cet article, que tu pourras illustrer en choisissant une photographie parmi celles des p. 242 à 245.

ITINÉRAIRE 2

Je complète un schéma (étape 2)

À l'aide des documents 1 à 7, complète ce schéma pour répondre à la question clé.

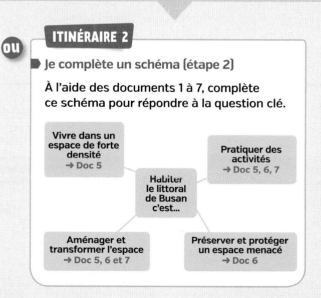

Vivre dans un espace de forte densité → Doc 5

Pratiquer des activités → Doc 5, 6, 7

Habiter le littoral de Busan c'est...

Aménager et transformer l'espace → Doc 5, 6 et 7

Préserver et protéger un espace menacé → Doc 6

Habiter un littoral touristique : l'exemple de l'île Maurice

AFRIQUE

Île Maurice

Question clé Le développement du tourisme a-t-il des conséquences sur la façon dont les Mauriciens habitent leur île ?

A Des habitants et des activités concentrés sur le littoral

1 Nicole raconte...

Nicole, 35 ans, franco-mauricienne

« Dans les années 1980, lorsque le gouvernement mauricien orienta l'avenir économique de l'île Maurice sur le tourisme de masse, Grand Baie n'était encore qu'un petit village côtier. Aujourd'hui, c'est devenu un espace pour se baigner, faire du shopping, mais aussi séjourner. De prestigieux hôtels construits en bordure de mer ont privatisé les plages pour les touristes et ont offert des prestations luxueuses. Toute cette économie à destination des étrangers profite aujourd'hui aussi aux Mauriciens avec des créations d'emplois.

Grand Baie, c'est d'abord un paysage magnifique (sans doute moins qu'avant) où viennent se réfugier les dauphins. C'est un site exceptionnel pour la pratique de la plongée sous-marine. C'est enfin un port de plaisance d'où partent tous les catamarans et les voiliers pour les îles du Nord, qui attirent la curiosité de nombreux touristes. »

■ D'après blog-ile-maurice.com, 2016.

CHIFFRES CLÉS

➡ **1,2 million** d'habitants.

➡ **Superficie :** 1 865 km².

➡ **Densité :** 643 hab./km².

➡ Plus **d'1 million de touristes** (en 2015).

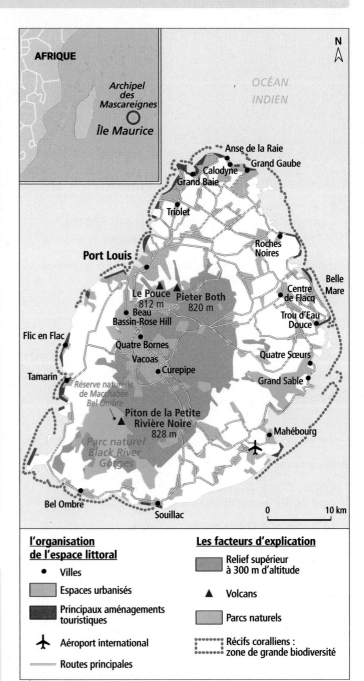

l'organisation de l'espace littoral
- • Villes
- ☐ Espaces urbanisés
- ■ Principaux aménagements touristiques
- ✈ Aéroport international
- — Routes principales

Les facteurs d'explication
- ☐ Relief supérieur à 300 m d'altitude
- ▲ Volcans
- ☐ Parcs naturels
- ⋯ Récifs coralliens : zone de grande biodiversité

2 L'île Maurice, un littoral habité et transformé

3 **Le complexe hôtelier de Paradise Cove (2014)**

Cet hôtel est situé à Calodyne, sur la côte ouest.

Question clé **Le développement du tourisme a-t-il des conséquences sur la façon dont les Mauriciens habitent leur île ?**

4 **Des pêcheurs inquiets**

Les pêcheurs de la région de Calodyne sont mécontents de la poursuite des travaux dans le lagon en vue de la construction de l'hôtel « Les Creolias ». Ils affirment que le comblement de la mer et le dragage[1] de sable dans cette zone nuisent à leurs activités. Stephano, un des pêcheurs, fait remarquer que de nombreux pêcheurs aux casiers viennent ramasser des algues à l'endroit où se tiennent les travaux. « C'est aussi un lieu où les poissons viennent pondre. »

Les pêcheurs ne sont pas contre la construction de l'hôtel, « mais le développement ne doit pas se faire au détriment des autres », laisse entendre son président. « A-t-on pensé à l'impact que ces travaux auront sur l'activité des pêcheurs ? »

■ *Le Mauricien*, 27 mars 2012.

1. Prélèvement des matériaux (roche, sable...) au fond de la mer.

ITINÉRAIRE 1

▶ **Je comprends le sens général des documents**

❶ Sur quelle île habite Nicole ? Localise-la.

❷ Doc 1 à 3. Sur quels atouts l'île Maurice peut-elle compter pour développer le tourisme ?

❸ Doc 1 à 3. Quels sont les aménagements réalisés pour accueillir les touristes ?

❹ Doc 4. Les transformations touristiques du littoral mauricien sont-elles acceptées par tous ? Pourquoi ?

ou

ITINÉRAIRE 2

▶ **Je complète un schéma (étape 1)**

À l'aide des documents de 1 à 4, commence à compléter ce schéma pour répondre à la question clé.

Vivre dans un espace de forte densité
➜ Doc 1 à 4

Habiter le littoral de l'île Maurice, c'est...

Pratiquer des activités
➜ Doc 1 à 4

Aménager et transformer l'espace
➜ Doc 2 à 4

Préserver et protéger un espace menacé

B — Les habitants face à un habitat fragilisé

5 — Un littoral menacé par le changement climatique

Le ministère de l'Environnement souligne que les impacts liés au changement climatique se font déjà sentir à Maurice, notant notamment une hausse accélérée du niveau de la mer de 5,4 mm par an, l'aggravation de l'érosion côtière, l'augmentation de phénomènes climatiques extrêmes (cyclones, tempêtes...).

Suite aux marées de tempête ou à la montée du niveau de la mer du fait des inondations, les éléments suivants sont identifiés à risque : 19 à 30 km² de terres agricoles, 5 à 70 km² d'endroits bâtis, 2,4 à 3 km d'autoroutes, 8 à 19 km de routes principales et 68 à 109 km de routes secondaires.

■ « COP21 – Changement climatique : les enjeux pour Maurice », *Le Mauricien*, 2 décembre 2015.

VOCABULAIRE

▸ **Érosion côtière (ou littorale)**
Destruction des terres en contact avec la mer par des phénomènes naturels (vagues, courants, vents) et/ou d'origine humaine (construction, aménagements). L'érosion côtière se traduit par un recul du littoral.

▸ **Tourisme durable**
Tourisme qui respecte, préserve et met durablement en valeur les ressources d'un territoire pour les touristes.

INFOS

La mangrove est une forêt adaptée au milieu marin qui se développe sur les littoraux tropicaux. Elle peut atteindre 8 mètres de hauteur, accueille une **faune très riche** et **protège les littoraux** contre les inondations et l'érosion.

6 — Reconstitution de la mangrove littorale (2014)

Certains villages côtiers sont l'objet de fortes houles et de raz-de-marée en raison du changement climatique. Pour protéger le littoral, il est nécessaire de reconstituer la mangrove : c'est ce que font les habitants de Grand Sable et Quatre Sœurs.

Mesure n° 1 Tourisme et accessibilité

Favoriser l'accès aux vacances pour tous en développant l'accessibilité des aménagements touristiques (hôtels, plages...).

Mesure n° 2 Tourisme et environnement

Soutenir le développement des offres touristiques liées aux déplacements moins polluants (cyclotourisme, randonnée).

Mesure n° 3 Tourisme et économie

Maintenir et développer l'emploi touristique local, soutenir la création d'entreprises touristiques qui utilisent les ressources locales et respectent les principes du développement durable, créer une bourse nationale pour les projets innovants valorisant le patrimoine local.

■ D'après *Mauritius Travel Guide*, 2016.

7 Des mesures pour un tourisme durable

8 Grand Baie, un village transformé par le tourisme

Grand Baie est l'exemple même du petit village de pêcheurs et d'agriculteurs que rien ne prédestinait à devenir cette vitrine du tourisme mauricien, si ce n'est sans doute cette baie magnifique qui, dès la fin du XIXe siècle, a su charmer la bourgeoisie locale en quête de lieu de vacances. Or, en une quarantaine d'années, le tourisme a bouleversé et reconstruit cet espace, transformant son économie, ses paysages, les modes de vie de sa population et ses mentalités. Cette évolution se traduit par une urbanisation rapide et incontrôlée, grignotant ainsi l'espace intérieur.

■ D'après J.-M. Jauze, « Grand Baie (île Maurice) : côté jardin, côté cour », *Cybergeo : revue européenne de géographie en ligne*, février 2016.

Activités

Question clé Le développement du tourisme a-t-il des conséquences sur la façon dont les Mauriciens habitent leur île ?

ITINÉRAIRE 1

▶ Je comprends le sens général des documents

❺ Doc 5. À quelle nouvelle menace sont aujourd'hui confrontés les Mauriciens ? Quels problèmes cette menace pose-t-elle aux habitants ?

❻ Doc 8. Fais la liste des conséquences du développement touristique de Grand Baie sur la vie des habitants de l'île.

❼ Doc 6 et 7. Quelles solutions sont mises en œuvre par les habitants pour assurer un développement durable du littoral ?

▶ Je m'exprime à l'oral

❽ En vacances sur l'île Maurice, tu téléphones à ton meilleur ami, mais tu ne disposes plus que de 5 mn sur ton forfait ! En binôme avec un camarade de classe, imaginez votre conversation. L'un présente le point de vue du touriste, l'autre celui des habitants de l'île.

ou

ITINÉRAIRE 2

▶ Je complète un schéma (étape 2)

À l'aide des documents de 1 à 9, complète ce tableau pour répondre à la question clé.

Que veut dire habiter un littoral ?

MISE EN PERSPECTIVE

ÉTAPE 1 ▶ Je compare Busan en Corée du Sud et l'Île Maurice

A Recopie le tableau suivant.

site élève
⬇ tableau à compléter

	Busan	Île Maurice
Vivre dans un espace de forte densité		
Pratiquer des activités		
Aménager et transformer		
Préserver et protéger		

B D'après ce que tu as appris de la vie à Busan et à l'île Maurice, remplis le tableau avec les expressions ci-dessous. Attention, une même expression peut correspondre à Busan et à l'île Maurice.

1. Nombreuses activités en lien avec le port, la mer, mais aussi des activités industrielles.
2. Espace densément peuplé, urbanisé, qui attire les populations.
3. Aménagement de logements, d'hôtels, de commerces pour les touristes.
4. Préservation du littoral par des mesures de protection.
5. Aménagement de nouveaux espaces littoraux sur la mer.
6. Nombreuses activités touristiques.

C Entoure dans le tableau les phrases que tu retrouves dans les 2 colonnes.

ÉTAPE 2 ▶ J'en déduis des hypothèses

D À l'aide du tableau, choisis ci-dessous les quatre hypothèses qui te semblent le mieux compléter la phrase suivante.

> Une hypothèse est une idée que l'on propose, sans dire si elle est vraie ou fausse, et qu'il faudra ensuite vérifier.

De manière générale, habiter un littoral, c'est plutôt...
1. Habiter un espace qui attire et concentre les populations.
2. Vivre dans des paysages paradisiaques.
3. Transformer et aménager l'espace littoral.
4. Habiter un lieu fragile, à préserver.
5. Pratiquer exclusivement des activités touristiques liées à la mer.
6. Pratiquer des activités très variées sur un espace limité.

ÉTAPE 3 ▶ Je vérifie si mes hypothèses sont justes

Nous savons que la ville du **Cap** en Afrique du Sud (**doc 1**), État du Massachussets aux États-Unis (**doc 2**), l'île de **Bali** en Indonésie (**doc 3**) et **Blankenberge** en Belgique (**doc 4**) sont situés sur des littoraux (**voir carte p. 252**).

E Observe les photographies 1 à 4 ci-contre.
Indique à quelle(s) hypothèse(s) retenue(s) dans l'étape 2 correspond chaque photographie.

1 ▸ **La ville du Cap (Afrique du Sud), 2012**

2 ▸ **La côte atlantique dans le Massachusetts (États-Unis), 2013.**

L'érosion rapide de la côte menace les maisons construites au bord de la mer.

3 ▸ **Une plage aménagée à Bali (Indonésie), 2015**

En 2015, près de 3 millions de touristes étrangers ont fréquenté les plages de l'île de Bali.

4 ▸ **Le littoral à Blankenberge en Belgique, 2015**

Derrière la plage, on distingue les grues du port de Zeebrugge.

Les littoraux dans le monde

➡ **2 personnes sur 3** dans le monde habitent à **moins de 100 km d'une côte**.

➡ **7 des 10 plus grandes métropoles mondiales** sont situées sur un **littoral**.

➡ **80 %** **des échanges mondiaux** se font **par la mer**.

➡ **7 %** seulement des côtes sont **protégées**.

QUESTIONS

▶ Je situe dans l'espace

❶ Relève les noms des principaux littoraux industrialo-portuaires dans le monde et indique pour chacun le continent auquel il appartient.

❷ Quels mers et océans concentrent l'activité touristique ?

❸ Fais la liste des différentes menaces qui pèsent sur les littoraux à l'échelle mondiale.

❹ Quels littoraux sont concernés par ces différents types de menaces ?

Un monde habité → chap. 14

Le chapitre 14 peut être traité « de manière filée tout au long de l'année » (B.O.)

❺ Identifie à quelles densités de population correspondent les principaux littoraux industrialo-portuaires et touristiques.

❻ Reporte-toi à la carte p. 210. À quels espaces naturels correspondent les littoraux très faiblement peuplés ?

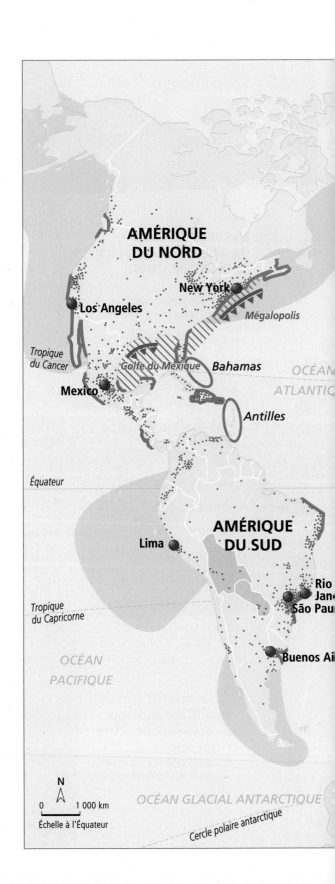

AMÉRIQUE DU NORD

New York

Los Angeles

Mégalopolis

Tropique du Cancer

Golfe du Mexique Bahamas

OCÉAN

ATLANTIC

Mexico

Antilles

Équateur

AMÉRIQUE DU SUD

Lima

Rio Jan São Pau

Tropique du Capricorne

Buenos Ai

OCÉAN PACIFIQUE

N

0   1 000 km

Échelle à l'Équateur

OCÉAN GLACIAL ANTARCTIQUE

Cercle polaire antarctique

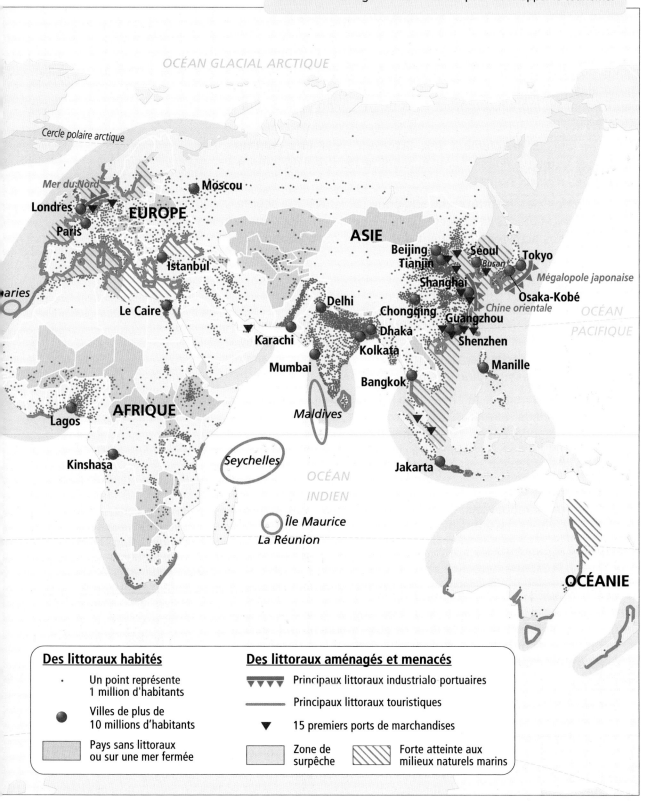

OCÉAN GLACIAL ARCTIQUE

Cercle polaire arctique

Mer du Nord

Londres
Paris
EUROPE
Moscou

Istanbul
Le Caire
aries

ASIE
Beijing
Tianjin
Séoul
Busan
Tokyo
Mégalopole japonaise
Shanghai
Osaka-Kobé
Chine orientale
OCÉAN
PACIFIQUE

Delhi
Chongqing
Karachi
Dhaka
Guangzhou
Kolkata
Shenzhen
Mumbai
Bangkok
Manille

Lagos
AFRIQUE
Maldives

Kinshasa
Seychelles
OCÉAN
INDIEN
Jakarta

Île Maurice
La Réunion

OCÉANIE

Des littoraux habités

- · Un point représente 1 million d'habitants
- ● Villes de plus de 10 millions d'habitants
- ▨ Pays sans littoraux ou sur une mer fermée

Des littoraux aménagés et menacés

▼▼▼▼ Principaux littoraux industrialo-portuaires

──── Principaux littoraux touristiques

▼ 15 premiers ports de marchandises

▨ Zone de surpêche   ▨ Forte atteinte aux milieux naturels marins

Habiter les littoraux

→ **Pourquoi et comment la population mondiale habite-t-elle de plus en plus sur les littoraux ?**

A Les littoraux : des espaces très peuplés et urbanisés

1. Aujourd'hui dans le monde, **2 personnes sur 3 habitent à moins de 100 km d'un rivage**. **7 des 10 plus grandes métropoles mondiales** sont situées sur un littoral et les plus grands foyers de peuplement du monde comptent tous de très importantes zones littorales.

2. Cependant, **le peuplement des littoraux n'est pas continu**. Certains sont même vides d'humains, comme le littoral du Sahara : ce sont des **déserts humains**.

3. **L'attraction des littoraux est ancienne**. L'histoire du peuplement, l'exploitation des ressources de la mer et le développement de nombreuses activités expliquent donc la **concentration croissante des humains sur les littoraux**.

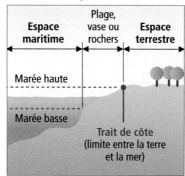

Qu'est-ce qu'un littoral ?

B Des espaces fortement aménagés

1. D'importants aménagements caractérisent les **espaces industrialo-portuaires** : bassins, quais, terminaux, usines, zones de stockage... Des **terre-pleins** artificiels sont même nécessaires : **80 % des échanges mondiaux de marchandises se font par mer**.

2. **Les littoraux sont la première destination touristique mondiale** : la plage, la mer et ses activités de loisirs attirent les touristes du monde entier. Le **tourisme balnéaire** est donc une raison majeure de l'urbanisation littorale : hôtels, résidences, ports de plaisance...

3. Les **conflits d'usage** sont nombreux entre les habitants du littoral. Touristes, industriels, commerçants, marins et défenseurs de l'environnement : chacun cherche à défendre ses intérêts.

C Des littoraux à préserver et à protéger

1. **Les littoraux sont des espaces fragiles** ; la faune et la flore y constituent un patrimoine naturel d'une grande richesse. L'équilibre naturel et la **biodiversité** de ces régions sont **menacés par les activités humaines** et le **réchauffement climatique**. Ce dernier fragilise les zones côtières en provoquant une **hausse du niveau des mers**. Les impacts sont nombreux pour les habitants : inondations, tempêtes, **érosion côtière**.

2. À l'échelle mondiale, **parcs naturels marins et réserves côtières se multiplient** : 7 % des côtes sont protégées. Pour habiter durablement les littoraux, les hommes et les femmes doivent trouver des solutions pour que le développement de leurs activités ne nuise pas aux ressources naturelles.

VOCABULAIRE

▸ **Biodiversité**
Voir définition p. 211.

▸ **Conflit d'usage**
Opposition entre plusieurs habitants qui défendent leurs intérêts pour l'utilisation d'une ressource ou d'un territoire.

▸ **Érosion côtière**
Destruction des terres en contact avec la mer par des phénomènes naturels (vagues, courants, vents) et/ou d'origine humaine (construction, aménagements).

▸ **Terre-plein**
Espace gagné sur la mer sur lequel se concentrent activités industrielles, quartiers résidentiels et/ou zones de loisirs.

▸ **Tourisme balnéaire**
Ensemble des activités de loisirs liées aux vacances en bord de mer.

Vivre dans un espace de forte densité

- **2 habitants sur 3** dans le monde vivent **à moins de 100 km d'une côte.**
- **7 des 10 plus grandes métropoles** au monde sont situées sur les littoraux.
- Les littoraux concentrent **les activités économiques.**

Vivre dans un espace fortement aménagé

- Gestion de la **concentration des activités et des humains.**
- **Équipements industriels et portuaires** (quais, entrepôts, grues, usines…).
- **Équipements touristiques** (ports de plaisance, complexes hôteliers, piscines).
- **Urbanisation.**

Habiter un littoral, c'est…

Pratiquer des activités

- **Sur les littoraux industrialo-portuaires :** commerce (conteneurs), industries (chantiers navals, d'acier, de chimie…), pêche industrielle…
- **Sur les littoraux touristiques :** commerce, restauration, hôtellerie, activités touristiques balnéaires (plage, natation, plongée…)

Vivre dans un espace fragile, à protéger

- **Lutter contre les dégradations des littoraux** (pollution, érosion, urbanisation des paysages).
- Mettre en place **des politiques de protection et de développement durable** des littoraux.
- **Résoudre les conflits d'usage** entre les différents types d'habitants.

● **Je vérifie que je connais les principaux repères du chapitre.**

Je sais définir et utiliser dans une phrase :
- littoral
- littoral industrialo-portuaire
- tourisme balnéaire

Je sais situer sur un planisphère :
- les océans
- les principaux littoraux industrialo-portuaires
- les principaux littoraux touristiques

site élève
⬇ planisphère

Je sais expliquer :
- quelles activités sont pratiquées sur les littoraux.
- quels aménagements sont réalisés sur les littoraux.
- pourquoi les littoraux sont des espaces fragiles, à protéger.

Comment apprendre ma leçon ?

Je fabrique mes outils de révision : l'armoire des savoirs

Pour apprendre sa leçon, on peut imaginer une armoire avec l'ensemble des connaissances « rangées » par étagères.

▸ **Étape 1**

- Imprime ou dessine une armoire. Inscris le titre de la leçon et la question clé.

> Cet exercice te permet de dégager ce que tu dois retenir, de classer les informations par thème et donc de mémoriser la leçon !

▸ De quoi parle la leçon ?

....

....

▸ Quelle question s'est-on posée pendant la leçon ?

....

....

site élève
⬇ armoire à imprimer

▸ **Étape 2**

- Ouvre l'armoire et classe au bon endroit les éléments de la leçon qu'il faut retenir.

> *Range les repères géographiques importants sur la première étagère.*
> *Reporte-toi à la carte p. 252-253*

> *Range les mots nouveaux sur la deuxième étagère*
>
> Littoral, terre-plein...

> *Range ton résumé dans le grand tiroir. Entre 5 et 10 lignes, pas plus !*
> *Pour cela, tu dois répondre à la question de départ.*
>
> Pourquoi et comment la population mondiale habite-t-elle de plus en plus sur les littoraux ?

Je vérifie mes connaissances

1 Je sais localiser.

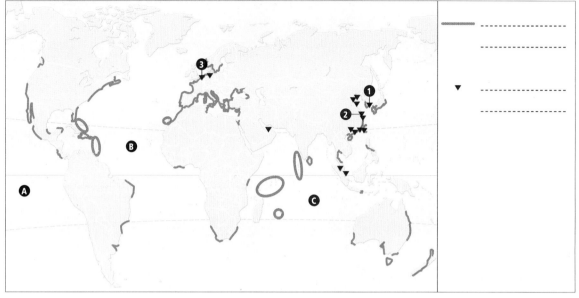

Complète le planisphère ci-dessus.

1. Nomme les océans A, B et C.

2. Nomme les grands ports numérotés de 1 à 3.

3. À quelle catégorie de littoraux appartiennent les littoraux tracés en rose ?

2 Je connais le vocabulaire de la géographie.

Recopie le texte ci-dessous en remplaçant les expressions soulignées par le vocabulaire appris dans le cours.

Les régions situées au contact de la mer et de la terre concentrent les humains et les activités.

Ils peuvent être dominés par les ports et l'activité industrielle. Ces lieux manquent d'espace : les habitants aménagent alors des espaces gagnés sur la mer grâce à des remblais pour développer leurs activités. D'autres sont dédiés aux activités de loisirs en vacances.

Les littoraux sont des espaces fragiles qui possèdent une grande richesse biologique sensible aux effets de l'activité humaine qu'il est nécessaire de protéger.

3 Je retrouve l'idée principale du chapitre à travers une image.

Observe bien cette photographie (doc 4 p. 251) et explique pourquoi elle illustre ce que tu as appris au cours du chapitre.

Le littoral à Blankenberge (Belgique).

4 Retrouve des exercices supplémentaires sous forme interactive sur le site Nathan.

Exercices

1 J'étudie les transformations d'un littoral touristique

↳ **Socle :** Domaine 5

1 Le littoral de Balneário Camboriú (Brésil) en 1958

En 1958, la ville accueillait déjà quelques touristes l'été. Aujourd'h[ui] elle compte 108 000 habitants et accueille plus d'1 million de touristes en été.

2 Balneario Camboriu aujourd'hui : un littoral touristique urbanisé

L'espace en « front de mer » concentre de nombreux immeubles, construits sur des terrains de grande valeur en raison de leur vue sur mer. Un téléphérique permet de visiter les hauteurs touristiques proches.

QUESTIONS

❶ Où se trouve cette station balnéaire (ville, pays) ?

❷ Recopie puis complète le tableau ci-dessous pour décrire les transformations de cette station balnéaire.

	1958	2016
Le front de mer (les différents espaces, les bâtiments, la végétation)		
La plage		

❸ À ton avis, pourquoi cette station a-t-elle connu cette évolution ?

❹ Et toi, que penses-tu de ces transformations ?

② J'étudie un littoral industrialo-portuaire et je réalise son croquis

↳ **SOCLE :** Domaine 1

Le port de Montréal (Canada), 2014

❶ Localise le port de Montréal (continent, pays, sur quel fleuve, vers quel océan...).

❷ Identifie les activités économiques visibles.

❸ À l'aide de la liste suivante, repère les différents espaces de la photographie numérotés de 1 à 5 :
zone industrielle (usines) – vieux port (anciens quais industriels devenus espace de loisirs) – quais (stockage des conteneurs, des céréales et du pétrole) – centre de Montréal – fleuve Saint-Laurent.

❹ Réalise le croquis de ce paysage.

MÉTHODE

1. Construis la légende en t'aidant de ta réponse à la question 3.

2. Colorie le croquis en fonction de ta légende.

3. N'oublie pas de donner un titre au croquis.

MON BILAN DE COMPÉTENCES

Domaines du socle	Compétences travaillées	Pages du chapitre
D1 Les langages pour penser et communiquer	• Je m'exprime de façon claire et argumentée • Je pratique différents langages : je réalise le croquis d'un littoral industrialo-portuaire	Étude de cas .... p. 242-245 Étude de cas .... p. 246-249 Exercice 2 .... p. 259
D2 Méthodes et outils pour apprendre	• J'organise mon travail personnel	Apprendre à apprendre p. 256
D4 Les systèmes naturels et les systèmes techniques	• Je formule des hypothèses et je les vérifie	Des études de cas au monde .... p. 250-251
D5 Les représentations du monde et l'activité humaine	• Je sais établir des liens entre l'espace et l'organisation d'une société • Je me repère dans l'espace • J'étudie les transformations d'un littoral touristique	Étude de cas .... p. 242-245 Étude de cas .... p. 246-249 Carte .... p. 252-253 Exercice 1 .... p. 258

EN ÉQUIPES !

Face au réchauffement climatique, peut-on encore habiter les littoraux ?

CONSIGNE

Le réchauffement climatique fait peser de graves menaces sur les littoraux.
Pour sensibiliser les collégiens de France à cet enjeu mondial, le Conservatoire du littoral vous demande de concevoir une exposition présentant les risques et les impacts du réchauffement climatique sur les littoraux, ainsi que les réponses et aménagements qui seront nécessaires pour lutter contre ses conséquences dans les années à venir.

• Chaque groupe doit réaliser une affiche sur le thème étudié.

ÉQUIPE 1-2-3

Les conséquences du réchauffement climatique sur les littoraux

Pour comprendre les enjeux du changement climatique sur les littoraux, commencez par répondre aux questions suivantes à l'aide de ces deux documents.

❶ Quelle évolution a connu le climat de Terre au XXe siècle ? Qu'en sera-t-il demain ?
❷ Quelles sont les principales conséquences du réchauffement pour les habitants des littoraux ?

Aujourd'hui

La température moyenne planétaire a progressé de **0,89°C** par rapport à la moyenne du XXe siècle.

Fin du XXIe siècle

Elle pourrait augmenter de **1,3 à 5,3°C** en été.

1 Le réchauffement climatique : scénarios pour le XXIe siècle

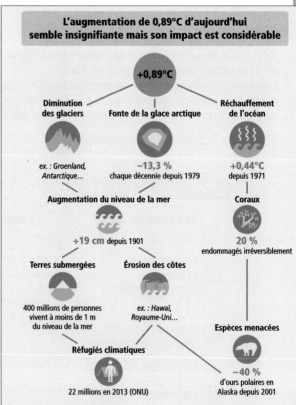

L'augmentation de 0,89°C d'aujourd'hui semble insignifiante mais son impact est considérable

+0,89°C

Diminution des glaciers
ex. : Groenland, Antarctique…

Fonte de la glace arctique
−13,3 %
chaque décennie depuis 1979

Réchauffement de l'océan
+0,44°C
depuis 1971

Augmentation du niveau de la mer
+19 cm depuis 1901

Coraux
20 %
endommagés irréversiblement

Terres submergées
400 millions de personnes vivent à moins de 1 m du niveau de la mer

Érosion des côtes
ex. : Hawaï, Royaume-Uni…

Réfugiés climatiques
22 millions en 2013 (ONU)

Espèces menacées
−40 %
d'ours polaires en Alaska depuis 2001

2 Les principaux impacts du réchauffement climatique sur les littoraux

Pays–Bas
Europe

ÉQUIPE 1

Les menaces pour les littoraux des continents

Pour étudier les menaces qui pèsent sur les littoraux des continents, votre équipe travaille à partir de l'exemple des Pays-Bas.

❶ Quelles sont les menaces pour les Pays-Bas ?
❷ Quelles sont les solutions possibles ?

3 Des enjeux humains et économiques très forts

Une commission table sur une élévation du niveau de l'eau de 65 à 130 cm en 2100 et jusqu'à 4 m en 2200. Une menace évidemment considérable pour les Pays-Bas dont un quart de la surface est situé sous le niveau de la mer.

Quelque 9 millions de Néerlandais vivent aujourd'hui dans les zones inondables du royaume, où se concentrent en outre 70 % de l'activité économique, des ports et des aéroports. Des installations chimiques, gazières et nucléaires y sont également présentes et feront l'objet de mesures de protection très renforcées. Pour les pouvoirs publics, il s'agit désormais d'éviter une catastrophe qui pourrait menacer un revenu potentiel de quelque 2 000 milliards d'euros.

■ *Le Monde*, 24 septembre 2014

4 Des maisons flottantes pour accompagner la montée des eaux (2014)

Amsterdam a décidé de tirer profit de l'eau en construisant des maisons flottantes qui accompagnent la montée du niveau de la mer.

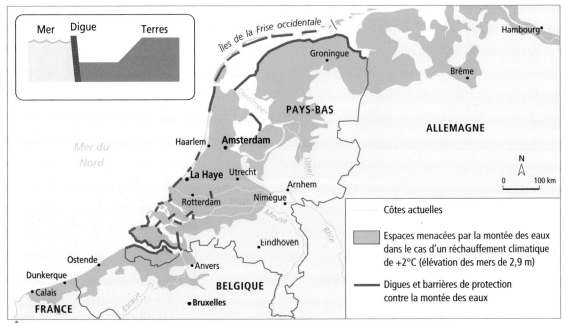

5 Les Pays-Bas face renforcent leurs digues de protection

Légende :

Côtes actuelles

Espaces menacées par la montée des eaux dans le cas d'un réchauffement climatique de +2°C (élévation des mers de 2,9 m)

Digues et barrières de protection contre la montée des eaux

ÉQUIPE 2

Les menaces sur la biodiversité marine et leurs conséquences sur les activités humaines

Votre équipe doit expliquer quelles sont les menaces sur la biodiversité marine et leurs conséquences sur les activités humaines.

❶ Quelles sont les menaces pour ces littoraux ?
❷ Quelles sont les solutions possibles ?

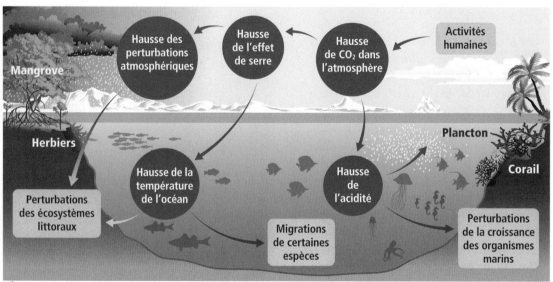

6 Conséquences de l'augmentation du CO² sur les écosystèmes marins

Un écosystème est l'ensemble des êtres vivants et leur habitat (environnement).

7 L'activité de la pêche et la modification de la répartition des espèces marines

site élève
⬇ Lien vers la vidéo

Les changements climatiques, causés par l'homme, ont des conséquences directes sur les espèces marines. Ils en modifient l'abondance, la diversité et la distribution, leur développement et leur reproduction. Le poisson est la première source de protéine animale pour un milliard de personnes sur la planète. Le changement climatique impacte lourdement les ressources alimentaires des populations humaines, principalement dans les pays en voie de développement.

■ www.ocean-climate.org, 2016.

8 Des solutions pour limiter les effets du changement climatique

Les menaces pour les littoraux de faible altitude et les îles

Pour étudier les menaces qui pèsent sur les îles et les littoraux qui sont très proches du niveau de la mer, votre équipe travaille à partir de l'exemple des îles Kiribati.

❶ Quelles sont les menaces pour les îles Kiribati?
❷ Quelles sont les solutions possibles ?

9 Les impacts du changement climatique à Kiribati

Kiribati est un État composé de l'île isolée de Banaba et de trois archipels comptant au total 32 atolls[1] fragiles. Les experts climatiques prévoient pour cet État une élévation du niveau de la mer. Les conséquences peuvent être l'érosion des côtes et les submersions marines.

Face à ces menaces, des ouvrages de défense contre la mer ont été réalisés sous la forme de murs de protection. Mais le gouvernement ne dispose pas de moyens financiers suffisants pour promouvoir et entretenir de telles structures.

Le gouvernement envisage le futur en 2 temps : dans les décennies à venir, le développement de mesures d'adaptation, puis d'ici la fin du siècle la migration des habitants sur des terres sur l'île de Vanua Levu aux Fidji.

▪ E. Longépée, « Les atolls, des territoires menacés par le changement climatique global ? L'exemple de Kiribati », *Géoconfluences*, 2015.

1. Îles de faible altitude (2 à 3 m au-dessus du niveau des mers) en forme d'anneau et constituées de récifs coralliens.

10 Des littoraux très exposés

Les îles Kiribati ont une altitude très proche du niveau de la mer. Le risque d'être submergé est très grand, comme ici en 2014 à l'occasion des grandes marées.

11 Des murs de protection pour se défendre contre la mer
Kiribati, 2013.

14 Le monde habité

→ **Comment les femmes et les hommes habitent-ils le monde ?**

Au CM1

J'ai appris qu'« habiter », cela veut dire se loger, travailler, pratiquer des activités de loisirs...

Au CM2

J'ai appris qu'« habiter » un territoire, c'est aussi se déplacer et communiquer avec les autres.

Ce que je vais découvrir

Je vais apprendre où les femmes et les hommes habitent sur la Terre, là où ils sont peu présents et pour quelles raisons.

1 **La ville d'Athènes, un foyer de peuplement ancien**

Dans l'Antiquité déjà, les femmes et les hommes vivent sur les littoraux, à l'image des Grecs installés au bord de la mer Méditerranée (→ **voir chap 4**). Aujourd'hui, Athènes, l'une des plus anciennes villes du monde, compte plus de 3 millions d'habitants.

Le sais-tu ?

La Patagonie est la région la plus au sud du monde. Les premières traces de peuplement humain en Patagonie remontent à plus de 10 000 ans.

EUROPE Athènes
•Grèce

AMÉRIQUE
DU SUD

Chili
Patagonie

2 **Habitation isolée à l'extrême sud de la Patagonie, Chili (2014)**

Carte

La répartition de la population dans le monde

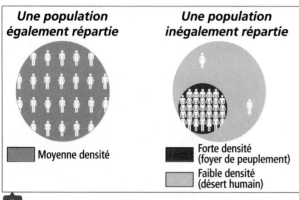

Une population également répartie

Une population inégalement répartie

Moyenne densité

Forte densité (foyer de peuplement)

Faible densité (désert humain)

1 Les densités de population

Activités

ITINÉRAIRE 1

▶ **Je situe et je localise**

1 Quelles régions du monde sont densément peuplées ?

2 Quelles régions du monde sont, au contraire, peu habitées ?

3 Relève deux exemples qui montrent que les populations se concentrent sur les littoraux.

ou

ITINÉRAIRE 2

▶ **Je complète un croquis (étape 1)**

Je complète la légende sur le croquis distribué par mon professeur.

1 Entoure en vert les grands déserts humains et nomme-les.

2 Entoure en rouge les principaux foyers de peuplement et nomme-les.

3 Nomme les grandes villes repérées sur ta carte par un **gros point noir**.

4 Écris le nom des océans en bleu.

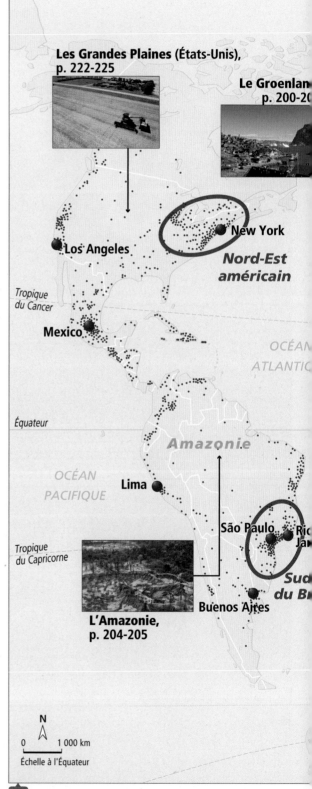

Les Grandes Plaines (États-Unis), p. 222-225

Le Groenlan p. 200-20

Los Angeles

New York

Nord-Est américain

Tropique du Cancer

Mexico

OCÉAN ATLANTIC

Équateur

Amazonie

OCÉAN PACIFIQUE

Lima

São Paulo

Rio Ja

Tropique du Capricorne

Sud du Br

Buenos Aires

L'Amazonie, p. 204-205

N

0   1 000 km
Échelle à l'Équateur

2 La répartition de la population dans le mo

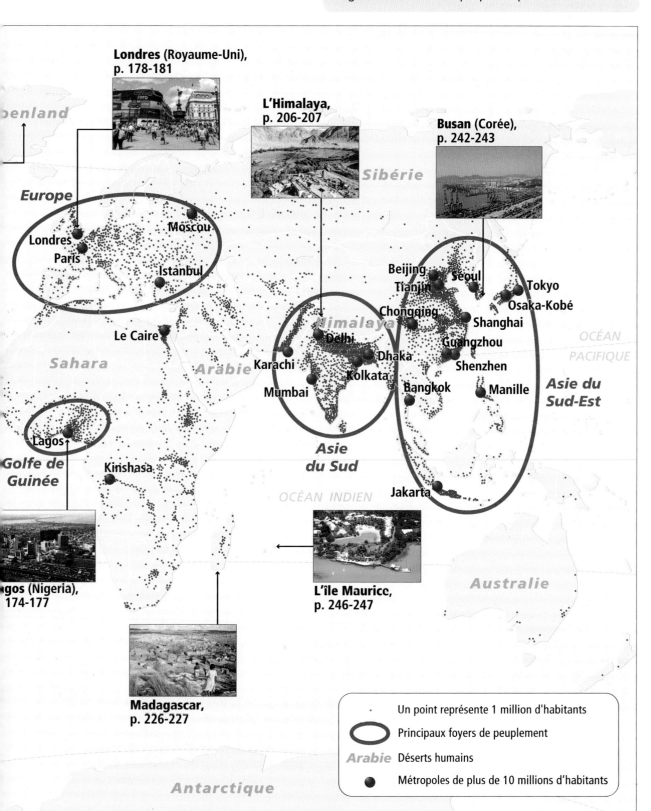

Londres (Royaume-Uni),
p. 178-181

L'Himalaya,
p. 206-207

Busan (Corée),
p. 242-243

Groenland

Europe

Londres
Paris

Moscou

Istanbul

Sibérie

Le Caire

Sahara

Arabie

Karachi

Mumbai

Himalaya

Delhi

Dhaka

Kolkata

Asie
du Sud

Beijing
Tianjin

Chongqing

Séoul

Tokyo

Osaka-Kobé

Shanghai

Guangzhou

Shenzhen

Bangkok

Manille

OCÉAN
PACIFIQUE

Asie du
Sud-Est

Lagos

Golfe de
Guinée

Kinshasa

OCÉAN INDIEN

Jakarta

gos (Nigeria),
174-177

L'île Maurice,
p. 246-247

Australie

Madagascar,
p. 226-227

Antarctique

· Un point représente 1 million d'habitants

◯ Principaux foyers de peuplement

Arabie Déserts humains

● Métropoles de plus de 10 millions d'habitants

La répartition de la population mondiale et ses évolutions

Question clé Où s'installent les femmes et les hommes sur la Terre ?
Comment expliquer cette répartition du peuplement ?

A Le peuplement du monde

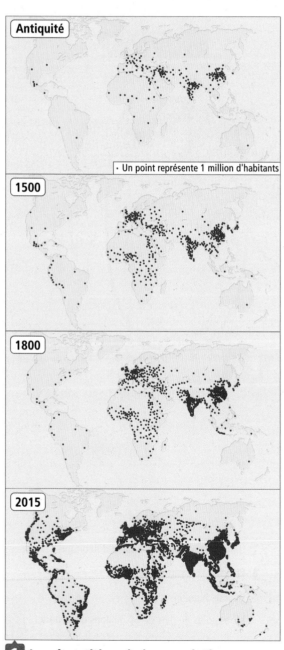

1 La répartition de la population mondiale depuis l'Antiquité

De la géographie à l'histoire

Et avant l'Antiquité ?

Souviens-toi, tu as étudié en histoire la répartition de la population au cours de la Préhistoire !

Doc p. 15

Les migrations des premiers êtres humains.

Doc p. 33

Les principaux foyers d'agriculture au Néolithique.

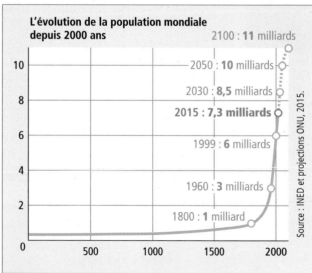

L'évolution de la population mondiale depuis 2000 ans

2100 : **11** milliards
2050 : **10** milliards
2030 : **8,5** milliards
2015 : **7,3 milliards**
1999 : **6** milliards
1960 : **3** milliards
1800 : **1** milliard

Source : INED et projections ONU, 2015.

2 L'évolution de la population mondiale

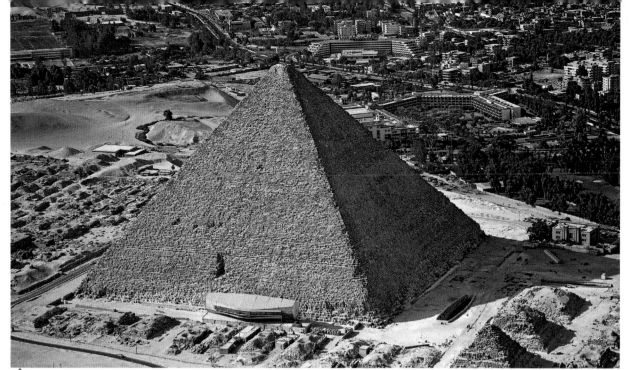

3 Une concentration urbaine ancienne

Grande cité de l'Égypte antique,
Le Caire est aujourd'hui une métropole
de plus de 18 millions d'habitants.

4 Une croissance démographique mondiale très inégale

La population mondiale, aujourd'hui estimée à 7,3 milliards, devrait atteindre les 8,5 milliards de personnes d'ici 2030. L'essentiel de cette augmentation de la population mondiale peut être attribué à quelques pays, principalement situés en Afrique, ou aux pays dont les populations sont déjà importantes.

L'Afrique devrait être responsable de plus de la moitié de la croissance de la population mondiale au cours des 35 prochaines années.

La Chine et l'Inde demeurent les deux pays les plus peuplés au monde, avec plus de 1 milliard de personnes chacun.

Parmi les 10 pays actuellement les plus peuplés, un seul se trouve en Afrique (Nigeria), cinq sont situés en Asie (Bangladesh, Chine, Inde, Indonésie et Pakistan), deux en Amérique latine (Brésil et Mexique), un en Amérique du Nord (États-Unis) et un en Europe (Russie).

■ ONU, juillet 2015.

Activités

Question clé Où s'installent les femmes et les hommes sur la Terre ? Comment expliquer cette répartition ?

ITINÉRAIRE 1

▶ Je comprends le sens général des documents

❶ Doc 1. Identifie les principaux foyers de peuplement sur chacune des quatre cartes. Quels constats peut-on faire ?

❷ Doc 2. Décris l'évolution de la population mondiale.

❸ Doc 3. Dans quel type d'espace la population se concentre-t-elle ? Est-ce nouveau ?

❹ Doc 2 et 4. Quels sont les deux continents qui connaissent une forte croissance démographique ?

OU

ITINÉRAIRE 2

▶ Je complète un croquis (étape 2)

À l'aide des documents 1 à 4, poursuis la réalisation du croquis (p.266) et complète la légende.

MÉTHODE

1. Souligne en rouge le nom des **foyers de peuplement** qui existaient déjà dans l'Antiquité.

2. Quels sont les deux pays les plus peuplés aujourd'hui ? Écris leur nom en **noir** sur la carte.

3. Écris en **noir** le nom des deux continents qui connaissent la plus forte croissance de population.

B Expliquer l'inégale répartition de la population

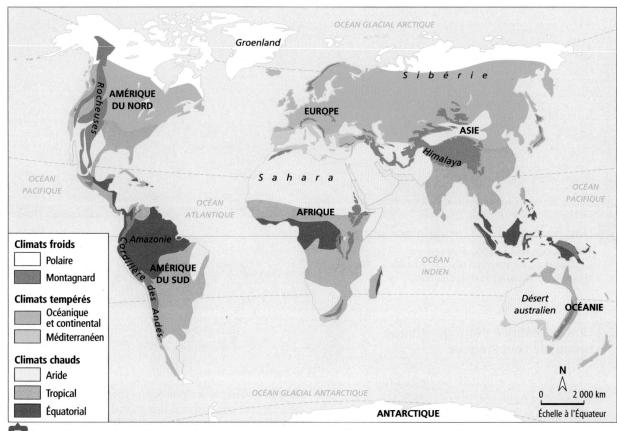

5 **Les climats dans le monde**

6 Pourquoi certaines régions sont-elles très peu peuplées ?

Le froid et l'aridité coïncident presque systématiquement avec de faibles densités de population. La glace, la neige permanente (ex. : Groenland) et l'aridité (ex. : Sahara) sont des obstacles pour les humains car le peuplement dépend étroitement de la présence de l'eau et de la possibilité de développer l'agriculture.

Il y a également un certain nombre de facteurs humains et historiques. Les grands foyers de peuplement ont pour la plupart été formés dans les régions où l'agriculture s'est diffusée rapidement, comme en Asie. De même, les grandes migrations des XIXe et XXe siècles ont eu un impact sur les densités humaines, en favorisant notamment le peuplement de l'Amérique du Nord.

■ D'après DAVID, *La population mondiale*, Armand Colin, Paris, 2015.

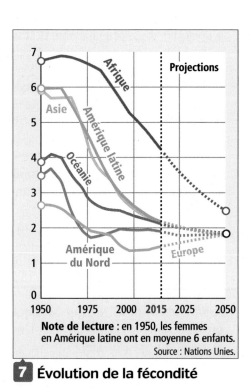

Note de lecture : en 1950, les femmes en Amérique latine ont en moyenne 6 enfants.

Source : Nations Unies.

7 **Évolution de la fécondité**

8 L'Asie, un foyer de peuplement ancien

Récolte du riz au Viêtnam, 2014.

INFOS

L'Asie tropicale a une densité de population dix fois supérieure à celle des autres zones tropicales du monde. C'est là que la riziculture inondée est apparue, permettant de nourrir une population nombreuse.

Récolte du riz en Chine, XIIIᵉ siècle
Peinture à l'eau.

Activités

Question clé | Où s'installent les femmes et les hommes sur Terre ? Comment expliquer cette répartition du peuplement ?

ITINÉRAIRE 1

Je comprends le sens général des documents

5 Doc 5 et 6. Quelles contraintes naturelles peuvent expliquer les faibles densités de population dans le monde ?

6 Doc 8. Pourquoi l'Asie tropicale est-elle plus peuplée que les autres régions du monde ayant le même climat ?

7 Doc 6. Comment peut-on expliquer que l'Amérique du Nord ait connu une augmentation de sa population au XIXᵉ et XXᵉ siècles ?

8 Doc 7. Quelle raison majeure explique la forte augmentation de la population en Afrique ?

J'argumente à l'écrit

9 À l'aide des documents 1 à 8, réponds à la question clé. Présente ton texte en deux parties : **1.** Où sont les femmes et les hommes sur Terre ? - **2.** Comment l'expliquer ?

OU

ITINÉRAIRE 2

Je complète un croquis (étape 3)

À l'aide des documents 5 à 8, termine la réalisation de ton croquis et complète la légende.

MÉTHODE

1. Localise et nomme **les grands ensembles de relief**.

2. Sous chacun des noms de **désert humain**, indique en vert à quelle contrainte naturelle il correspond.

3. Hachure en **noir** les régions où **le climat est favorable à la riziculture**.

Représenter le monde habité, hier et aujourd'hui

GÉOHISTOIRE

Question clé Comment l'évolution des cartes témoigne-t-elle d'une progressive occupation du monde par ses habitants ?

1 Des cartes apparues dans les foyers de peuplement

Les sociétés qui, dans la très longue durée, du deuxième millénaire avant notre ère à nos Temps modernes, ont constitué l'Ancien Monde, des mers de Chine à la Méditerranée, représentent la plus grande partie de l'humanité. Elles ont en commun d'avoir eu de fortes densités, des villes anciennes, des structures étatiques, de l'écriture. Les relations tant terrestres, la route de la Soie, que maritimes, la route des Épices à travers l'océan Indien prolongé à l'est par les mers littorales du Pacifique occidental et à l'ouest par la Méditerranée, représentent des échanges très anciens. L'essentiel des pratiques cartographiques d'État y a été développé.

■ Christian Grataloup, « Représenter le monde », *Documentation photographique*, n° 8084, 2011.

VOCABULAIRE

▶ **Planisphère**
Carte du monde représentant à plat toutes les parties du globe terrestre.

▶ **Voyages de découvertes**
Dès le XVe siècle, les Européens empruntent de nouvelles routes maritimes, sur l'océan Atlantique notamment, et découvrent de nouvelles terres (Amérique).

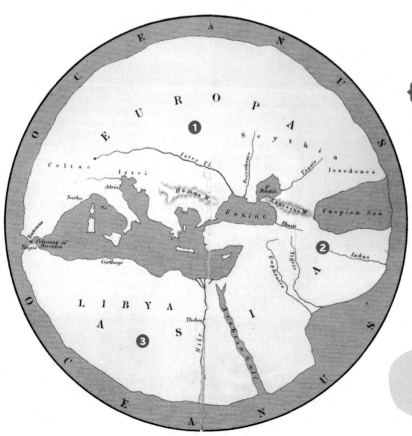

2 Le monde selon un savant de la Grèce antique (Ve siècle avant J.-C.)

Les Grecs cartographient le monde tel qu'ils le connaissent, centré sur la Méditerranée. Cette conception de l'Afrique et de l'Asie unies va se poursuivre jusqu'aux grands voyages de découvertes des XVe-XVIe siècles.

❶ Europe
❷ Asie
❸ Afrique

INFOS

Dès 650 avant J.-C., les Grecs pensent que la Terre est ronde !

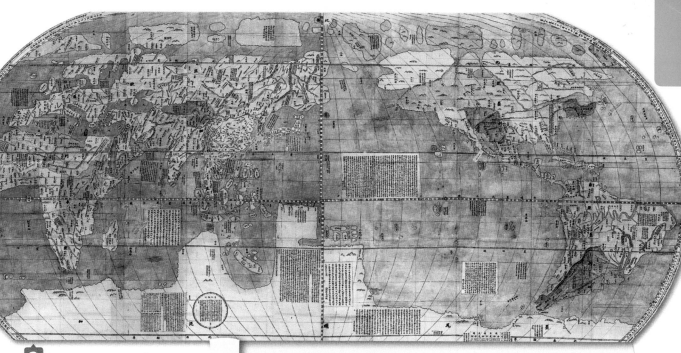

3 La mappemonde de Ricci, 1602

Au XVIᵉ siècle, les Européens explorent l'Amérique, mais connaissent encore très mal la Chine. Matteo Ricci (1552-1610) réalise le premier planisphère universel du monde habité. Il mélange pour cela des savoirs géographiques européens et chinois. En 1602, il achève cette mappemonde, qui montre la Chine comme le véritable Empire du Milieu.

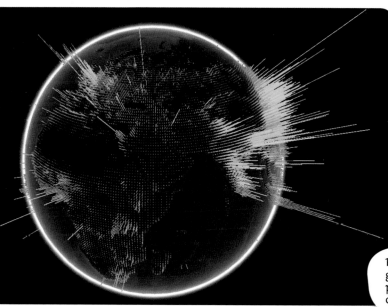

4 Une carte en 3D de la répartition de la population mondiale (2016)

Plus la densité est forte, plus le bâtonnet est grand. Plus la densité est faible, plus le bâtonnet est petit, voir invisible.
Google Data Arts Team, 2010.

site élève
⬇ lien vers le site

Rends-toi sur le site globe.chromeexperiments.com pour manipuler toi-même ce globe en 3D !

QUESTIONS

▶ Je fais le lien entre histoire et géographie

❶ Doc 2. Quels continents n'apparaissent pas sur cette carte ? Pourquoi, à ton avis ?

❷ Doc 3. Quel pays est au centre du planisphère de Matteo Ricci ? Pourquoi son travail est-il important ?

❸ Doc 1 à 3. Dans quelles régions du monde les cartes et les pratiques de cartographie se sont-elles développées ?

❹ Doc 3. Que représente cette carte ? Quel outil a-t-on utilisé pour la réaliser ?

Afghanistan
Dubaï
É.A.U.
Nankin
Chine
Nouvelle-Zélande

Pour conclure, comment les humains habitent–ils la Terre ?

CONSIGNE

Un magazine jeunesse de géographie souhaiterait publier un grand reportage sur les différentes façons d'habiter dans le monde et il fait appel aux services de ta classe. Ça tombe bien ! Tu as déjà travaillé sur la façon dont les femmes et les hommes habitent le monde.

Chaque équipe travaillera sur un type d'espace, puis présentera son travail à l'oral au comité de rédaction du magazine avant publication.

ÉQUIPE 1

Habiter un espace agricole de faible densité

Votre équipe doit expliquer comment les femmes et les hommes habitent les espaces agricoles de faible densité.

Entièrement dédiées à l'agriculture, les plaines de Canterbury en Nouvelle-Zélande sont peu peuplées (12 hab./km²). Les villages sont malgré tout nombreux et bien reliés entre eux par de multiples routes. Mais l'isolement demeure important et complique l'accès aux services essentiels comme l'école, les commerces, les hôpitaux.

1 Les plaines agricoles de Canterbury, Nouvelle-Zélande

MON CARNET D'ENQUÊTE

Dans votre manuel, trouvez un autre espace agricole étudié au cours de l'année. Recopiez puis complétez le tableau ci-contre pour vous aider à rédiger votre article. Vous devrez également choisir une photographie issue du manuel pour l'illustrer.

Comment vit-on...	En Nouvelle-Zélande	À .... (autre espace agricole étudié au cours de l'année)
Localisation (pays, continent)		
Logement, habitations, densités		
Activités pratiquées (travail, achats, loisirs)		
Déplacements		
Contraintes dans ce type d'espace et adaptations		
Photographie choisie pour illustrer notre article		

Habiter un espace de faible densité : les espaces naturels contraignants

Votre équipe doit expliquer comment les femmes et les hommes habitent dans des espaces de faibles densités comme les espaces contraignants.

Les Kirghizes d'Afghanistan sont des éleveurs de moutons et de yaks. Ils vivent à plus de 4 200 mètres d'altitude dans des campements.
Les conditions de vie sont très rudes : températures très basses (–40°C en hiver) et isolement : la route la plus proche est à une semaine de marche !

2 Des éleveurs dans les montagnes d'Afghanistan (2015)

MON CARNET D'ENQUÊTE

Dans votre manuel, trouvez un autre espace contraignant étudié au cours de l'année. Recopiez puis complétez le tableau ci-dessous pour vous aider à rédiger votre article. Vous devrez également choisir une photographie issue du manuel pour l'illustrer.

Comment vit-on...	En Afghanistan	À .... (autre espace contraignant étudié au cours de l'année)
Localisation (pays, continent)		
Logement, habitations, densités		
Activités pratiquées (travail, achats, loisirs)		
Déplacements		
Contraintes dans ce type d'espace et adaptations		
Photographie choisie pour illustrer notre article		

Habiter un espace de forte densité : une métropole

ÉQUIPE 3

Votre équipe doit expliquer comment les femmes et les hommes habitent les métropoles, des espaces aux fortes densités.

roisième métropole mondiale, Shanghai est la ville la plus peuplée de Chine avec 23 millions d'habitants. La croissance rapide de la ville fait disparaître progressivement l'habitat traditionnel remplacé par de grands immeubles qui augmentent les densités de population.
Le développement rapide de Shanghai pose de nombreux problèmes : embouteillages, pollution sonore et atmosphérique.

3 La rue marchande de Nankin dans le centre historique de Shanghai (Chine)

MON CARNET D'ENQUÊTE

Dans votre manuel, trouvez une autre métropole étudiée au cours de l'année. Recopiez puis complétez le tableau ci-dessous pour vous aider à rédiger votre article.
Vous devrez également choisir une photographie issue du manuel pour l'illustrer.

Comment vit-on...	À Shanghai	À .... (autre métropole étudiée au cours de l'année)
Localisation (pays, continent)		
Logement, habitations, densités		
Activités pratiquées (travail, achats, loisirs)		
Déplacements		
Contraintes dans ce type d'espace et adaptations		
Photographie choisie pour illustrer notre article		

Habiter un espace de forte densité : un littoral

Votre équipe doit expliquer comment les femmes et les hommes habitent des littoraux, des espaces aux fortes densités.

La ville littorale de Dubaï connaît une forte croissance démographique : elle dépasse aujourd'hui les 2 millions d'habitants.

Elle est un centre économique majeur : 3e aéroport mondial et 9e port mondial pour le trafic de conteneurs. Dubaï attire aussi les touristes du monde entier.

Mais son développement pose de nombreux problèmes, notamment la gestion de l'environnement et des ressources en eau.

4 **L'île artificielle de Palm Jumeirah à Dubaï (Émirats arabes unis)**

L'île a une forme de palmier géant de 5 km sur 5. Sur les branches du palmier sont construites des villas de luxe et sur le tronc, des immeubles de prestige et des équipements de loisirs.

MON CARNET D'ENQUÊTE

Dans votre manuel, trouvez un autre littoral étudié au cours de l'année. Recopiez puis complétez le tableau ci-dessous pour vous aider à rédiger votre article. Vous devrez également choisir une photographie issue du manuel pour l'illustrer.

Comment vit-on...	À Dubaï	À .... (autre littoral étudié au cours de l'année)
Localisation (pays, continent)		
Logement, habitations, densités		
Activités pratiquées (travail, achats, loisirs)		
Déplacements		
Contraintes dans ce type d'espace et adaptations		
Photographie choisie pour illustrer notre article		

Le monde habité

→ **Comment les femmes et les hommes habitent-ils le monde ?**

A Une grande stabilité du peuplement

1. La population mondiale est inégalement répartie. Aujourd'hui, trois grands **foyers de peuplement** rassemblent plus de la moitié des habitants de la planète : l'**Asie de l'Est**, l'**Asie du Sud** et l'**Europe**. Les **densités** de population y sont très élevées. **Ces trois principaux foyers sont les mêmes depuis 2 000 ans.** Leurs habitants y pratiquent l'agriculture depuis au moins 7 000 ans. Depuis 400 avant J.-C., la Chine est la région la plus peuplée au monde.

2. Progressivement, **les humains se sont concentrés de plus en plus dans les plaines littorales** et dans les **vallées des grands cours d'eau**, favorables à l'agriculture et aux communications.

B Reliefs et climats : des contraintes à surmonter

1. De vastes espaces sont pratiquement vides d'humains : les **déserts arides** comme le Sahara, les **régions polaires**, les **hautes montagnes**, les **grandes forêts équatoriales** comme l'Amazonie. Ce sont des **déserts humains**. Les **contraintes naturelles** y rendent **la vie difficile** : froid intense dans les régions polaires, manque d'eau dans les zones désertiques, forte pente et froid en montagne. **Le peuplement y est très faible.**

2. Cependant, **des adaptations et des aménagements**, parfois très anciens ou au contraire très modernes, permettent d'habiter ces milieux très contraignants : **terrasses agricoles** sur les fortes pentes des Andes ou de l'Himalaya, **accès à internet** au Groenland...

C Des évolutions récentes

1. La **population mondiale a fortement augmenté à partir de la seconde moitié du XIXᵉ siècle**, mais sa croissance ralentit. Selon les Nations unies, **la Terre comptera 10 milliards d'habitants en 2050**.

2. Cette croissance est inégale : la population augmente le plus rapidement dans les régions en développement, notamment en **Afrique** où le nombre de naissance par femme est encore très élevé. Les humains se concentrent **de plus en plus dans les villes** : 3,4 milliards de personnes habitent en ville. **Certaines villes sont immenses**, comme Tokyo et ses 38 millions d'habitants !

CHIFFRES CLÉS

➡ **7,4 milliards d'habitants** dans le monde

➡ **220 000 nouveaux habitants** chaque jour

➡ **3/4** de la population mondiale vit sur seulement **10 % du territoire**

➡ **50 %** des **terres émergées** sont quasiment **vides**

➡ Plus d'**1 habitant sur 2** habite en **ville**

➡ **2 habitants sur 3** habitent à moins de **100 km de la mer**

VOCABULAIRE

▸ **Contrainte naturelle**
Obstacle posé par la nature qui limite l'implantation des humains et la mise en valeur de leur espace.

▸ **Densité**
Nombre d'habitants par km².

▸ **Désert humain**
Zone de très faible densité.

▸ **Foyer de peuplement**
Région très densément peuplée depuis longtemps.

Un monde habité

Où s'installent les humains ?

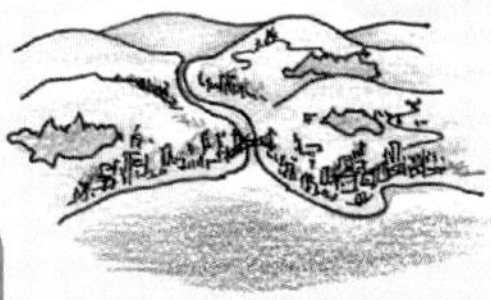

Des foyers de peuplement
- Grandes vallées
- Littoraux

Des déserts humains
- Espaces contraignants
- Certains espaces agricoles

Des évolutions récentes
- Croissance démographique ralentie
- Croissance des pays en développement
- Croissance des villes

Pourquoi cette répartition ?

Des contraintes naturelles
- Manque d'eau
- Froid intense
- Forte pente
- Végétation dense

Des explications historiques
- Installation ancienne
- Activité intense

Des raisons démographiques
- Natalité très forte
- Migrations

Je révise chez moi

● **Je vérifie que je connais les principaux repères du chapitre.**

Je sais définir et utiliser dans une phrase :
- contrainte naturelle
- densité
- désert humain
- foyer de peuplement

Je sais situer sur un planisphère :
- les principaux foyers de peuplement et déserts humains.
- les grandes métropoles.
- les 2 pays les plus peuplés au monde.

Je sais expliquer :
- pourquoi certaines régions sont des foyers de peuplement.
- pourquoi certaines régions sont des déserts humains.
- les dynamiques de la population mondiale.

site élève
⤓ planisphère

Comment apprendre ma leçon ?

Je crée mes outils de révision : l'affiche

Quand on retient mieux lorsqu'on est en activité, on peut fabriquer des outils comme une affiche pour apprendre sa leçon.

▶ **Étape 1**

- Pour commencer, il faut t'assurer que tu as bien compris ta leçon.
  Relève le titre du chapitre, la question clé, le vocabulaire et les idées principales.

- Il est préférable d'utiliser un code couleur pour organiser toujours de la même manière les informations importantes.

▶ **Étape 2**

- Tu peux maintenant réaliser ton affiche.

TITRE DE L'AFFICHE
Indique le titre de la leçon

La question clé de la leçon :

Comment les femmes
et les hommes habitent-ils
le monde ?

Illustrations :
Tu peux coller des documents illustrant la leçon

- Une grande stabilité du peuplement
  ❯ Depuis 2000 ans, les mêmes 3 grands foyers de peuplement

- Idée principale n°2
  ❯ *Exemple*

- Idée principale 3
  ❯ *Exemple*

Les repères géographiques :

Utilise les fonds de carte fournis sur le site Nathan pour coller ici un planisphère avec les repères du chapitre.

collegien.nathan.fr/hg6

Vocabulaire à retenir
- Foyer de peuplement
- Désert humain
- ...

site élève
⤓ affiche à imprimer

En réalisant une affiche, tu développes de nombreuses compétences : travail en autonomie, créativité, mobilisation de connaissances...

Je vérifie mes connaissances

1 Je complète chaque phrase avec la ou les proposition(s) qui convien(nen)t.

1. Trois quarts de la population mondiale occupe... du territoire.

a 80 %

b 10 %

c 50 %

2. Les 2 plus grands foyers de peuplement se trouvent en ... et en ... .

a Amérique   c Océanie

b Europe   d Asie

3. La population mondiale devrait dépasser les ... en 2050.

a 8 milliards   b 19 millions

c 10 milliards   d 15 millions

2 Je connais le vocabulaire de la leçon.

Retrouve à quel mot correspond chaque définition.

Le nombre d'habitants par km².

Un obstacle posé par la nature qui limite l'implantation des humains et la mise en valeur de leur espace.

Une zone de très faible densité.

3 J'ai compris comment les humains occupent l'espace.

Recopie et complète le tableau suivant pour expliquer comment on habite chacun des espaces des trois photographies.

	a. Francfort (Allemagne)	b. Sahara (Maroc)	c. Alaska (États-Unis)
Type d'espace			
Densité (forte, faible)			
Contrainte majeure			

a. Ville de Francfort, Allemagne

b. Village dans le Sahara, Maroc.

c. Maison isolée en Alaska, États-Unis.

4 Retrouve des exercices supplémentaires sous forme interactive sur le site Nathan. site élève ↧ exercices interactifs

Exercices

1 Je sais expliquer la répartition de la population mondiale

↳ SOCLE : Domaine 5

Le peuplement mondial révèle très distinctement trois régions de forte concentration démographique : l'Asie du Sud, l'Asie de l'Est et l'Europe. Ces foyers regroupent plus de la moitié de la population mondiale (53,8 %). Aux grands foyers de peuplement s'opposent de véritables déserts. Les régions froides sont les moins peuplées de la planète, tant les conditions sont défavorables à l'implantation humaine. Les densités y sont généralement inférieures à 5 habitants/km².

Les contrastes actuels du peuplement sont assez peu différents de ceux existant il y a deux millénaires. Ainsi, les trois plus grands foyers de peuplement ont été pour la plupart formés soit lors des grandes phases de développement et de maîtrise de l'agriculture, soit lors de la révolution industrielle et de sa diffusion. L'Asie est un exemple de grand foyer de peuplement d'origine agricole et l'Europe doit davantage ses fortes concentrations au développement industriel.

■ D'après DAVID, *La population mondiale*
© Armand Colin, Paris 2015.

QUESTIONS

❶ Quelles sont les régions les plus fortement peuplées dans le monde ?

❷ Quelle est la plus forte contrainte naturelle pour l'installation des humains dans une région ?

❸ À quelles périodes ont été formés les principaux foyers de peuplement ?

❹ Parmi les titres suivants, choisis un titre qui convient à l'ensemble du texte, puis un autre pour chacun des deux paragraphes. Justifie tes trois choix.

La répartition égale des humains sur Terre – Un peuplement inégal et ancien – Une population mondiale inégalement répartie – Les principaux foyers de peuplement : l'Asie agricole et l'Europe industrielle – Une répartition inégale des humains sur la Terre.

2 Je m'informe grâce au numérique sur la population mondiale

↳ SOCLE : Domaine 2

EMI

QUESTIONS

Rends-toi sur le site internet de l'INED (Institut national d'études démographiques).

Sur la page d'accueil, clique sur la rubrique « Tout savoir sur la population », puis « Les jeux » et enfin « La population et moi ».

❶ Indique ton âge. Combien y avait-il de personnes sur Terre quand tu es né ?

❷ Prouve par un chiffre que la population mondiale a augmenté depuis ta naissance.

❸ Combien de personnes sont nées la même année que toi ?

❹ Dans le monde, combien de personnes sont plus âgées que toi ?

❺ Combien sont plus jeunes ?

site élève
⬇ lien vers la vidéo

www.ined.fr/fr/tout-savoir-population/jeux/population-moi/

La population mondiale et moi

Plus de sept milliards d'habitants sur la Terre... Et vous. Trouvez votre place au sein de la population mondiale.

▸ Voir l'animation

MÉTHODE

Quand tu utilises les informations d'un site internet, il est d'abord important d'en connaître la ou les sources.

▸ Dès la page d'accueil, prends le temps de te renseigner sur les auteurs du site. Peut-on leur faire confiance ?

▸ Les chiffres que tu souhaites prélever sur le site ont-ils une source afin de vérifier leur provenance ? De quand datent-ils ?

3 Je décris une infographie sur la répartition de la population mondiale

↳ SOCLE : Domaine 1

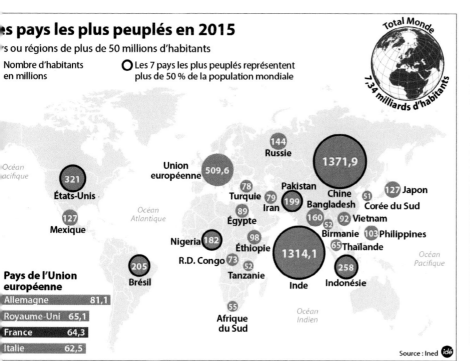

s pays les plus peuplés en 2015

■ « Dans un siècle, un Terrien sur trois vivra en Afrique », carte parue dans *La Voix du Nord*, 9 septembre 2015.

QUESTIONS

1 D'après l'infographie, combien d'habitants la Terre compte-t-elle ?

2 Combien l'Inde et la Chine ont-elles d'habitants ?

3 Relève les 7 pays les plus peuplés au monde, puis classe-les du plus peuplé au moins peuplé.

4 Quel continent compte le plus de pays très peuplés ?

5 Combien d'habitants compte la France ? Quel est son rang mondial ?

MON BILAN DE COMPÉTENCES

Enseignement moral et civique

1 | La France est **une République indivisible, laïque, démocratique et sociale**. Elle assure l'égalité devant la loi, sur l'ensemble de son territoire, de tous les citoyens. Elle respecte toutes les croyances.

2 | La République laïque organise **la séparation des religions et de l'État**. L'État est neutre à l'égard des convictions religieuses ou spirituelles. Il n'y a pas de religion d'État.

• • LA RÉPUBLIQUE EST LAÏQUE • •

3 | La laïcité garantit **la liberté de conscience** à tous. **Chacun est libre de croire ou de ne pas croire.** Elle permet la libre expression de ses convictions, dans le respect de celles d'autrui et dans les limites de l'ordre public.

4 | La laïcité permet l'exercice de la citoyenneté, en conciliant **la liberté de chacun** avec **l'égalité et la fraternité de tous** dans le souci de l'intérêt général.

5 | La République assure dans les établissements scolaires le respect de chacun de ces principes.

CHARTE DE LA LAÏCITÉ À L'ÉCOLE

La Nation confie à l'École la mission de faire partager aux élèves les valeurs de la République.

6 | La laïcité de l'École offre aux élèves les conditions pour forger leur personnalité, exercer leur libre arbitre et faire l'apprentissage de la citoyenneté. **Elle les protège de tout prosélytisme et de toute pression** qui les empêcheraient de faire leurs propres choix.

7 | La laïcité assure aux élèves l'accès à **une culture commune et partagée**.

8 | La laïcité permet l'exercice de **la liberté d'expression** des élèves dans la limite du bon fonctionnement de l'École comme du respect des valeurs républicaines et du pluralisme des convictions.

10 | **Il appartient à tous les personnels de transmettre aux élèves le sens et la valeur de la laïcité**, ainsi que des autres principes fondamentaux de la République. Ils veillent à leur application dans le cadre scolaire. Il leur revient de porter la présente charte à la connaissance des parents d'élèves.

11 | **Les personnels ont un devoir de stricte neutralité** : ils ne doivent pas manifester leurs convictions politiques ou religieuses dans l'exercice de leurs fonctions.

9 | La laïcité implique **le rejet de toutes les violences et de toutes les discriminations**, garantit **l'égalité entre les filles et les garçons** et repose sur une culture du **respect** et de la compréhension de l'autre.

• • L'ÉCOLE EST LAÏQUE • •

12 | **Les enseignements sont laïques.** Afin de garantir aux élèves l'ouverture la plus objective possible à la diversité des visions du monde ainsi qu'à l'étendue et à la précision des savoirs, **aucun sujet n'est a priori exclu du questionnement scientifique et pédagogique.** Aucun élève ne peut invoquer une conviction religieuse ou politique pour contester à un enseignant le droit de traiter une question au programme.

13 | Nul ne peut se prévaloir de son appartenance religieuse pour refuser de se conformer aux règles applicables dans l'École de la République.

15 | Par leurs réflexions et leurs activités, **les élèves contribuent à faire vivre la laïcité** au sein de leur établissement.

14 | Dans les établissements scolaires publics, les règles de vie des différents espaces, précisées dans le règlement intérieur, sont respectueuses de la laïcité. **Le port de signes ou tenues par lesquels les élèves manifestent ostensiblement une appartenance religieuse est interdit.**

Liberté • Égalité • Fraternité
RÉPUBLIQUE FRANÇAISE

ministère
éducation
nationale

15 Collégiens, ensemble

→ **Comment pouvons-nous agir pour bien vivre ensemble au collège ?**

À l'école primaire

J'ai appris à accepter les différences et à respecter les règles de la vie collective.

Ce que je vais découvrir

Je vais étudier les droits et les devoirs d'un élève au collège, le respect d'autrui et des différences.

1 Un élève handicapé avec ses camarades

2 **Une fête des collégiens**
Affiche créée par le département de la Gironde, 2015.

site élève
📥 lien vers la vidéo

3 **Projet du collège de Lussac présenté lors de la Fête des collégiens, 2014**
www.gironde.fr/printemps-jeunesse
© Département de la Gironde.

**J'enquête** EN ÉQUIPES !

SOCLE Compétences

▶ **Domaine 1** : je prends la parole devant les autres.
▶ **Domaine 3** : je développe une conscience citoyenne.

Le délégué, un élève engagé

CONSIGNE

À l'occasion de la semaine d'élection des délégués, votre classe doit organiser des présentations orales sur ce sujet. Chaque équipe doit travailler sur le rôle et les qualités du délégué et montrer que ces élections ont un caractère démocratique.

À partir de ces présentations, vous rédigez un bilan de quelques lignes sur le délégué de classe. Comment est-il élu ? Quelles sont ses responsabilités et son action ? Pourquoi peut-on dire qu'il est un élève engagé ?

▶ Le rôle du délégué

ÉQUIPE 1

Votre équipe va devoir expliquer à la classe quel est le rôle du délégué dans la vie de la classe, à l'occasion du conseil de classe et tout au long de l'année.

 1 Le rôle des délégués

2 Une déléguée de classe témoigne

« Être délégué, c'est avant tout être responsable et savoir écouter les autres.

Le délégué est le porte-parole des élèves, notamment pendant le conseil de classe, où il donne son point de vue et peut défendre ses camarades. Les tâches du délégué sont variées : on peut être sollicité pour transmettre une information à la classe, proposer des projets aux adultes de l'établissement...

Le délégué est un élève comme les autres. Il ne bénéficie d'aucun privilège de la part des professeurs. Il doit aussi montrer l'exemple. »

■ Christine, élève de 3ᵉ au collège Louis-Issaurat, Créteil, 2015.

La campagne électorale

Votre équipe est chargée de travailler sur la campagne électorale.
Trouvez les informations pour répondre aux questions suivantes : qui peut être élu délégué ? Qu'est-ce qu'un suppléant ? Quelles doivent être les qualités d'un délégué ? Comment fait-on campagne ?

3 **Les qualités d'un délégué**

Les élèves d'une classe de 5ᵉ ont répondu à la question suivante : « Citez les 3 qualités que devrait avoir un bon délégué ». Voici leurs réponses sous forme de nuage de mots. Les termes les plus cités apparaissent en plus gros.

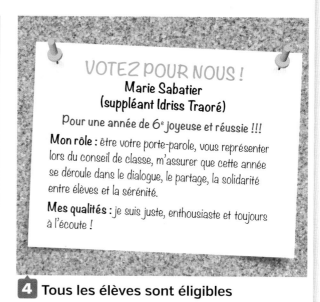

4 **Tous les élèves sont éligibles**

L'organisation des élections

Votre équipe est chargée de travailler sur le déroulement des élections et de s'informer sur le vocabulaire lié au vote.

5 **Des élections démocratiques**

Les élections se déroulent à bulletin secret au scrutin uninominal à 2 tours avant la fin de la 6ᵉ semaine de l'année scolaire.

Chaque électeur vote pour un candidat et son suppléant.

Si un candidat obtient la majorité absolue des suffrages au 1ᵉʳ tour, il est déclaré élu et devient délégué. Au second tour, le candidat qui obtient le plus de voix est déclaré élu comme second délégué.

■ D'après le site Internet www.service-public.fr.

6 **Le vote**
Collège Jacques-Offenbach, Saint-Mandé (Val-de-Marne).

SOCLE Compétences
▶ Domaine 3 : j'applique le règlement intérieur.
▶ Domaine 1 : j'apprends à communiquer avec les adultes.

Je découvre

Des règles pour vivre ensemble

Question clé Pourquoi le règlement intérieur permet-il de bien vivre ensemble ?

1 Un conflit entre deux élèves

VOCABULAIRE

▶ **Médiateur**
Personne qui sert d'intermédiaire entre deux personnes, ou deux groupes, pour régler un désaccord. Sa médiation permet de résoudre les conflits par la discussion.

▶ **Règlement intérieur**
Texte officiel qui fixe les règles à respecter par tous au collège.

2 Vivre ensemble au quotidien

Activités

Question clé Pourquoi le règlement intérieur permet-il de bien vivre ensemble ?

ITINÉRAIRE 1

ou

ITINÉRAIRE 2

site élève ⬇ coup de pouce

▶ **Je prélève des informations dans les documents**

❶ Doc 1. Quel est le sujet de désaccord entre les deux élèves ?

❷ Doc 2. Observe chaque image et cherche dans le règlement intérieur de ton collège l'article qui correspond à la situation évoquée.

❸ Doc 2. Si une sanction est prévue, quelle est-elle ?

▶ **J'argumente à l'écrit**

❹ Sur ton cahier, dessine une carte mentale pour définir ce qu'est le règlement intérieur de ton collège.

▶ **Je m'exprime à l'oral**

Interviewe la/le/les CPE de mon collège à l'aide du questionnaire ci-dessous.
– Quelles sont vos différentes missions au collège ?
– Quel est votre rôle par rapport aux assistants d'éducation ?
– Faites-vous des médiations entre élèves ? Dans quels cas ?
– Si un élève n'a pas respecté le règlement intérieur, une sanction est-elle toujours nécessaire ?

SOCLE Compétences
- **Domaine 3** : je me sens membre d'une collectivité.
- **Domaine 1** : j'écris pour transmettre des informations.

Intégrer un élève en situation de handicap au collège

CONSIGNE

Ta classe est chargée de mener une campagne de sensibilisation sur le thème de l'intégration des élèves en situation de handicap au collège.

Pour réaliser ce projet, rédige un article intitulé « Agir pour l'intégration des élèves en situation de handicap ». Tu exposeras tout d'abord leurs droits, puis tu montreras que les préjugés subsistent toujours.

1 Ce que dit la loi

Art. 19. Tout enfant, tout adolescent présentant un handicap ou un trouble invalidant de la santé est inscrit dans l'école ou dans l'un des établissements [...] le plus proche de son domicile.

■ Loi pour l'égalité des droits et des chances, la participation et la citoyenneté des personnes handicapées du 11 février 2005.

2 Un transport adapté

Tout élève dont la situation de handicap empêche l'utilisation des transports en commun peut bénéficier d'un transport adapté, dont le coût est pris en charge par le département.
Auch, 24 janvier 2006.

VOCABULAIRE

▸ **Discrimination**
Fait de refuser des droits à une personne ou un groupe de personnes, en raison de son origine, de son appartenance religieuse, de son handicap... Cette attitude est punie par la loi.

▸ **Préjugé**
Avis que l'on a sans avoir réfléchi, et qui conduit à des idées fausses.

3 Discrimination à l'école

La discrimination est encore très présente à l'école, portée sans doute par la « peur » dont ne se sont pas libérés les adultes et qui la transmettent à leurs propres enfants.

Ce n'est sans doute pas l'enfant/élève lui-même qui rejette la différence, mais bien des parents qui craignent que la présence d'un élève handicapé dans la classe, n'induise une moindre performance scolaire de leur enfant.

■ Rapport relatif aux auditions sur les discriminations en milieu scolaire, 2010.

4 Une fête d'anniversaire

Sylvie Boutaudou et Sophie Lebot, *Handicap, même pas peur !*, « Les guides complices », Milan Jeunesse, 2007.

COUP DE POUCE

Pour t'aider à rédiger ton article, reproduis puis complète le tableau suivant.

	Doc 1	Doc 2	Doc 3	Doc 4
Quel est le droit d'un élève en situation de handicap ?			–	–
De quelles aides peut-il bénéficier au quotidien ?	–		–	
De quels préjugés les élèves en situation de handicap souffrent-ils encore ?	–	–		

SOCLE Compétences

▶ **Domaine 3** : je comprends ce qu'est la laïcité.
▶ **Domaine 1** : je comprends la portée d'un document de référence.

Pourquoi respecter la Charte de la laïcité ?

> Je suis chrétienne et je refuse d'assister au cours d'histoire sur « les débuts du judaïsme ».
>
> Chloé

> Je pense que les filles sont aussi fortes que les garçons en basket et en football.
>
> Théo

> Je suis certain que c'est Aboubakar l'auteur du tag sur la porte du CDI.
>
> Kamel

> Je suis bouddhiste et hier à la récréation, j'ai proposé à mes camarades de venir avec moi à la pagode pour leur faire découvrir mes croyances.
>
> Boran

> Lors de notre sortie de fin d'année, nous avons partagé nos pique-niques : nous avons ainsi pu goûter à la cuisine vietnamienne, brésilienne, sénégalaise et française.
>
> Louise

1 Des élèves s'expriment

QUESTIONS

▶ **Je comprends la Charte de la laïcité au collège**

1 Dans la partie de l'affiche « La France est une république laïque », repère dans chaque vignette la phrase qui définit ce qu'est la laïcité.

2 À l'école, qui doit respecter la Charte de la laïcité ?

3 Dans les situations exposées dans le **doc 1**, la laïcité est-elle respectée ? Justifie ta réponse avec des arguments tirés de la Charte de la laïcité.

▶ **Je mets en relation la Charte avec les valeurs de la République**

4 Indique les articles et les expressions de la Charte qui expliquent que la laïcité, c'est :
– la liberté
– l'égalité
– la fraternité

La France est une république laïque

1 La France considère tous ses habitants de la même façon, où qu'ils vivent sur son territoire. Elle respecte ce à quoi ils croient, leurs idées et leurs religions.

2 La France n'impose pas de religion et n'en interdit aucune.

3 En France, les habitants peuvent **exprimer librement leurs idées**, mais toujours dans le respect de celles des autres et de la Loi.

5 La République française veille à l'application de ses principes dans toutes les écoles.

4 Ce respect permet à toutes celles et ceux qui habitent en France de vivre en paix les uns avec les autres.

La charte de la laïcité à l'école
expliquée aux enfants

L'école est laïque

6 L'école te permet de grandir et de te construire, en te protégeant des pressions. À l'école, tu apprends à penser librement et par toi-même.

7 À l'école, tu étudies les mêmes matières que tous les élèves de France. **Partager les mêmes connaissances** est important pour se comprendre et vivre dans le même pays.

8 À l'école, tu as le droit de dire ce que tu penses, à condition de respecter les autres. Les insultes et les mots racistes sont interdits.

11 À l'école, les adultes n'ont pas le droit d'exprimer leurs opinions religieuses ou politiques aux élèves.

10 Les adultes qui travaillent dans l'école sont là pour faire respecter les principes de la république. Ils les respectent eux-mêmes, te les enseignent et en parlent à tes parents.

9 À l'école, personne n'a le droit de t'insulter et de te faire violence. Personne ne peut être exclu à cause de sa religion, de son sexe ou de la couleur de sa peau.

12 Aucun élève ne peut refuser de suivre un enseignement ou une consigne sous prétexte que sa religion ou ses idées politiques le lui interdisent.

13 Aucun élève ne peut refuser de respecter les règles de l'école au nom de sa religion.

14 Aucun élève n'a le droit, pour se faire remarquer, de porter des signes mettant en avant sa religion.

15 Tu as tout compris ? Alors à toi de respecter et de faire vivre cette charte dans ton école !

Illustrations de Jacques Azam

la ligue de l'enseignement
un avenir par l'éducation populaire

MiLAN

2 La Charte de la laïcité expliquée aux enfants

1 jour, 1 actu n°11, charte illustrée par Jacques Azam © Milan Presse et la Ligue de l'enseignement.

Collégiens, ensemble

→ **Comment pouvons-nous agir pour bien vivre ensemble au collège ?**

A L'école de la République

1. En France, tous les enfants reçoivent le même enseignement. L'instruction est **obligatoire et gratuite pour les garçons et les filles** de 6 à 16 ans. Afin que le **droit à l'éducation** soit réel, l'État applique le principe de l'**égalité des chances** : **accompagnement personnalisé** pour les élèves en difficulté, intégration des **enfants en situation de handicap** dans l'école la plus proche de leur domicile, apprentissage intensif du français pour les enfants qui arrivent de l'étranger.

2. En **1882**, sur l'initiative de Jules Ferry, ministre de l'Instruction publique, la loi pose le principe de laïcité à l'école. La **Charte de la laïcité**, affichée dans tous les établissements scolaires, réaffirme ce principe. Elle permet de bien vivre ensemble, dans le rejet des **discriminations** et le respect des valeurs communes de la République, « **Liberté-égalité-fraternité** ».

B Pour tous les collégiens, des droits et des devoirs

1. Le **règlement intérieur** définit les **droits des collégiens** : droit à un enseignement gratuit, droit de s'exprimer, droit au respect et à la protection. Il définit aussi leurs **devoirs** : être présents à tous les cours, respecter les personnes et le matériel de l'établissement...

2. Au collège, **l'élection des délégués** permet à chacun de s'exprimer et d'élire ses représentants : c'est **l'apprentissage de la démocratie**.

VOCABULAIRE

▶ **Démocratie**
Régime politique dans lequel les citoyens peuvent élire librement leurs représentants pour gouverner le pays.

▶ **Discrimination**
Fait de refuser des droits à une personne ou un groupe de personnes, en raison de son origine, de son appartenance religieuse, de son handicap... Cette attitude est punie par la loi.

Connais-tu...

Les valeurs de la République

La laïcité
Selon ce principe républicain, l'État ne favorise aucune religion. Au collège, chaque élève peut avoir des croyances, mais il ne doit pas les afficher ni les imposer aux autres : **tous peuvent ainsi vivre ensemble, dans le respect de l'autre.**

Je révise chez moi

● **Je vérifie que je connais les principaux repères du chapitre.**

Je sais définir et utiliser dans une phrase :
▶ laïcité
▶ préjugé

Je sais expliquer :
▶ ce qu'est la laïcité.
▶ le rôle d'un élève délégué.
▶ pourquoi le règlement intérieur permet de vivre ensemble au collège.

site élève
↓ mon bilan de compétences

1 J'utilise les outils numériques pour définir le bien-vivre ensemble

↳ **SOCLE :** Domaine 1

Un exemple de nuage de mots d'une classe de 5ᵉ

❶ Cite trois mots qui décrivent le bien-vivre ensemble selon toi.

❷ Sur le modèle du **doc 1**, vous allez créer le nuage de mots des définitions du vivre-ensemble selon votre classe.
Pour cela, note les réponses de tes camarades, puis crée à l'adresse suivante, **www.wordle.net/create**, le nuage de mots de ta classe. Écris dans la case prévue à cet effet les réponses de toute la classe, puis choisis la mise en forme.

2 Je respecte le handicap

↳ **SOCLE :** Domaine 3

Une campagne pour accepter le handicap
Zep, *Titeuf : Faut pô avoir peur*, Handicap International, 2003.

QUESTIONS

❶ Observe et décris cette scène : que ressens-tu ?

❷ À qui Titeuf crie-t-il « Faut pô avoir peur » ? Pourquoi ?

❸ En prenant appui sur le titre du document, « Changeons de regard », quel est selon toi le message de cette image ?

16 Être enfant et citoyen

→ Quels sont les droits et les devoirs de l'enfant aujourd'hui ?

À l'école primaire

J'ai appris ce que signifie avoir des droits et des devoirs.

Ce que je vais découvrir

Un enfant a des droits et des devoirs au sein de sa famille et dans le monde dans lequel il vit. Ses droits sont défendus par la loi.

1 Campagne pour la sécurité routière
Ville de Pessac, 2014.

site élève
⬇ lien vers la vidéo

2 Un conseil municipal des jeunes
Ville de Carcassone, 2014.

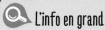
Tous les enfants du monde ont les mêmes droits !

La Convention internationale des droits de l'enfant, adoptée le 20 novembre 1989, est un texte très important. Elle donne les mêmes droits à tous les enfants du monde, filles et garçons, riches ou pauvres. Découvre les principaux droits.

TU AS LE DROIT D'ALLER À L'ÉCOLE

Comme tous les enfants du monde, tu as le droit d'aller gratuitement à l'école primaire. **Savoir lire** et **écrire** te permettra de prendre ta vie en main, de décider de ton avenir, d'avoir un métier, de t'informer et d'**être indépendant**. Même si ta famille est très pauvre, personne ne peut t'obliger à travailler, surtout si cela t'empêche d'aller à l'école et de grandir.

TU AS LE DROIT D'ÊTRE PROTÉGÉ CONTRE LES MAUVAIS TRAITEMENTS

Ce n'est pas parce que tu es un enfant que les adultes ont le droit de faire ce qu'ils veulent avec toi. Au contraire, tu as le droit d'**être protégé** contre **toute forme de violence**. Personne, pas même ta famille, les adultes de ton entourage ou les enfants de ton âge n'a le droit de te faire du mal.

TU AS LE DROIT D'AVOIR UNE IDENTITÉ

Avoir un **nom** et un **prénom**, déclarés officiellement par tes parents à ta naissance, te permet d'avoir la nationalité de ton pays et des **papiers d'identité**. En étant reconnu de tous, tu bénéficies de la **protection** et des **droits** de ton pays, comme celui **d'aller à l'école**.

TU AS LE DROIT DE T'EXPRIMER

Tu as le droit d'exprimer ton opinion sur toute question qui te concerne. Tu as le droit d'**être écouté** des adultes et de leur dire « **non** ». En classe, dans ta famille ou dans les associations, tu peux **exprimer tes idées**, mais toujours dans le **respect** de celles **des autres**.

TU AS LE DROIT À UNE ÉGALITÉ DE TRAITEMENT

Tous les enfants ont les **mêmes droits**. Quels que soient ton âge, ton sexe, ta religion, la langue que tu parles ou la couleur de ta peau, tes origines ou celles de tes parents, tu as le droit d'**être aidé**, **protégé** et **éduqué**. Tu as le droit à l'égalité et au respect de tes différences.

TU AS LE DROIT DE RIRE ET DE JOUER

Tu as le droit de rire et de jouer, parce que tu es un enfant, et que le jeu est indispensable pour **bien grandir**. Tu as le droit d'avoir des activités artistiques et culturelles. Ainsi, plus tard, **tu seras un adulte épanoui**.

TU AS LE DROIT D'ÊTRE SOIGNÉ ET DE GRANDIR EN BONNE SANTÉ

Pour que tu puisses bien grandir, tu as le droit d'**être entouré** de personnes qui t'aiment et te comprennent. Tu as le droit de **manger à ta faim**, de **boire de l'eau potable**, d'avoir **un logement**, de **te reposer** et d'**être soigné** quand tu es malade. Tu as le droit à des soins adaptés si ta santé est fragile ou si tu vis avec un **handicap**.

TU AS LE DROIT D'ÊTRE PROTÉGÉ DE LA GUERRE

Où que tu habites, tu as le droit de **vivre en paix**. Les guerres, quand elles éclatent, ne doivent concerner que les adultes. Ils n'ont pas le droit de te faire participer. Ils doivent **te protéger** contre toutes les conséquences de la guerre.

unicef

© Milan presse 2014 (www.milanpresse.com) avec UNICEF France (www.unicef.fr) – Illustrations : Jacques Azam. Textes : Marie Révillon.

---

3 Tous les enfants du monde ont les mêmes droits

Affiche réalisée par l'UNICEF à l'occasion du 25ᵉ anniversaire de l'adoption de la Convention internationale des droits de l'enfant.
1 jour, 1 actu n° 51 (14 au 20/11/14), de Marie Revillion, Jacques Azam, Unicef.

Je découvre

SOCLE Compétences

▶ **Domaine 3 :** je comprends les raisons de l'obéissance aux règles et à la loi.
▶ **Domaine 1 :** je formule des arguments pour construire ma pensée.

Pas de droits sans devoirs !

Question clé Pourquoi n'y a-t-il pas de droits sans devoirs ?

1 Responsable au collège

Art. 1. Tout membre de la communauté scolaire est soumis au strict respect de ces principes fondamentaux :

« Nul ne doit être inquiété pour ses opinions, même religieuses, pourvu que leur manifestation ne trouble pas l'ordre public établi par la loi » (déclaration des droits de l'homme et du citoyen, 26 août 1789).

Art. 2. Les élèves sont tenus de participer à toutes les activités proposées dans l'emploi du temps dans le cadre des disciplines.

Art. 3. Les élèves doivent accomplir les travaux écrits et pratiques ainsi que les contrôles des connaissances.

Art. 4. Les élèves doivent adopter une tenue décente, un comportement et un langage conformes aux règles de politesse.

Art. 5. Les usagers doivent laisser les locaux propres, respecter le mobilier et le matériel mis à leur disposition.

■ Extrait du règlement intérieur du collège Serge-Barranx, Montfort-en-Chalosse (académie de Bordeaux), 2015.

3 Ce que dit la loi

Art. 371. L'enfant, à tout âge, doit honneur et respect à ses père et mère.

Art. 371-1. L'autorité parentale est un ensemble de droits et de devoirs ayant pour finalité l'intérêt de l'enfant. Elle appartient aux parents [...] pour le protéger dans sa sécurité, sa santé et sa moralité, pour assurer son éducation et permettre son développement. [...] Les parents associent l'enfant aux décisions qui le concernent, selon son âge et son degré de maturité. [...]

Art. 371-3. L'enfant ne peut, sans permission des père et mère, quitter la maison familiale [...].

■ Code civil.

LES IMAGES CHOQUANTES, ON DOIT LES ÉVITER SINON IL FAUT EN PARLER

FACE AUX ÉCRANS, **SOYONS VIGILANTS**

CSA
CONSEIL SUPÉRIEUR DE L'AUDIOVISUEL

RETROUVEZ-NOUS SUR **JEUNEPUBLIC.CSA.FR**

2 Responsable à la maison
Affiche publiée par le CSA, 2014.

4 Responsable dans la rue

Le Code de la route s'applique aux cyclistes comme aux autres usagers. Chaque infraction est passible d'une amende.

5 La responsabilité civile des parents

Nous sommes vraiment désolés, nous paierons les frais de remise en état.

6 Ce que dit la loi

Art. 1384. Le père et la mère, en tant qu'ils exercent l'autorité parentale, sont solidairement responsables du dommage causé par leurs enfants mineurs.

■ Code civil.

> **VOCABULAIRE**
>
> ▶ **Autorité parentale**
> Ensemble des droits et des devoirs des parents, qui s'exercent dans l'intérêt de l'enfant.
>
> ▶ **Responsabilité civile**
> Les parents du mineur sont responsables des dommages causés par leur enfant à des biens ou des personnes.

Activités

Question clé | **Pourquoi n'y a-t-il pas de droits sans devoirs ?**

ITINÉRAIRE 1

OU

ITINÉRAIRE 2

▶ **Je prélève des informations dans les documents**

❶ **Doc 1 et 3.** Au collège, quels sont les devoirs de l'élève ? Pourquoi ? Quels sont ses droits ?

❷ **Doc 3, 5 et 6.** Selon toi, l'autorité parentale est-elle une contrainte pour les enfants ou protège-t-elle leurs droits ? Justifie ta réponse à l'aide d'un exemple.

❸ **Doc 2 et 4.** Comment un enfant doit-il se comporter quand des adultes ne sont pas autour de lui ? Pourquoi ?

▶ **J'argumente à l'écrit**

❹ Pourquoi n'y a-t-il pas de droits sans devoirs ?

❺ Comment une ou un enfant apprend-il à devenir responsable de ses actes ?

▶ **Je m'exprime à l'oral**

Avec le professeur, nous préparons un débat en classe sur le thème : « Pourquoi n'y a-t-il pas de droits sans devoirs ? ». Recherche des arguments que tu pourras avancer lors du débat, dans les documents étudiés et dans ton expérience personnelle.

> **MÉTHODE**
> site élève
> ⬇ tableau à imprimer
>
> Recopie et complète ce tableau pour rassembler tes arguments :

	Pourquoi des droits ?	Pourquoi des devoirs ?
Les enfants		
Les adultes		

Janusz Korczak et son engagement auprès des orphelins

Comment Janusz Korczak a-t-il défendu le droit des enfants ?

Janusz Korczak
(Varsovie 1878 – Treblinka 1942)
Pédagogue créateur de la Maison de l'orphelin à Varsovie.

Né à Varsovie (Pologne) en 1878, Henryk Godszmit appartient à une famille juive aisée. Il suit des études de médecine et participe à un concours littéraire sous le nom de Janusz Korczak. Il se passionne pour la littérature et la pédagogie. En 1912, puis après la Première Guerre mondiale, il ouvre deux orphelinats à Varsovie dont la Maison de l'orphelin pour les enfants juifs. En 1940, les nazis ordonnent la création d'un ghetto pour isoler la population juive de Varsovie. Korczak y reconstitue l'orphelinat et refuse plusieurs fois les propositions d'aide pour fuir le ghetto. Le 4 août 1942, Korczak, les éducateurs et les 200 enfants de l'orphelinat sont enfermés dans des wagons et transportés au camp de Treblinka où ils sont exterminés.

1 L'enfant selon Janusz Korczak

Les idées des petits ne sont pas des petites idées : les enfants doivent être pris au sérieux et méritent qu'on parle avec eux de toutes les choses importantes qui les concernent.

■ Propos de J. Korczak, extrait de *Korczak, pour que vivent les enfants*, texte de P. Meirieu, illustrations de Pef © Rue du Monde, 2012.

L'enfant a le sens du devoir, respecte l'ordre et ne fuit pas ses responsabilités pour peu que nous ayons la sagesse de ne pas les imposer par contrainte et qu'elles ne dépassent pas ses forces. Il veut trouver auprès de nous de la compréhension pour ses difficultés et de l'indulgence pour ses erreurs éventuelles.

■ D'après Janusz Korczak, *Comment aimer les enfants* suivi de *Le droit des enfants au respect*, Robert Laffont, « Réponses », 1978.

2 Korczak et des enfants de son orphelinat vers 1930 à Varsovie

3 L'organisation de la Maison de l'orphelin

« Le balai-brosse »
Les tâches matérielles sont partagées parmi les enfants de manière équitable entre les sexes et les âges différents.

« Les réunions-débats »
« Une vraie réunion-débat doit être libre de toute pression et de toute arrière-pensée ; il faut que les enfants puissent s'y exprimer librement devant un éducateur honnête et attentif. »

« Le Tribunal d'arbitrage »
Les enfants sont jugés par leurs semblables. « J'y vois le premier pas vers l'émancipation et la proclamation d'une Déclaration des droits de l'enfant. L'enfant a le droit d'exiger que ses problèmes soient considérés avec impartialité. »

« La boîte aux lettres »
Les enfants doivent écrire leurs demandes à Korczak : « Ils apprennent à attendre une réponse au lieu de l'exiger sur-le-champ ; à faire la part des choses : distinguer parmi leurs vœux, leurs peines, leurs doutes ce qui est important de ce qui l'est moins ; à réfléchir, à motiver une action, une décision. »

■ D'après Janusz Korczak, *Comment aimer les enfants* suivi de *Le droit des enfants au respect*, Robert Laffont, « Réponses », 1978.

QUESTIONS

▶ **Je découvre l'action de Janusz Korczak**

❶ **Introduction.** Présente Janusz Korczak (date de naissance, métier, activité, date et circonstances de sa mort).

❷ **Doc 1 et 3.** Comment démontre-t-il que l'enfant est une personne à part entière ?

❸ **Doc 3.** Afin de montrer que, dans la Maison de l'orphelin, l'enfant a des droits et des devoirs, recopie et complète le tableau suivant.

Les droits de l'enfant	Les devoirs de l'enfant

▶ **J'écris un article sur Janusz Korczak**

❹ Pour le journal de ton collège, rédige un article intitulé : « Comment Janusz Korczak a-t-il agi pour les enfants ? ».

MÉTHODE

Tu peux suivre le plan ci-dessous.

▶ **Première partie :** présentation de Janusz Korczak.

▶ **Deuxième partie :** pour lui, l'enfant est une personne.

▶ **Troisième partie :** il donne la parole aux enfants dans l'orphelinat.

CONSIGNE

La Journée internationale des droits de l'enfant a lieu chaque année le 20 novembre. Elle célèbre l'adoption de la Convention internationale des droits de l'enfant qui reconnaît que chaque enfant dispose de droits fondamentaux.

Avec tes camarades, vous réalisez un exposé sur l'un des droits de l'enfant : le droit à l'éducation, le droit à la santé ou le droit à la protection contre la violence.

Environ **230 millions**
d'enfants

**ne sont pas déclarés
à leur naissance**
et n'ont pas d'existence légale.

Environ **24 000** enfants

de moins de 5 ans
**meurent chaque jour
de malnutrition** ou de **maladies**
liées à la mauvaise qualité
de l'eau et à des conditions
d'hygiène difficiles.

Environ **100 millions**
d'enfants

ne sont **pas scolarisés**.

Environ **158 millions**
d'enfants

sont **forcés de travailler**.

1 **La condition des enfants,
aujourd'hui dans le monde**
D'après www.unicef.fr, 2015.

INFOS

**La Convention internationale
des droits de l'enfant**

Signée par 195 pays, dont la France, cette convention reconnaît et protège les droits spécifiques de l'enfant.

2 **Le 20 novembre 1989, l'ONU adopte la Convention
internationale des droits de l'enfant**
Affiche réalisée pour les 25 ans de la Convention internationale des droits de l'enfant, 20 novembre 2014.

3 Pourtant, des enfants qu'il ne faut pas oublier...

Des enfants au travail, au Bangladesh.
Photographie de GMB Akash, 2014.

4 Le rôle du Défenseur des droits

RÉPUBLIQUE FRANÇAISE

LE DÉFENSEUR DES DROITS

Le Défenseur des droits fait connaître les droits de l'enfant et les défend.

Chaque enfant a des droits fondamentaux [...]. Ces droits sont reconnus par la loi, en particulier par la Convention internationale des droits de l'enfant.

Vous pouvez vous adresser au Défenseur des droits si vous estimez que les droits d'un enfant ne sont pas respectés ou qu'une situation met en cause l'intérêt de l'enfant. Un enfant ou un adolescent peut aussi contacter lui-même le Défenseur des droits.

■ D'après le site Internet www.defenseurdesdroits.fr

73 % des enfants français se sentent bien intégrés dans leur famille, à l'école, dans leur quartier. Ils ont confiance dans leur entourage et ne craignent pas de s'exprimer. Certains participent à l'un des 2 000 conseils municipaux de jeunes.

17 % des enfants français ont des conditions de vie précaires et ne se sentent pas intégrés.

Plus de **2 millions** d'entre eux vivent **sous le seuil de pauvreté**.

15 000 sont **sans domicile fixe**.

2 700 ont été **retirés à leur famille**.

■ Consultation nationale de l'UNICEF, www.unicef.fr, 2014.

5 Comment les enfants français vivent-ils leurs droits au quotidien ?

COUP DE POUCE

Pour vous aider à préparer votre exposé, recopiez et complétez le tableau suivant.

	Doc 1	Doc 2	Doc 3	Doc 4	Doc 5
Qu'est-ce que la Convention internationale des droits de l'enfant ?	–		–		
Les droits des enfants sont-ils respectés partout ?		–			
Qui est le Défenseur des droits ?	–	–	–		–

 **SOCLE** Compétences

▶ **Domaine 3 :** je réfléchis et je fais preuve de jugement critique.
▶ **Domaine 2 :** j'agis de manière responsable.

Être responsable sur Internet

CONSIGNE

Votre classe est chargée d'une mission : réaliser un dépliant sur le thème « Être responsable sur Internet », destiné à tous les élèves de 6e. Il aura pour but de répondre aux questions suivantes :

– Quels sont les avantages d'Internet ?
– Quels dangers peut-on rencontrer sur Internet ?
– Quelles précautions prendre lorsque nous utilisons Internet ?

EMI

1 **Utiliser Internet : oui, mais comment ?**
Carte postale publiée par le site officiel du Programme national de sensibilisation des jeunes aux enjeux et risques de l'Internet (www.internetsanscrainte.fr), 2009.

2 **Faire des recherches : peut-on faire confiance à Internet ?**

Avec le succès de Wikipédia, la propagation et la multiplication des contenus publiés par les internautes eux-mêmes, sans oublier les copier-coller d'un site à l'autre, le pire s'est mis à côtoyer le meilleur. [...] Désormais, le principal obstacle à la recherche d'informations sur le Web est d'identifier les sources, leur sérieux et leur qualité.

■ Philippe Godard, Marion Montaigne, *La Toile et toi*, Gulf Stream, 2014.

VOCABULAIRE

Les mots d'Internet

▶ **Blog**
Site web personnel, journal de bord.

▶ **SPAM**
Courrier électronique indésirable, envoyé en grand nombre, à but publicitaire et commercial.

▶ **Web**
Abréviation de l'anglais *World Wide Web*, signifiant « toile d'araignée mondiale ».

10 conseils de la CNIL pour rester net sur le web

Réfléchis avant de publier ! 1
Sur Internet, tout le monde peut voir ce que tu mets en ligne : infos, photos, opinions...

Attention aux photos ! 3
Ne publie pas de photos gênantes de tes amis ou de toi-même, car leur diffusion est incontrôlable.

Sécurise tes comptes ! 4
Paramètre toujours tes profils sur les réseaux sociaux afin de rester maître des informations que tu souhaites partager.

Ne dis pas tout ! 2
Donne le minimum d'informations personnelles sur Internet. Ne communique ni tes opinions politiques, ni ta religion, ni ton numéro de téléphone...

Respecte les autres ! 7
Tu es responsable de ce que tu publies en ligne, alors modère tes propos sur les blogs, les forums... Ne fais pas aux autres ce que tu n'aimerais pas qu'ils te fassent.

Vérifie tes traces ! 6
Tape régulièrement ton nom dans un moteur de recherche pour découvrir quelles informations te concernant circulent sur Internet.

Crée-toi plusieurs adresses e-mail ! 10
Tu peux utiliser une boîte e-mail pour tes amis et une autre boîte e-mail pour les jeux et les réseaux sociaux.

Utilise un pseudonyme ! 8
Seuls tes amis et ta famille sauront qu'il s'agit de toi.

3 **Se protéger sur Internet, pourquoi ?**
Extrait d'une affiche publiée par la CNIL, 2011.

COUP DE POUCE

Ton dépliant devra comporter plusieurs parties :

Page 1 (couverture)	Page 2	Page 3	Page 4
– Le titre – Une illustration – Un sommaire	– Les dangers d'Internet Attention à .... (dessins, mots-clés)	– Les informations transmises par Internet	– Les précautions à prendre ....

SOCLE Compétences

▶ **Domaine 5** : je comprends les règles des activités sportives.
▶ **Domaine 3** : je me mets à la place des autres.

Dans le sport, des droits et des devoirs

Question clé Dans le sport, pourquoi jouer fair-play ?

1 Un dilemme aux Jeux olympiques de Los Angeles (1932)

En 1932, la finale d'escrime oppose la Britannique Judy Guinness à l'escrimeuse autrichienne Ellen Preis. Les juges proclament Judy Guinness vainqueur : elle est donc médaille d'or.

Cependant, Judy Guinness sait que les arbitres n'ont pas vu que son adversaire l'a touchée deux fois et que c'est donc l'Autrichienne qui devrait être proclamée vainqueur de la finale.

Elle est face à un dilemme : dire la vérité et perdre son titre ou garder le silence et être médaille d'or.

Judy Guinness en 1932.

Elle décide finalement de dire la vérité aux arbitres et remporte ainsi la médaille d'argent.

VOCABULAIRE

▶ **Dilemme**
Obligation de choisir entre deux partis qui comportent l'un et l'autre des inconvénients.

▶ **Fair-play**
De l'anglais *fair* (« loyal ») et *play* (« jouer »). Pratique du sport dans le respect des règles et de l'adversaire.

MUSÉE OLYMPIQUE
LAUSANNE

2 Le choix du fair-play
Musée olympique de Lausanne, *Ange ou démon, le choix du fair-play*, dossier pédagogique, CIO, 2006.

3 Sélectionnée grâce à une tricherie

En 1986, lors de la Coupe du monde de football, l'Argentine élimine l'Angleterre par 2 à 1 en quart de finale. Maradona marque deux buts. Le second est génial, mais le premier est marqué de la main. Tout le monde l'a vu, sauf l'arbitre. En finale, l'Argentine bat l'Allemagne par 3 à 2.

Maradona ne reconnaîtra les faits qu'en 2005.

■ www.sportune.fr

Coupe du monde à Mexico, 22 juin 1986.

CLUB DE FOOTBALL
CHARTE DU FAIR-PLAY

1 Faire de chaque rencontre sportive un moment privilégié, une sorte de fête.

2 Me conformer aux règles et à l'esprit du sport pratiqué.

3 Respecter mes adversaires comme moi-même.

4 Accepter les décisions de l'arbitre. Oui, il peut se tromper.

5 Éviter la méchanceté et les agressions dans mes actes, mes paroles ou mes écrits.

6 Ne pas user d'artifices ni de tricherie pour obtenir le succès.

7 Rester digne dans la victoire, comme dans la défaite.

8 Aider chacun par ma présence, mon expérience et ma compréhension.

9 Porter secours à tout sportif blessé.

10 Être un ambassadeur du sport, en aidant à faire respecter les principes ci-dessus.

4 La charte du fair-play
Charte du fair-play d'un club de football amateur, 2015.

Activités

Question clé | Dans le sport, pourquoi jouer fair-play ?

ITINÉRAIRE 1

Je prélève des informations dans les documents

❶ **Doc 2.** Comment le dilemme de l'athlète est-il représenté sur cette image ?

❷ **Doc 4.** Quelles sont les valeurs portées par le sport ? Pourquoi ?

❸ **Doc 1, 3 et 4.** Quel choix a fait Judy Guinness ? et Maradona ? Qu'aurais-tu fait à leur place ? Justifie ta réponse.

J'argumente à l'écrit

❹ Pourquoi le fair-play est-il nécessaire dans la pratique du sport ?

OU

ITINÉRAIRE 2

J'agis et je m'engage

À l'aide des réponses aux questions et des documents, imagine un code du fair-play au sein du collège que tu présentes à tes camarades.

MÉTHODE

▶ Dresse la liste de ce qu'il faudrait faire pour être fair-play en cours, à la récréation, à la cantine...

▶ Inspire-toi de la forme du **doc 4** pour écrire les articles de ton code du fair-play.

▶ Présente-le à tes camarades et discutez-en.

J'enquête TÂCHE COMPLEXE

SOCLE Compétences

▶ **Domaine 2 :** je m'implique dans la réalisation d'un projet collectif.
▶ **Domaine 3 :** je m'engage pour le bien commun.

S'engager dans un conseil municipal des jeunes

CONSIGNE

Vous êtes des élus du conseil municipal des jeunes (CMJ) de votre commune. Vous avez plein de projets et voulez les présenter en séance publique aux élus municipaux et aux jeunes de la commune : projet pour l'environnement, projet pour les loisirs, fête de la commune... Vous exposez l'intérêt de vos projets et vous répondez aux questions des personnes présentes.

 Se faire élire, pourquoi ?
Affiche de la ville de Schiltigheim, illustration Éloïse Rey, 2014.

INFOS

Le **conseil municipal des jeunes** est créé par décision du conseil municipal. Il est composé de **jeunes scolarisés dans la commune** (entre 9 et 16 ans), élus pour 2 années scolaires par leurs camarades. Ils élaborent, en **commissions**, des projets pour la commune, qu'ils défendent en **séance plénière** devant le maire et ses conseillers.

2 **Des élections au conseil municipal de Louviers**

site élève
⤓ lien vers la vidéo

3 **Proposer ses idées**

Mes projets d'action si je suis élue :

→ Organiser plus de séjours et de stages pendant les vacances pour les jeunes.

→ Ajouter plus d'installations sportives dans les stades de la ville.

→ Installer un bowling et un « laser game » dans la ville.

→ Créer une carte jeunes pour des tarifs privilégiés.

→ Améliorer les transports vers les collèges et lycées, pour ne plus être en retard !

■ Profession de foi[1] de Marie O., candidate au CMJ de Rueil-Malmaison, 2014.

1. Texte qui présente les valeurs défendues par un(e) candidat(e) et les actions qu'il compte mener.

4 Réaliser des projets dans l'intérêt de tous

Nettoyage des plages organisé par la commission « Environnement ».

Le CMJ est toujours représenté lors de commémorations.

La commission « Sport et loisirs » est à l'origine de la création du skate-park.

Extrait d'un bulletin municipal de jeunes détaillant les actions du CMJ, 2015.

5 Représenter les jeunes de sa commune
Réunion du CMJ à la mairie de Prades (Pyrénées-Orientales), 26 février 2015.

6 Devenir citoyen

Le conseil municipal des jeunes doit permettre de découvrir le fonctionnement de la démocratie, de pratiquer le civisme et la citoyenneté et d'appliquer les valeurs républicaines.

Il permet aux jeunes de participer à la vie locale par l'élaboration de projets collectifs, la préparation et la réalisation d'actions concrètes. Il développe l'expression de la jeunesse et crée une passerelle entre les élus et l'ensemble des jeunes « citoyens ». La municipalité peut ainsi mettre en œuvre des projets cohérents en direction de la jeunesse.

■ D'après la charte de fonctionnement du CMJ de Bry-sur-Marne 2015.

COUP DE POUCE

Pour vous aider à présenter votre projet, recopiez et complétez le tableau suivant.

	Doc 1	Doc 2	Doc 3	Doc 4	Doc 5	Doc 6
Qui sont les élus du CMJ ?						
Quelles actions mènent-ils ?						
Qui sont les interlocuteurs des élus du CMJ ?						
Pourquoi puis-je m'engager dans le CMJ ?						
Pourquoi je me sens citoyen ?						

Être enfant et citoyen

→ **Quels sont les droits et les devoirs de l'enfant aujourd'hui ?**

A Les droits et les devoirs de l'enfant

1. En France, les **enfants** sont **protégés** par des **droits** : droit à une identité, droit de vivre dans sa famille, droit à l'éducation, à la liberté d'expression, à la protection de sa santé... Ils sont aussi protégés contre les **discriminations**. Au nom de « **l'intérêt de l'enfant** », ces droits sont reconnus par la **Convention internationale des droits de l'enfant** [1989], que la France applique.

2. Les **enfants ont aussi des devoirs**. Chaque enfant a le devoir de **respecter les autres**. Il doit obéissance et respect à ses **parents**. Il a l'**obligation de respecter la loi**, par exemple le **règlement intérieur** du collège, sinon il est puni.

B La responsabilité, pour vivre ensemble

1. Les parents sont **responsables** de leur enfant **mineur**, qu'ils doivent **protéger** et **éduquer**. Ils disposent de l'**autorité parentale** et sont responsables des dommages causés par leur enfant à des biens ou des personnes : c'est la **responsabilité civile**.

2. Face à des décisions à prendre, que ce soit dans sa vie quotidienne, au collège, ou sur Internet, l'enfant doit **mesurer les conséquences de ses actes**. Il doit agir dans le **respect** de sa **dignité** et de celle des autres.

3. Les enfants peuvent agir au sein des **conseils municipaux des jeunes**. Ils font des propositions pour mieux vivre ensemble, dans un environnement protégé. Ils développent ainsi leur **conscience citoyenne et écologique**.

VOCABULAIRE

▸ **Autorité parentale**
Ensemble des droits et des devoirs des parents, qui s'exercent dans l'intérêt de l'enfant.

▸ **Mineur**
Personne âgée de moins de 18 ans.

▸ **Responsabilité civile**
Les parents du mineur sont responsables des dommages causés par leur enfant à des biens ou des personnes.

Connais-tu...
Les valeurs de la République

La solidarité
La fraternité prend le nom de solidarité lorsqu'elle désigne la **volonté de rétablir l'égalité entre les êtres humains**.

Je révise chez moi

● **Je vérifie que je connais les principaux repères du chapitre.**

Je sais définir et utiliser dans une phrase :
▸ mineur
▸ responsabilité civile

Je sais expliquer :
▸ pourquoi il n'y a pas de droits sans devoirs.
▸ ce qu'est être responsable quand on est un enfant.

site élève
⤓ mon bilan de compétences

① Je m'engage dans une junior association

↳ **SOCLE :** Domaine 3

Désirant pratiquer la danse contemporaine, Luigia Messina-D'Agostino et ses amies ont voulu créer leur propre groupe. La junior association Solid'AIR est ainsi créée en 2011. Elle s'est diversifiée en accueillant des garçons et d'autres filles de nationalités et de milieux sociaux différents. Actuellement, elle est composée de 10 membres âgés de 15 à 20 ans.

Leur souhait est de se réunir et de s'entraîner dans l'optique de réaliser des spectacles sur des thèmes forts comme les inégalités hommes/femmes, l'immigration, les frontières... À la fin de chaque spectacle, un débat concernant le thème du spectacle est mis en place pour faire réfléchir le spectateur et partager ses idées.

■ Propos recueillis par Arthur Haddou (de la junior association Parkour City Life et membre du Collège des juniors associations), www.juniorassociation.org.

QUESTIONS

❶ Qui sont les membres de l'association Solid'AIR ? À ton avis, pourquoi lui ont-ils donné ce nom ?

❷ Relève les deux phrases qui indiquent les deux objectifs de l'association. Selon toi, pour quelles valeurs les membres de cette association s'engagent-ils en tant que citoyens ?

❸ Imagine un projet dans lequel tu souhaiterais t'engager et donne-lui un nom.

② Je comprends le rôle du vote dans la vie démocratique

↳ **SOCLE :** Domaine 3

DÉLIBÉRATION DU CONSEIL MUNICIPAL DE LA COMMUNE DE **MURAT**.

Lors de la réunion du conseil municipal, l'adjointe déléguée aux affaires scolaires explique qu'une demande de subvention a été déposée par l'association des parents d'élèves de l'école Jean-Jacques-Trillat.

Cette demande, présentée en commission des Finances, est motivée par le projet d'organisation d'un voyage à Paris. En effet, la classe de CM1-CM2 a remporté le prix académique du concours « Les petits artistes de la mémoire » sur le thème de la guerre de 1914-1918 et les enfants doivent se rendre à l'Élysée pour retirer le prix.

Le conseil municipal, après en avoir délibéré, approuve, à l'unanimité, le versement de la somme de 1 500 € au profit de la coopérative scolaire de l'école Jean-Jacques-Trillat.

Fait et délibéré le 27 novembre 2014,
Pour extrait conforme au registre

Le Maire

Une délibération du Conseil municipal de Murat (Cantal)

QUESTIONS

❶ Relève le nom des élus municipaux cités dans ce texte. Quel est le rôle de l'adjointe déléguée aux affaires scolaires ?

❷ À quelle condition la subvention demandée a-t-elle pu être accordée ?

❸ À ton avis, pourquoi a-t-elle été accordée ?

Convention internationale sur les droits de l'enfant
(20 novembre 1989)

Article 2. 2. Les États parties prennent toutes les mesures appropriées pour que l'enfant soit effectivement protégé contre toutes formes de discrimination ou de sanction motivées par la situation juridique, les activités, les opinions déclarées ou les convictions de ses parents, de ses représentants légaux ou des membres de sa famille.

Article 3. 2. Les États parties s'engagent à assurer à l'enfant la protection et les soins nécessaires à son bien-être, compte tenu des droits et des devoirs de ses parents, de ses tuteurs ou des autres personnes légalement responsables de lui.

Article 6. 1. Les États parties reconnaissent que tout enfant a un droit inhérent à la vie.
2. Les États parties assurent dans toute la mesure possible la survie et le développement de l'enfant. [...]

Article 7. 1. L'enfant est enregistré aussitôt sa naissance et a dès celle-ci le droit à un nom, le droit d'acquérir une nationalité et, dans la mesure du possible, le droit de connaître ses parents et d'être élevé par eux.

Article 12 1. Les États parties garantissent à l'enfant qui est capable de discernement le droit d'exprimer librement son opinion sur toute question l'intéressant, les opinions de l'enfant étant dûment prises en considération eu égard à son âge et à son degré de maturité.

Article 13 1. L'enfant a droit à la liberté d'expression. Ce droit comprend la liberté de rechercher, de recevoir et de répandre des informations et des idées de toute espèce, sans considération de frontières, sous une forme orale, écrite.

Article 14 1. Les États parties respectent le droit de l'enfant à la liberté de pensée, de conscience et de religion. [...]
3. La liberté de manifester sa religion ou ses convictions ne peut être soumise qu'aux seules restrictions qui sont prescrites par la loi et qui sont nécessaires pour préserver l'ordre public,

Article 19 1. Les États parties prennent toutes les mesures législatives, administratives, sociales et éducatives appropriées.

Article 24. 1. Les États parties reconnaissent le droit de l'enfant de jouir du meilleur état de santé possible et de bénéficier de services médicaux et de rééducation. Ils s'efforcent de garantir qu'aucun enfant ne soit privé du droit d'avoir accès à ces services. [...]

Article 29 1. Les États parties conviennent que l'éducation de l'enfant doit viser à :
a) Favoriser l'épanouissement de la personnalité de l'enfant et le développement de ses dons et de ses aptitudes mentales et physiques, dans toute la mesure de leurs potentialités ; [...]
d) Préparer l'enfant à assumer les responsabilités de la vie dans une société libre, dans un esprit de compréhension, de paix, de tolérance, d'égalité entre les sexes et d'amitié entre tous les peuples et groupes ethniques, nationaux et religieux, et avec les personnes d'origine autochtone.

Article 37 Les États parties veillent à ce que :
Nul enfant ne soit soumis à la torture ni à des peines ou traitements cruels, inhumains ou dégradants. Ni la peine capitale ni l'emprisonnement à vie sans possibilité de libération ne doivent être prononcés pour les infractions commises par des personnes âgées de moins de dix-huit ans. [...]

Mon cahier de compétences

Te voici au collège ! Tu entres en 6e, et tout au long de ton année scolaire, tu vas approfondir des thèmes que tu as travaillés à l'école élémentaire, en CM1 et en CM2. Tu vas aussi faire de nouvelles découvertes : en histoire, tu étudies les civilisations de la Préhistoire et de l'Antiquité. En géographie, tu étudies comment les femmes et les hommes habitent le monde.

● Pour apprendre en histoire et en géographie, tu vas travailler des compétences du **« socle commun de connaissances, de compétences et de culture »**.

● Elles sont regroupées en cinq grands domaines :

▶ **Domaine 1 – Les langages pour penser et communiquer**
▶ **Domaine 2 – Les méthodes et outils pour apprendre**
▶ **Domaine 3 – La formation de la personne et du citoyen**
▶ **Domaine 4 – Les systèmes naturels et les systèmes techniques**
▶ **Domaine 5 – Les représentations du monde et l'activité humaine**

● Ces compétences sont travaillées tout au long du manuel. Elles sont nécessaires pour comprendre le sens de tout ce que tu vas découvrir en histoire et en géographie, mais elles vont aussi te rendre capable de travailler seul, de prendre des initiatives : tu vas **apprendre à savoir faire**.

C'est de cette manière que tu peux réussir. Bien sûr, ton professeur est là pour t'accompagner dans tes apprentissages et t'apporter son aide !

● Ces compétences vont être évaluées tout au long de ton année de 6e. En fin d'année scolaire, qui marquera la fin du cycle 3, **un bilan de tes compétences** sera réalisé. Il t'indiquera ce que tu as acquis, ce qui est en cours d'acquisition, ce qui reste à acquérir.

● Tu consolideras tes compétences **au cycle 4, de la 5e à la 3e**.

SOMMAIRE

Je me repère dans le temps : construire des repères historiques

Le temps fait partie de ta vie quotidienne. Il est une durée, que tu mesures. Tu dis « aujourd'hui », « hier », « demain ». Tu parles de jour, de mois, d'année, de siècle, tu distingues des périodes, des moments longs ou courts… Le temps est aussi une succession de faits que tu situes avant, pendant, en même temps, après, dans l'ordre chronologique.

Tous ces mots vont te permettre de te repérer dans le temps historique et de te situer par rapport aux périodes que tu étudies cette année en histoire, et même en géographie.

1 Je situe chronologiquement et j'ordonne des faits

- **Situer**, c'est d'abord indiquer à **quelle grande période historique** ont lieu les faits.
- **Situer**, c'est aussi **ordonner des faits** les uns par rapport aux autres.

→ **Chapitre 5 p. 82-83**
« Rome, du mythe à l'histoire
(Ier millénaire avant Jésus-Christ) »

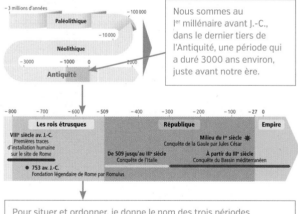

Nous sommes au Ier millénaire avant J.-C., dans le dernier tiers de l'Antiquité, une période qui a duré 3000 ans environ, juste avant notre ère.

Pour situer et ordonner, je donne le nom des trois périodes qui figurent sur la frise et en légende et j'indique leur durée.

2 Je mémorise les repères historiques et je sais les utiliser

- En histoire, il est important de connaître les principaux repères, mais aussi de **savoir les utiliser**.
- À la fin du cycle 3, tu dois être capable **d'associer** des **documents à des repères chronologiques** pour pouvoir **ordonner des faits**.

→ **Chapitre 6 p. 106-107**
Dans cette double page, tu dois être capable de raconter, dans l'ordre chronologique et en utilisant le lexique du découpage du temps, des moments de l'histoire des Hébreux : prise de Jérusalem, Josias, David, exil à Babylone, bataille de Lakish.

Il n'est pas très utile d'apprendre des numéros de téléphone sans savoir à qui ils correspondent, ni ce que cette personne a d'important pour que tu fasses l'effort de retenir ses coordonnées. C'est la même chose en histoire avec les dates !

En fin de cycle 3, je dois être capable :

→ de situer des faits dans l'ordre chronologique et dans des périodes ;
→ d'utiliser progressivement des documents représentant le temps (dont les frises chronologiques) ;
→ de manipuler et réutiliser les repères historiques que j'ai appris.

SOCLE Compétences

▶ **Domaine 1** : je pratique différents langages.
▶ **Domaine 2** : je me constitue des outils personnels de travail.
▶ **Domaine 5** : je me repère dans l'espace.

Méthode

Je me repère dans l'espace : construire des repères géographiques

Pour te repérer dans l'espace, tu utilises tous les jours les mots « ici », « là », « loin », « à côté »....
Tu dois maintenant apprendre à localiser et situer plus précisément les grands espaces, quelle que soit l'échelle : le monde, le continent, le pays, ou celle d'un espace local.

L'utilisation de cartes est très importante. Tu apprendras aussi à réaliser toi-même des plans, des croquis, des schémas et des cartes.

① Je localise pour repérer

Localiser, c'est répondre à la question « Où ? ».

- La réponse peut être **cartographique** : placer par exemple une ville sur une carte ou, à l'inverse, reconnaître que le point correspond à telle ville.
- La réponse peut être formulée en utilisant les **points cardinaux**, les grands **repères terrestres**, **les hémisphères Nord ou Sud**.

➜ Reporte-toi à ton atlas **p. 333.**

- La localisation peut se faire en référence à **des éléments du milieu physique** (montagnes, fleuves, mers...) ou au **découpage administratif** (États, régions, départements, communes).

Planisphère
des États du monde
➜ **Atlas p. 338**

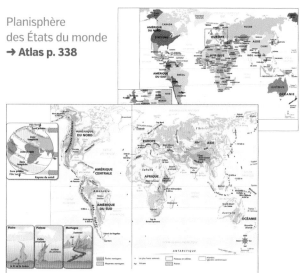

Planisphère des reliefs ➜ **Atlas p. 334**

- **Pour être capable de localiser, tu dois connaître les repères géographiques élémentaires.**

② Je situe pour me repérer

Situer répond aussi à la question « Où ? » mais en y ajoutant « par rapport à qui ou à quoi ? ».

- Il faut réussir progressivement à situer des lieux et des espaces **les uns par rapport aux autres**.
- À mesure que tu progresses dans le cycle 3, tu dois manipuler différentes échelles géographiques, **de la grande échelle** (niveau local : ville, région...) **à la petite échelle** (niveau mondial : planisphère).

➜ **Chapitre 11**
Habiter le Groenland, un territoire polaire contraignant

Le Groenland
(grande échelle)
➜ **Doc 2 p. 200**

Les espaces contraignants
dans le monde (petite échelle)
➜ **Carte p. 210-211**

En fin de cycle 3, je dois être capable :

➜ de nommer et localiser sur un planisphère les grands repères géographiques découverts du CM1 à la 6e :
  - les continents
  - les océans
  - les grands fleuves
  - les principales chaînes de montagnes
  - les grands repères terrestres (tropiques, équateur, cercles polaires) :
➜ de nommer, localiser et donner les caractéristiques des espaces étudiés ;
➜ de situer des espaces les uns par rapport aux autres.

Je raisonne comme un géographe

Pour devenir un vrai géographe, il te faut connaître et t'entraîner à mettre en œuvre les 4 étapes du raisonnement géographique :

1. Je localise > 2. Je décris > 3. J'explique, j'analyse > 4. Je mets en perspective.

① Je localise et je décris

● Dans études de cas de ton manuel, **la boîte « Activités »** te permet de travailler les étapes 1 à 3 de ce raisonnement. Tu parviendras ainsi à mettre en lumière les **spécificités du territoire que tu étudies.**

② J'explique et j'analyse

● Il te faut maintenant **expliquer** le territoire ou le phénomène étudié, c'est-à-dire **rechercher les causes**, toujours multiples, de telle ou telle situation.

● Souvent en géographie, la recherche d'explications impose de **changer d'échelle** : c'est pour cela que tu trouves des **documents à différentes échelles dans les études de cas** : par exemple, un plan d'une métropole et une photographie de l'un des quartiers de cette métropole.

③ Je mets en perspective

● C'est la dernière étape du raisonnement du géographe mais aussi la plus difficile ! Il te faut maintenant **changer d'échelle, passer du cas particulier** que tu viens d'étudier à une **réalité plus étendue.**

> Par exemple, après les études de cas du chapitre 10 (p.172 à 179), tu es capable d'expliquer ce que veut dire « habiter Londres » ou « habiter Lagos ».
Mais tu ne sais pas encore si les conclusions auxquelles tu as abouti sont valables pour toutes les métropoles du monde ! Il va donc falloir vérifier...

● **Je fais la synthèse ou je compare**
Ce premier temps permet de **commencer à faire émerger la ou les notion(s)-clé(s)** que tu dois maîtriser, à partir du ou des cas concret(s) que tu viens d'étudier.
➔ Des études de cas... au monde **p. 182-183**

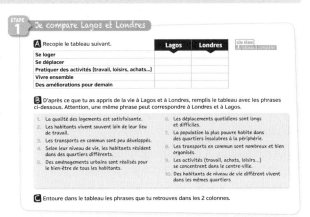

● **J'en déduis des hypothèses**
C'est le moment où **tu passes du cas particulier à l'idée générale** : les conclusions de l'étape 1 sont-elles valables dans d'autres espaces dans le monde ?

● **Je vérifie si mes hypothèses sont justes**
Cette idée générale doit être confrontée à d'autres exemples, **ailleurs dans le monde**. Cette vérification se fait à partir de documents à grande échelle ailleurs dans le monde, mais aussi à l'aide du planisphère proposé dans la double page « Carte » qui suit.

En fin de cycle 3, je dois être capable :

➔ de justifier une démarche et les choix effectués ;
➔ de me poser des questions ;
➔ d'émettre des hypothèses :
➔ de vérifier et de justifier.

SOCLE Compétences

▶ **Domaine 2 :** j'utilise les outils numériques de façon réfléchie.

Méthode

Je m'informe dans le monde du numérique

Internet représente aujourd'hui la principale source d'informations.
Les consultations de sites et l'utilisation des réseaux sociaux multiplient les recherches dans le monde du numérique. C'est une mine d'informations précieuse, mais il faut apprendre à naviguer efficacement.

1 J'évalue un site internet avant de l'utiliser

Un site peut être passionnant, mais n'oublie pas le thème de tes recherches, sinon tu risques d'y passer trop de temps !

Toutes les informations sur internet ne sont pas fiables.

- Progressivement, il te faudra apprendre à te poser des questions sur **l'origine et l'intérêt des informations** trouvées dans l'univers du numérique.
- Avant d'utiliser les informations publiées sur un site internet, tu dois toujours te poser les questions suivantes.

Qui est l'auteur de la page et du site ?

- Consulte la rubrique « Mentions légales » ou « Qui sommes-nous » pour savoir qui est le responsable légal du site :
    – est-ce un organisme reconnu ? un particulier ? un spécialiste du sujet ?
    – les coordonnées du responsable sont-elles visibles pour le contacter ?
- L'information publiée est-elle récente ?
- Quelle est la date de mise à jour du site ?

Pourquoi le site publie-t-il cette information ?

- L'auteur a-t-il des intentions (convaincre, défendre des idées, vendre un produits...) ?
- Quels sont les objectifs du site : informations, scientifiques, commerciaux, politiques...

Le site répond-il bien à mes recherches d'information ?

- Quel est le titre de la page ? Correspond-il au sujet de tes recherches ?
- La lecture de l'introduction, du chapeau en haut page correspondent-il à tes attentes ?
- L'article propose-t-il des renvois vers d'autres sites ? Cite-t-il ses sources ?

2 J'utilise les outils numériques de manière autonome

- **Utiliser un moteur de recherche Qwant Junior** est un moteur de recherche **recommandé pour les collégiens**. Grâce à des filtres spéciaux, il exclut de ses pages de recherche les contenus qui pourraient choquer. Il préserve également ta vie privée, tes données personnelles ne seront pas divulguées.

qwantjunior.com

- **Utiliser une encyclopédie en ligne,** Wikipedia est une encyclopédie libre, gratuite et autogérée, dont les informations sont modérées et vérifiées par un comité de rédaction. Tout le monde peut contribuer à cette encyclopédie et proposer des corrections.

wikipedia.fr

- **Utiliser des outils d'information spécifiques.**
  En histoire :
  - les vidéos d'archive du site Jalons pour l'histoire du temps présent : fresques.ina.fr.
  En géographie :
  - les globes virtuels comme **Géoportail** présentent des images prises par satellite, mais aussi des cartes. geoportail.gouv.fr

---

En fin de cycle 3, je dois être capable :

→ de connaître des ressources numériques fiables pour m'informer ;
→ d'effectuer des recherches simples d'informations à l'aide des outils numériques (moteur de recherche...) ;
→ de vérifier l'origine des informations d'un site internet et leur intérêt pour mes recherches.

Je comprends le sens général d'un document

En histoire et en géographie, c'est à partir de documents que tu découvres des situations historiques ou géographiques et que tu peux les comprendre. Mais que signifie « comprendre un document » ? Pour cela, tu dois appliquer une démarche : tu vas te poser des questions, formuler des hypothèses et les vérifier en répondant à des questions, justifier tes choix de réponses. **Pour comprendre, tu vas mener l'enquête !**

→ **Doc 1 p. 40 :**
un récit historique

Le témoignage d'un historien juif sur Jésus

personnage

situation de départ

À cette époque vécut Jésus, un homme exceptionnel, car il accomplissait des choses prodigieuses. Il gagna beaucoup de monde parmi les Juifs et jusque parmi les Grecs. Lorsque sur la dénonciation de nos notables, Pilate [le gouverneur romain de la Judée] l'eut condamné à être crucifié, ses disciples ne cessèrent pas de l'aimer, parce que, disaient-ils, il leur était apparu le troisième jour, de nouveau vivant. Il pouvait donc être appelé « le Messie » [...]. De nos jours, il a encore de nombreux fidèles, ceux qu'à cause de lui, on appelle chrétiens.

situation intermédiaire

évolution de la situation

■ Flavius Josèphe, *Les Antiquités juives*, Iᵉʳ siècle après J.-C.

auteur | source | date

❶ Je comprends le sens général du document

● **Lis le texte et pose-toi les bonnes questions :**
De quoi parle ce document ? Qui sont les personnages évoqués ? Quel problème pose-t-il ?...
● À partir des réponses aux questions posées, **dégage l'idée générale du document** en présentant en une phrase le sujet du texte.

❷ J'identifie le document

● **Présente l'identité du document :** sa nature, son auteur, sa source.
● **Situe** le document **dans le temps et dans l'espace :** quand ? où ?
● **Explique** pourquoi il est nécessaire d'identifier le document : que comprendrais-tu s'il n'était pas identifié ?

❸ J'extrais des informations pertinentes pour répondre à une ou des questions

● **Extrais les informations qui expliquent le fait historique** raconté par le document : Qui est Jésus ? Pourquoi « gagne-t-il beaucoup de monde » ? Que lui arrive-t-il ? Est-il oublié après sa mort ?
● **Classe** les informations dans un ordre logique.
Ici, le document est un récit historique : il faut classer les informations dans l'ordre chronologique.
● Montre que le document **exprime le point de vue de l'auteur.**
L'auteur est-il du côté des chrétiens ou contre les chrétiens ? Quels mots ou expressions du texte peuvent te mettre sur la voie ?

Pour comprendre le texte, tu dois en connaître le contexte : utilise tes connaissances ou fais des recherches dans ton manuel.

En fin de cycle 3, je dois être capable :

→ de comprendre le sens général d'un document ;
→ d'identifier le document et de savoir pourquoi il doit être identifié ;
→ d'extraire des informations pertinentes pour répondre à une question ;
→ de savoir que le document exprime un point de vue en recherchant son sens implicite.

SOCLE Compétences
▶ **Domaine 1 :** je pratique différents langages.
▶ **Domaine 2 :** je sais comment traiter l'information.

Méthode

Je pratique différents langages

En histoire et en géographie, tu es amené-e à lire et analyser de nombreux types de documents : textes, cartes, plans, images, reconstitutions, œuvres d'art, récits, lois, frises, tableaux, graphiques...

Certains documents, comme les cartes ou les images, ont leur propre langage, très spécifique, qu'il faut apprendre à lire et à pratiquer progressivement.

❶ Les images

L'image n'est pas une simple illustration, elle est aussi une source d'information qu'il faut savoir analyser.

● **Lis la légende** : auteur, date de création, source...
● **Analyse sa composition**, étudier la façon dont les éléments sont organisés sur l'image :
– les **lignes** (droites, courbes, lignes de force...) ;
– les **plans** (premier plan, deuxième plan, arrière-plan...).

● **En histoire et en géographie, on trouve différents types d'images, par exemple :**

- Des **photographies** (de paysages, de fouilles archéologiques...)

Un village de huttes traditionnelles, 2013.
➔ **Doc 3 p. 227**

- Des **représentations d'œuvres d'art** présentées dans des **musées** ou d'autres lieux où on les **conserve** dans les meilleures conditions possible (sculptures, mosaïques...)

Photographie (2006) des peintures rupestres de la « grotte des Mains », vers -9000, Argentine, incrites au Patrimoine mondial de l'Humanité par l'Unesco.
➔ **Doc 2 p. 13**

● **Des reconstitutions**, qui reproduisent ce que les historiens savent du lieu représenté.

Reconstitution de la cité-État d'Ur au IIIe millénaire avant J.-C.
➔ **Doc 2 p. 50**

❷ Les documents cartographiques

Les cartes, les croquis et les schémas cartographiques sont des documents qui nécessitent une observation pour repérer, nommer, localiser. (➔ fiche p. 317).

● **Pour lire une carte, il faut :**
– **repérer son titre** pour savoir de quoi elle parle ;
– repérer **les grands ensembles** identifiables sur la carte à l'aide des aplats de couleur ;
– comprendre les **informations indiquées en légende** ;
– **décrire la carte** en utilisant un vocabulaire spécifique ;
– **analyser les informations** pour **comprendre comment s'organisent les espaces**.

L'Orient ancien au IIIe millénaire
➔ **Doc 3 p. 99**

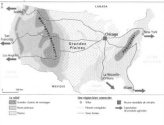

Les Grandes Plaines, un espace agricole bien relié aux villes et au monde
➔ **Doc 7 p. 224**

En fin de cycle 3, je dois être capable :

➔ d'identifier les informations (légende, titre, paratexte) pour présenter un document (nature, auteur, date, source...) ;
➔ de repérer les principaux éléments qui composent le document (paragraphes, plans, légende...) ;
➔ de sélectionner des informations pour répondre à des questions

SOCLE Compétences
▶ **Domaine 1 :** je m'exprime en utilisant la langue française à l'oral et à l'écrit.
▶ **Domaine 2 :** j'organise mon travail personnel pour apprendre à apprendre.

Je m'exprime à l'écrit et à l'oral

En classe, en histoire et en géographie, tu apprends à lire (→ fiche p. 320), mais aussi à écrire et à dire.

❶ Je m'exprime à l'écrit

S'exprimer à l'écrit, cela signifie décrire, raconter, expliquer, argumenter...

● Après avoir étudié un ou plusieurs documents sur un sujet, ton professeur va te demander de **rédiger des phrases pour répondre à une question**.

→ **Chapitre 9 p. 162-163** La Chine des Hans

> **ITINÉRAIRE 1**
>
> ▶ Je comprends les documents
>
> ❶ **Biographie et doc 4.** Que devient le territoire de l'Empire des Han à l'époque de l'empereur Wu ? Comment est-il protégé ?
>
> ❷ **Biographie, doc 2 et 3.** Avec l'aide de qui l'empereur Wu gouverne-t-il son Empire ? Selon quels enseignements ?
>
> ❸ **Biographie, doc 1, 3 et 5.** Quel essor des techniques et des arts caractérise la Chine des Han ?
>
> ▶ J'explique par écrit
>
> ❹ À l'aide des questions précédentes, réponds en quelques phrases à la question clé.

● **Rassemble les informations relevées**
- **Note au brouillon** les éléments qui expliquent le sujet : mots clés, personnages, dates, lieux, faits...

> Aide-toi des questions posées sur les documents !

- **Classe les éléments** de manière logique, dans l'ordre des questions posées.
- **Rédige la réponse à la question :** écris quelques phrases qui résument le sujet étudié. Elles doivent le **décrire** et l'**expliquer**.

❷ Je m'exprime à l'oral : faire un exposé

Tu as plein d'occasions de t'exprimer à l'oral : quand tu réponds aux questions de ton professeur, quand tu échanges avec tes camarades lors d'un travail en équipe... C'est aussi le cas lorsque **tu dois présenter devant la classe un exposé** personnel **ou** réalisé en groupe.

→ **Chapitre 2 p. 34-35**
Les premiers paysans
de l'humanité

> **ITINÉRAIRE 2**
>
> ▶ Je m'exprime à l'oral
>
> En groupe, à l'aide des documents, préparez un exposé pour répondre à la question clé.
>
> **MÉTHODE**
>
> Réalisez un diaporama qui servira de support à votre exposé. Vous pouvez suivre le plan suivant :
> **Écran 1.** Devenir un agriculteur (Doc 1 et 3)
> **Écran 2.** Devenir un éleveur (Doc 2 et 3)
> **Écran 3.** De nouveaux outils (Doc 4)

● **Prépare l'exposé**
- Il faut d'abord bien comprendre la **consigne** du sujet de l'exposé en définissant les termes du sujet.
- **Relève des informations** dans les documents **proposés par le professeur** . Tu peux aussi utiliser les ressources numériques.
- **Classe par écrit** les informations recueillies, pour pouvoir ensuite les présenter clairement et de manière organisée.
- **Entraîne-toi** à l'oral.

● **Présente l'exposé**
- **Note le titre de l'exposé** au tableau.
- Reste de préférence **debout** et **regarde le public**.
- Explique et note au tableau **les mots clés** du sujet.
- **Présente** quelques documents illustrant l'exposé. Tu peux aussi les projeter.
Attention à bien respecter le temps imparti !

> N'oublie pas de parler fort et distinctement, ni trop vite, ni trop lentement.

> **En fin de cycle 3, je dois être capable :**
>
> → de réaliser une production écrite : rédiger un court récit dans lequel je décris, j'explique, j'argumente ;
> → de réaliser une production orale : je parle, je communique, j'argumente en continu pendant quelques minutes, par exemple pour présenter un exposé, un document.

SOCLE Compétences

▶ **Domaine 2 :** j'organise mon travail dans le cadre d'un groupe pour élaborer une tâche commune et/ou une production collective.

Méthode

Je coopère et je mutualise : le travail en équipe

Lors d'un cours, ton professeur peut proposer un travail en équipes.
Dans ton équipe, tu vas travailler avec d'autres élèves sur un même sujet, et ensemble, vous allez réaliser une production collective. Il va falloir faire preuve d'esprit d'équipe !

1 Découverte de la consigne

● Pour commencer, tu dois essayer de **comprendre la consigne générale ou la tâche demandée.**

CONSIGNE → **Consigne p . 18**

Comment vivaient les humains du Paléolithique ?
Comme des archéologues, vous disposez des traces de leur passé et vous allez reconstituer leur vie quotidienne. Chaque équipe présente son travail, puis vous devrez ensemble réaliser un dossier commun, intitulé « La vie quotidienne des humains au Paléolithique ».

● **Lis ensuite** la **consigne** et/ou les **questions** qui se rapportent au travail dont ton équipe est responsable, en formulant des hypothèses pour essayer d'y répondre.

Habiter

Votre matériel : des reconstitutions d'habitats faites à partir de découvertes provenant de différents chantiers de fouilles.

❶ Comment ces abris permettent-ils de supposer que les premiers êtres humains étaient des nomades ?
❷ À votre avis, comment se déroule la journée de ces humains ?

2 Dialogue et élaboration de la tâche commune

Pour réaliser cette étape, vous devez échangez sur les recherches de chacun, choisir les éléments qui répondent à la consigne puis réalisez la production finale de l'équipe. **Pour cela, il faut apprendre à travailler ensemble.**

● **Savoir prendre la parole dans le groupe :**
- attendre que l'autre ait terminé de parler ;
- prendre la parole et défendre tes idées sans crier ni les imposer ;
- laisser tes camarades s'exprimer et respecter leurs idées.

> Au départ, tu n'auras peut-être pas envie de travailler avec des élèves que tu n'as pas choisis, mais tu vas apprendre à les connaître et ensemble, vous allez vous enrichir !

● **Respecter les autres :**
- inclure tout le monde dans le groupe ;
- respecter l'espace et le matériel de l'autre ;
- être capable aussi de travailler en silence.

● **Montrer un sens des responsabilités et faire preuve d'esprit d'équipes :**
- prendre des initiatives ;
- encourager ses coéquipières et ses coéquipiers ;
- travailler de façon positive.

> Chaque membre de l'équipe a un rôle à jouer : contrôler le bruit, gérer la prise de parole, surveiller le temps, prendre des notes…

3 Mise en commun du travail réalisé par les équipes

Dans chaque équipe, vous pouvez choisir un ou une représentant(e) qui va exposer devant la classe ce que vous avez appris.
● **Le ou la représentant(e) explique** oralement à la classe la production réalisée (→ **fiche p. 322**)
● Par un **dialogue** dans la classe, les travaux des groupes sont **mis en commun** pour répondre à la **consigne générale.**

En fin de cycle 3, je dois être capable :

→ de m'intégrer dans un projet collectif en mettant à la disposition du groupe mes connaissances et mes compétences ;
→ de discuter, expliquer pour défendre mes choix ;
→ d'adapter mon rythme de travail à celui du groupe (ni trop rapide, ni trop lent).

Méthode

SOCLE Compétences
- **Domaine 1 :** je pratique différents langages.
- **Domaine 2 :** je comprends des documents.
- **Domaine 5 :** je comprends la diversité des modes de vie.

Je réalise une tâche complexe

En 6ᵉ, en histoire et en géographie, tu apprends à réfléchir, à mobiliser tes connaissances, à choisir des démarches pour résoudre des situations.

Parmi ces démarches, celle de la **tâche complexe** : **tu dois résoudre un problème que l'on te pose.**
Pour cela, il te faut mener l'enquête ! Mais tu ne parviendras pas à résoudre la situation si tu la divises en petites tâches, effectuées l'une après l'autre, sans lien entre elles. Tu dois au contraire réaliser la tâche dans son ensemble, **en une seule fois**.

1 Je découvre la tâche complexe à résoudre

- Commence par expliquer avec **tes propres mots** la tâche à réaliser.
- Réfléchis à **la démarche à suivre** pour répondre à la consigne donnée : quelles questions te poses-tu en lisant cette consigne ?

> N'hésite pas à tatônner, essayer… Ce n'est pas grave si tu te trompes ! C'est après avoir fait des erreurs que tu vas trouver la meilleure solution au problème.

→ La romanisation de l'Empire p. 126-127

CONSIGNE

L'empereur Caracalla arrive ! Parti de Rome, il est déjà en route pour visiter ta province et surtout ta cité. Et tu es chargé du discours d'accueil !

Bien sûr, il faudra lui montrer que les habitants de ta cité admirent Rome et les Romains, et que toi, nouveau citoyen, tu cherches à les imiter en tout. N'oublie pas de rappeler que les habitants participent au culte impérial.

> **Ex. de questions :** comment les habitants de ma cité connaissent-ils Caracalla ? Quelle attitude ont-ils vis-à-vis de l'empereur ? Pourquoi admirent-ils Rome ?

2 Je fais des recherches pour résoudre la tâche complexe

- Lis **tous les documents** pour en comprendre le sens général. (→ fiche p. 320)
- Prélève dans les documents les **informations pertinentes** pour répondre à la consigne donnée.

2 Le culte impérial dans les provinces

Par notre Aphrodite Akraia, par notre Apollon, par le dieu Auguste César, par Rome éternelle et tous les autres dieux et déesses, nous-mêmes et nos enfants [nous jurons] d'être à la disposition de Tibère¹ César, fils d'Auguste, et de toute sa

COUP DE POUCE

Pour rédiger ton discours de bienvenue, tu pourras évoquer successivement :
- **l'admiration** des habitants de ta cité pour Rome et le mode de vie romain ;
- le remerciement à l'empereur pour sa **décision d'accorder la citoyenneté romaine** aux habitants de ta cité ;
- la participation de ta cité **au culte impérial** et au **culte des dieux locaux** ;
- **la paix** qui règne dans ta cité et dans l'Empire **grâce à l'empereur**.

- Si tu en as besoin, tu peux t'aider du **« Coup de pouce »** proposé à la fin de chaque tâche complexe.

3 Je réalise une production pour répondre à la consigne de la tâche complexe

- **Organise les informations extraites** des documents pour préparer la tâche qui t'a été demandée.
- **Réalise une production finale** qui sera ta solution à la tâche complexe que tu avais à résoudre.
  Elle peut avoir la forme d'une présentation orale, d'un texte rédigé, d'une production graphique, d'une carte mentale…
- Pense **à autoévaluer ton travail** pour vérifier qu'il répond bien au problème posé.

En fin de cycle 3, je dois être capable :
→ de résoudre un problème posé en choisissant une démarche, seul ou en groupe ;
→ d'utiliser mes connaissances et des ressources documentaires ;
→ de proposer une solution, la présenter et la justifier dans une production finale.

A

ADN : molécule, présente dans toutes les cellules, qui contient l'information génétique permettant le fonctionnement des êtres vivants (voir p. 22, 24).

Agriculture : travail de la terre pour produire des plantes et élever des animaux (voir p. 34).

Agriculture productiviste : agriculture mécanisée et intensive (engrais, pesticides, semences sélectionnées) qui obtient de grandes productions destinées au commerce et à l'exportation (voir p. 231, 232).

Agriculture vivrière : agriculture destinée à nourrir la famille : petites exploitations, travail essentiellement manuel, peu de moyens techniques, récoltes faibles (voir p. 231).

Agritourisme : fait de passer ses vacances dans une ferme. Cette forme de tourisme rural permet aux agriculteurs de trouver de nouveaux revenus (voir p. 236).

Archéologue : personne qui effectue des fouilles pour retrouver les traces des populations du passé (voir p. 16, 24).

Artisan : personne qui fabrique des objets à la main (voir p. 40).

Art rupestre : peinture ou gravure réalisée au Paléolithique et Néolithique en plein air sur des parois rocheuses (voir p. 40).

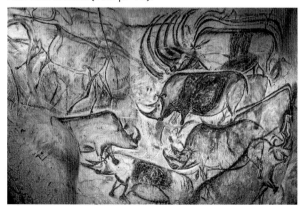

Aménagement : action volontaire de mise en valeur d'un espace (voir p. 212).

Apôtres : du grec *apostolos*, « envoyé ». Les 12 disciples de Jésus, choisis par lui pour diffuser son message (voir p. 138).

Autorité parentale : ensemble des droits et des devoirs des parents, qui s'exercent dans l'intérêt de l'enfant (voir p. 301).

B

Baptême : cérémonie religieuse qui permet à une personne d'entrer dans la communauté chrétienne (voir p. 150).

Bible hébraïque : mot grec signifiant « les livres ». Elle raconte l'histoire des Hébreux et fixe la Loi donnée par Dieu aux Hébreux (voir p. 112).

Bidonville : ensemble des habitations construites avec des matériaux de récupération (voir p. 176, 186).

Biodiversité : nombre d'espèces et d'êtres vivants sur un espace donné. On parle de grande biodiversité quand ce nombre est important. La richesse biologique est sensible aux effets de l'activité humaine (voir p. 211, 212).

Blog : site web personnel, journal de bord (voir p. 306).

C

Caravane : au Ier et IIe siècles, groupe de personnes (voyageurs, marchands, nomades...) qui traversent ensemble un espace désertique (voir p. 164).

Caravansérail : au Ier et IIe siècles, vaste cour entourée de bâtiments souvent fortifiés servant de gîtes d'étape pour les commerçants caravaniers, leurs marchandises et leurs montures (voir p. 161, 164).

Charte : ensemble de règles à respecter (voir p. 294).

Chrétien : celui qui croit en Jésus-Christ et en son message (voir p. 140).

Christ : du grec *christos*, « messie, envoyé de Dieu ». Jésus est surnommé *Christ* (voir p. 140).

Cité : du grec *polis*. Dans l'Antiquité, État indépendant s'étendant sur un territoire constitué d'une ville, souvent fortifiée, et de sa campagne. Chaque cité possède ses propres lois, sa monnaie et son armée (voir p. 65, 76).

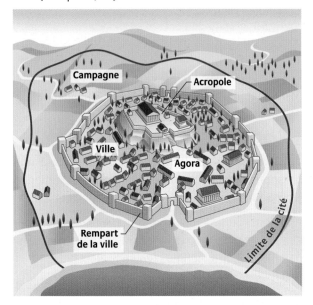

Cité-État : en Orient, au IVᵉ millénaire avant J.-C., territoire comprenant une ville fortifiée et les campagnes qui l'entourent. Les habitants d'une cité-État obéissent au même gouvernement et aux mêmes lois (voir p.48, 56).

Citoyens : dans la Grèce antique et à Rome, ceux qui habitent la cité et possèdent des droits civiques, politiques et juridiques (voir p. 68, 76, 94).

Citoyenneté : qualité de ceux qui habitent la cité et possèdent des droits civiques, politiques et juridiques (voir p. 130).

Colonie : cité nouvelle fondée par des Grecs (voir p. 65, 76).

Communion : moment où les chrétiens réunis célèbrent le dernier repas de Jésus-Christ avec ses disciples (la Cène) en partageant le pain et le vin (voir p. 150).

Conflit d'usage : Opposition entre plusieurs habitants qui défendent leurs intérêts pour l'utilisation d'une ressource ou d'un territoire (voir p. 244, 256).

Confucianisme : enseignement de Confucius (VIᵉ siècle avant J.-C.) qui invite à la sagesse et à la vertu (voir p. 164).

Conteneur : grande caisse métallique utilisée pour transporter des marchandises diverses : objets de la vie de tous les jours, produits alimentaires... (voir p. 242).

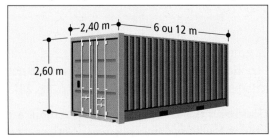

Contrainte naturelle : obstacle posé par la nature qui limite l'implantation des humains et la mise en valeur de leur espace (voir p. 211, 212, 278).

Credo : mot latin qui signifie « je crois ». Formule qui résume les croyances des chrétiens (voir p. 147).

Culte : rites destinés à honorer les dieux afin d'obtenir leur protection : offrandes, prières... (voir p. 76).

Culte impérial : dans l'Empire romain, hommage rendu à l'empereur de son vivant, et culte rendu aux empereurs morts, divinisés, sur décision du Sénat (voir p. 126, 130).

Défenseur des droits : autorité chargée de promouvoir les droits de l'enfant. En cas de violation des droits de l'enfant, le Défenseur agit pour trouver une solution (voir p. 305).

Démocratie : du grec *demos*, « le peuple », et *kratos*, « le pouvoir ». Régime politique dans lequel le pouvoir appartient aux citoyens (voir p. 72).

Démocratie : régime politique dans lequel les citoyens peuvent élire librement leurs représentants pour gouverner le pays (voir p. 296).

Densité : nombre d'habitants par km² (voir p. 278).

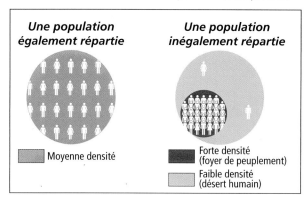

Une population également répartie — Moyenne densité

Une population inégalement répartie — Forte densité (foyer de peuplement) / Faible densité (désert humain)

Déprise : abandon progressif de l'activité d'agriculture ou d'élevage (voir p. 232).

Désert humain : zone de très faible densité (voir p. 267, 278).

Désertification : transformation des terres cultivables en désert (voir p. 232).

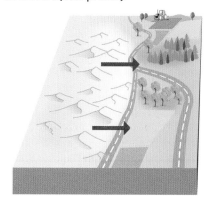

Diaspora : au Iᵉʳ millénaire avant J.-C., mot grec signifiant « dispersion » d'un peuple (voir p. 103, 112).

Dilemme : obligation de choisir entre deux partis qui comportent l'un et l'autre des inconvénients (voir p. 308).

Discrimination : fait de refuser des droits à une personne ou un groupe de personnes, en raison de son origine, de son appartenance religieuse, de son handicap... Cette attitude est punie par la loi (voir p. 292, 296).

E

Écriture cunéiforme : du latin *cuneus*, « clou, coin ». Écriture composée de signes en forme de clous ou de coins (voir p. 55, 56).

Église : du grec *ecclesia* : « assemblée ». Communauté des croyants (voir p. 147).

Élevage : activité humaine qui consiste à élever des animaux (voir p. 34).

Empereur : du latin *imperator*, titre accordé au général vainqueur au combat, qui indique qu'il a la faveur des dieux (voir p. 122, 130).

Empire romain : dans l'Antiquité, régime politique où les pouvoirs sont concentrés entre les mains d'un seul homme, l'empereur. L'Empire romain désigne aussi l'ensemble des territoires contrôlés par Rome (voir p. 120).

Érosion côtière (ou littorale) : destruction des terres en contact avec la mer par des phénomènes naturels (vagues, courants, vents) et/ou d'origine humaine (construction, aménagements). L'érosion côtière se traduit par un recul du littoral (voir p. 248, 256).

Espaces périurbains : espaces qui s'urbanisent progressivement autour des villes et qui s'étalent de plus en plus loin (voir p. 186).

Évangiles : du grec *Evangelion*, « bonne nouvelle ». Récit en quatre livres de la vie et du message de Jésus, écrit par des témoins de Jésus ou par ceux qui les ont connus (Matthieu, Luc, Marc et Jean) (voir p. 138, 150).

Exode rural : départ des habitants des campagnes vers les villes (voir p. 232).

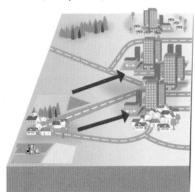

 F

Fair-play : de l'anglais *fair* (« loyal ») et *play* (« jouer »). Pratique du sport dans le respect des règles et de l'adversaire (voir p. 308).

Fraternité : sentiment d'appartenance à une même famille humaine (voir p. 294).

Foi : chez les chrétiens, croyance en Dieu et en la résurrection de Jésus-Christ (voir p. 142).

Fonctionnaire : personne qui travaille au service de l'État (voir p. 56).

Forum : dans l'Antiquité, grande place publique de Rome, centre du pouvoir politique, économique et religieux de la cité (voir p. 94).

Fossiles : traces ou restes de plantes ou d'animaux conservés dans les anciennes couches du sol. Les fossiles humains sont étudiés par des scientifiques comme les paléoanthropologues (voir p. 16, 24).

Foyer de peuplement : région très densément peuplée depuis longtemps (voir p. 267, 278).

G

Génétique : science qui étudie les caractères héréditaires des individus, leur transmission au fil des générations et leurs évolutions (voir p. 22, 24).

Guerre du Péloponnèse : dans l'Antiquité, guerre opposant la cité d'Athènes à celle de Sparte (voir p. 65).

Guerres médiques : dans l'Antiquité, guerres opposant les Grecs aux Perses (voir p. 65).

H

Han : dynastie régnant sur l'empire de Chine pendant quatre siècles (206 avant J.-C. – 220 après J.-C.) (voir p. 164).

Hiéroglyphes : du grec *hieros*, « sacré », et *gluphein*, « graver ». Caractères formés d'images représentant un personnage, un objet, une action, un son... (voir p. 55).

Hoplite : du grec *hoplon*, « bouclier ». Guerrier grec combattant à pied et lourdement armé (voir p. 68).

I

Inlandsis : glacier de très grande étendue recouvrant la terre ferme et pouvant atteindre plusieurs milliers de mètres d'épaisseur (voir p. 212).

J

Juifs : nom donné aux descendants des hébreux du royaume de Juda à partir de l'exil à Babylone (voir p. 103, 112).

L

Laïcité : principe selon lequel l'État ne favorise aucune religion. À l'école publique, les signes religieux doivent être discrets (voir p. 294).

Limes : frontières de l'Empire romain. Elles peuvent être fortifiées là où l'Empire est menacé (voir p. 130).

Littoral : région située au contact de la mer et de la terre (voir p. 255).

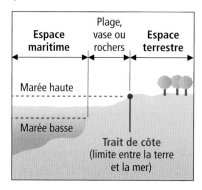

| Espace maritime | Plage, vase ou rochers | Espace terrestre |

Marée haute

Marée basse

Trait de côte
(limite entre la terre et la mer)

Littoral industrialo-portuaire : littoral qui concentre des activités portuaires et industrielles (voir p. 242, 255).

Littoral touristique : littoral aménagé et mis en valeur pour développer le tourisme (voir p. 255).

M

Magistrat : à Athènes et à Rome, responsable de la cité élu par les citoyens (voir p. 72, 94).

Mandarin : au Ier et IIe siècles, fonctionnaire chinois qui sait lire et écrire. Il est recruté par concours et formé à l'université impériale (voir p. 164).

Martyr : du grec *martus*, « témoin ». Personne qui, entre le Ier et IVe siècle, a préféré mourir plutôt que de renoncer à sa foi (voir p. 144, 150).

Médiateur : personne qui sert d'intermédiaire entre deux personnes, ou deux groupes, pour régler un désaccord. Sa médiation permet de résoudre les conflits par la discussion (voir p. 290).

Mégalithe : du grec *mega*, « grand », et *lithos*, « pierre ». Pierres dressées (menhir) ou énormes tables de pierre correspondant à des tombes collectives. Elles sont la preuve d'une main-d'œuvre nombreuse et organisée au Néolithique (voir p. 40).

Messie : envoyé de Dieu, qui doit diriger le peuple juif (voir p. 138).

Métropole : grande ville qui concentre les habitants, les activités et les pouvoirs de commandement (voir p. 185, 186).

Migrants pendulaires : travailleurs qui font l'aller-retour quotidien entre leur domicile et leur lieu de travail (voir p. 186).

Monothéisme : du grec *monos*, « un seul », et *theos*, « dieu ». Fait de croire en un seul dieu (voir p. 112).

Mythe : récit mettant en scène les dieux et les exploits des héros (voir p. 66, 76).

N

Nomade : personne qui se déplace pour se nourrir (chasse, cueillette, pêche) et qui n'a pas d'habitat fixe (voir p. 18, 24).

O

Openfield : mot anglais signifiant « champ ouvert » et désignant un paysage agricole de grandes parcelles non délimitées par des haies ou clôtures (voir p. 222).

P

Païen : personne qui reste fidèle au polythéisme (voir p. 140).

Panhellénique : qui est commun à tous les Grecs (voir p. 66, 76).

Pays en développement : pays où les conditions de vie ne sont pas jugées satisfaisantes. Celles-ci progressent, mais à des rythmes différents selon les pays (voir p. 174).

Persécutions : violences exercées contre des personnes en raison de leurs croyances ou de leurs idées (voir p. 144, 150).

Planisphère : carte du monde représentant à plat toutes les parties du globe terrestre (voir p. 272).

Polythéiste : du grec *poly*, « plusieurs », et *theos*, « dieu ». Croyant en plusieurs dieux (voir p. 56).

Préjugé : avis que l'on a sans avoir réfléchi, et qui conduit à des idées fausses (voir p. 292).

R

Règlement intérieur : texte officiel qui fixe les règles à respecter par tous au collège (voir p. 290).

Rendement : production obtenue sur une surface donnée (voir p. 231, 232).

République : du latin *res publica*, « chose publique ». Forme de gouvernement où le pouvoir n'est pas détenu par une seule personne et où ceux qui gouvernent sont désignés par la population (ou une partie d'entre elle) (voir p. 94).

Responsabilité civile : les parents du mineur sont responsables des dommages causés par leur enfant à des biens ou des personnes (voir p. 301).

« Révolution » néolithique : passage progressif d'un mode de vie nomade basé sur la chasse et la cueillette à un mode de vie sédentaire, fondé sur l'agriculture, l'élevage et la fabrication d'outils en pierre polie (voir p. 32).

Romanisation : adoption par les peuples de l'Empire du mode de vie, de la langue, des croyances des Romains (voir p. 126).

S

Sanctuaire : espace sacré dédié à un ou plusieurs dieux (voir p. 66, 76).

Sénat : À Rome, dans l'Antiquité, assemblée formée de 300 anciens magistrats (voir p. 94).

Scribe : du latin *scribere*, « écrire », Personne savante spécialiste de l'écriture et du calcul dans l'Antiquité (voir p. 55, 56).

Sédentaire : personne qui vit dans un habitat fixe, à la différence du nomade (voir p. 36, 40).

Soie : fil naturel résultant de la solidification de la bave sécrétée par le ver à soie pour fabriquer son cocon (voir p. 161).

SPAM : courrier électronique indésirable, envoyé en grand nombre, à but publicitaire et commercial (voir p. 306).

T

Terminal : installation aménagée pour le chargement et déchargement des marchandises : conteneurs, matières premières, hydrocarbures... (voir p. 244).

Terre-plein : espace gagné sur la mer sur lequel se concentrent activités industrielles, quartiers résidentiels et/ou zones de loisirs (voir p. 256).

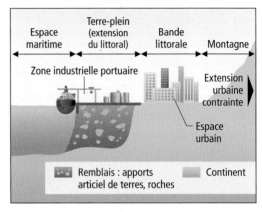

Torah : mot signifiant « Loi » en hébreu. Il s'agit des cinq premiers livres de la Bible (voir p. 112).

Tourisme balnéaire : ensemble des activités de loisirs liées aux vacances en bord de mer (voir p. 256).

Tourisme durable : tourisme qui respecte, préserve et met durablement en valeur les ressources d'un territoire pour les touristes (voir p. 248).

U

Urbanisation : augmentation de la part de la population vivant dans les villes (voir p. 185).

V

Voyages de découvertes : dès le XVᵉ siècle, les Européens empruntent de nouvelles routes maritimes, sur l'océan Atlantique notamment, et découvrent de nouvelles terres (Amérique) (voir p. 272).

W

Web : abréviation de l'anglais *World Wide Web*, signifiant « toile d'araignée mondiale » (voir p. 306).

Crédits photographiques

Vainqueurs d'une course de chars,
mosaïque du IIIe siècle après J.-C.,
musée archéologique national,
Madrid.

Une femme avec son enfant
à Namche Bazar, Népal, 2005.

Édition : Carole Greffrath, avec l'aide de Juliette Sauty
et Alexandre Antolin

Conception graphique de l'intérieur : Frédéric Jély

Conception graphique de la couverture : Véronique Lefebvre

Mise en pages : Élodie Bréda

Iconographie : Électron libre (Valérie Delchambre) et Maryse Hubert

Cartographie : AFDEC

Frises et schémas : Renaud Scapin

Illustrations (mascottes) : Romain Ronzeau (et p. 290, 291, 300, 301)

Illustrations : Françoise Scapin-Daumal, sauf p. 67, 68, 72 : Eddy Krähenbühl
p. 76 : Pierre Bourcier et p. 288 : Laetitia Aynié

Relecture : Marjolaine Revel

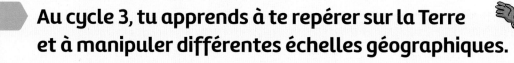

ATLAS

Au cycle 3, tu apprends à te repérer sur la Terre et à manipuler différentes échelles géographiques.

- Pour se repérer sur le globe terrestre, on utilise les points cardinaux, les grands repères terrestres, les hémisphères.

❶ La rose des vents

Elle indique les points cardinaux.

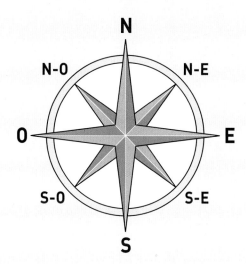

❷ Le globe terrestre

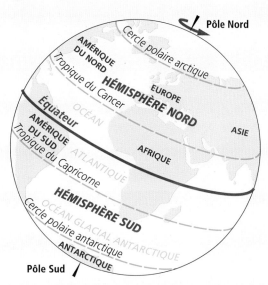

En plus des 3 cartes de l'Atlas, tu peux consulter les autres planisphères du manuel :

Les grands ensembles du relief

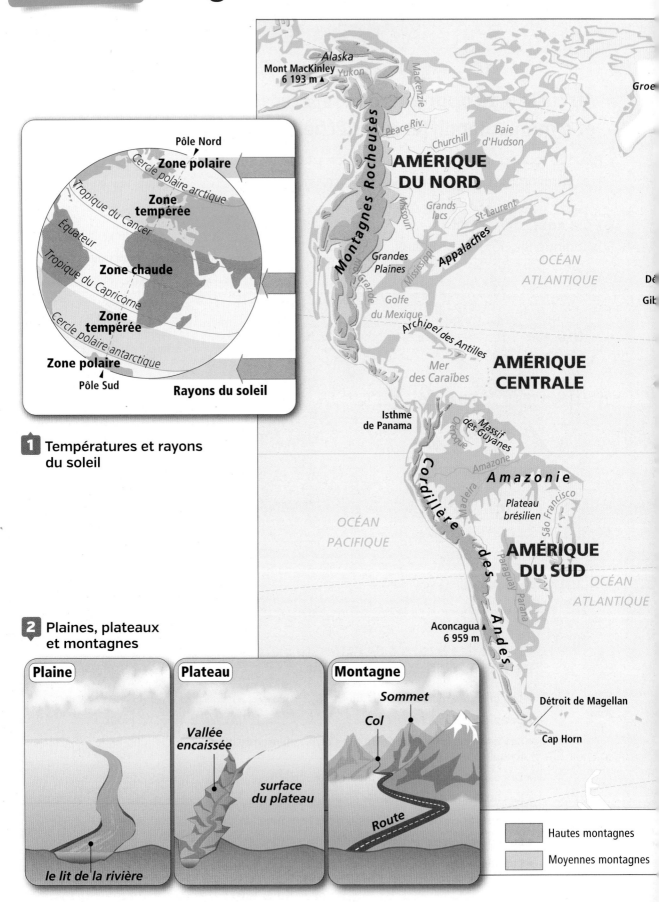

1 Températures et rayons du soleil

- Pôle Nord
- Zone polaire
- Cercle polaire arctique
- Zone tempérée
- Tropique du Cancer
- Équateur
- Zone chaude
- Tropique du Capricorne
- Zone tempérée
- Cercle polaire antarctique
- Zone polaire
- Pôle Sud
- **Rayons du soleil**

2 Plaines, plateaux et montagnes

Plaine
- le lit de la rivière

Plateau
- *Vallée encaissée*
- *surface du plateau*

Montagne
- *Sommet*
- *Col*
- *Route*

Alaska
Mont MacKinley
6 193 m ▲
Yukon
Groe
Mackenzie
Peace Riv.
Churchill
Baie d'Hudson
AMÉRIQUE DU NORD
Montagnes Rocheuses
Grands lacs
St-Laurent
Missouri
Appalaches
OCÉAN ATLANTIQUE
Dé
Gib
Grandes Plaines
Mississippi
Rio Grande
Golfe du Mexique
Archipel des Antilles
Mer des Caraïbes
AMÉRIQUE CENTRALE
Isthme de Panama
Orénoque
Massif des Guyanes
Amazone
A m a z o n i e
Madeira
Plateau brésilien
São Francisco
Cordillère des Andes
OCÉAN PACIFIQUE
AMÉRIQUE DU SUD
OCÉAN ATLANTIQUE
Paraguay
Parana
Aconcagua ▲
6 959 m
Détroit de Magellan
Cap Horn

Hautes montagnes
Moyennes montagnes

OCÉAN GLACIAL ARCTIQUE

Détroit de Béring   *Alaska*

Cap Nord

le polaire arctique

lande

Massif Scandinave

Mer de Béring

S i b é r i e

Lena

Mer du Nord

Ob

Ob

Iénisséï

EUROPE

Monts Oural

Volga

Altaï

ASIE

Angara

Irtych

Amour

Alpes   *Carpates*

Blanc 808 m

Mont Elbrouz 5 633 m

Mer d'Aral

Mer Caspienne

Syr-Darïa

Gobi

Huang He

Mer du Japon

Mont Fuji 3 776 m

Danube

Caucase

Mer Noire

Mer Méditerranée

S

Euphrate

Tigre

Amou-Darïa

Indus

Tibet

Mont Everest 8 848 m

Chang Jiang

Mer de Chine

Tropique du Cancer

Isthme de Suez

Himalaya

Gange

Nil

S a h a r a

Désert arabique

Mer d'Oman

Plateau du Deccan

Golfe du Bengale

Mékong

OCÉAN PACIFIQUE

AFRIQUE

Massif Éthiopien

Mont Cameroun 4 070 m

Détroit de Malacca

lfe

le

née

Congo

Niger

Lac Victoria

Mont Kilimandjaro 5 895 m

Bornéo

Équateur

Lac Tanganyika

Mélanésie

Nouvelle-Guinée

Mont Wilhelm 4 694 m

OCÉAN INDIEN

Zambèze

Madagascar

Mer de Timor

Grand désert de Sable

Tropique du Capricorne

Kalahari

Orange

A u s t r a l i e

Darling

OCÉANIE

Cap de Bonne Espérance

Murray

Nouvelle-Zélande

OCÉAN GLACIAL ANTARCTIQUE

Nord

Ouest — Est

Sud

A N T A R C T I Q U E

Cercle polaire antarctique

0   1 000 km

Échelle à l'Équateur

es plus hauts ommets   ▲ Plateaux et collines   Inlandsis (glaciers continentaux)

Plaines

3 **Les grands ensembles de relief dans le monde**

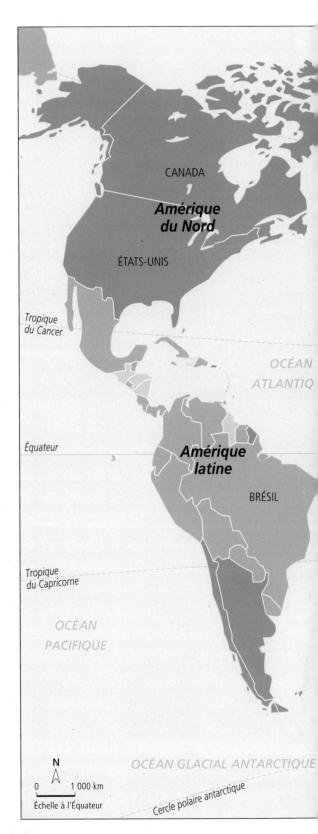

▶ **Développement**
Amélioration générale des conditions de vie d'une population.

▶ **IDH (Indice de développement humain)**
Il mesure le niveau de développement d'un État. Il prend en compte l'espérance de vie, le niveau d'instruction et le produit intérieur brut. Il reflète la qualité de vie d'une population. Il varie de 0, pour un développement minimum, à 1, pour un développement maximum.

CHIFFRES CLÉS

➡ En **2 jours**, **les 5 % les plus riches** gagnent ce que **les 5 % les plus pauvres** mettent **1 an** à gagner.

➡ **8%** de la population mondiale détient plus de **80% des richesses mondiales.**

◼ B. Badie et D. Vidal (dir.), *Un Monde d'inégalités*, *L'état du monde 2016*, La Découverte, 2015.

336   N° d'éditeur : 10228228 – AXIOME – Août 2016
Imprimé en Espagne par Cayfosa

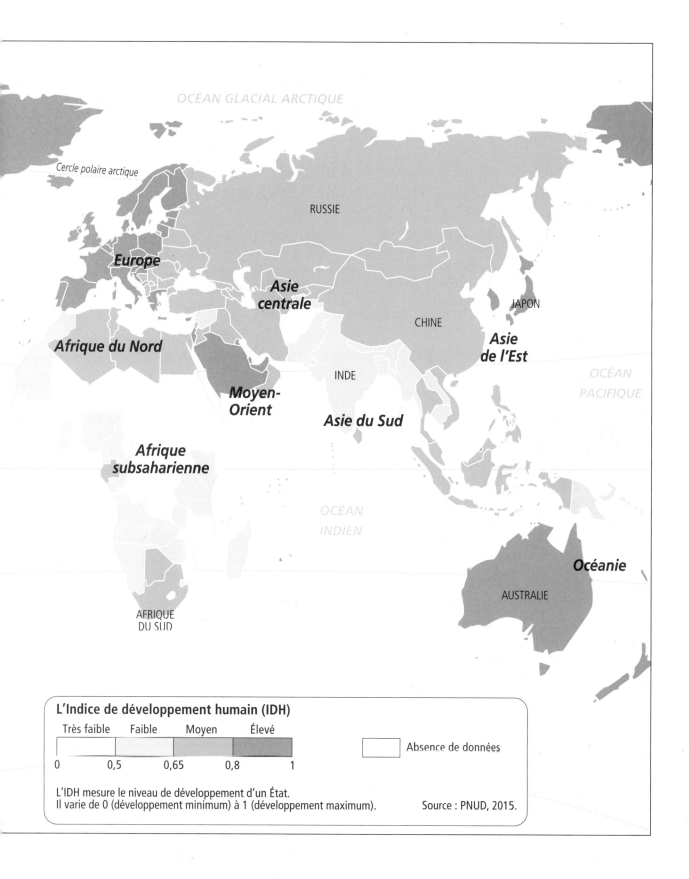

OCÉAN GLACIAL ARCTIQUE

Cercle polaire arctique

RUSSIE

Europe

Asie
centrale

JAPON

CHINE

Afrique du Nord

Asie
de l'Est

INDE

OCÉAN
PACIFIQUE

Moyen-
Orient

Asie du Sud

Afrique
subsaharienne

OCÉAN
INDIEN

Océanie

AUSTRALIE

AFRIQUE
DU SUD

L'Indice de développement humain (IDH)

| Très faible | Faible | Moyen | Élevé |

| 0 | 0,5 | 0,65 | 0,8 | 1 |

Absence de données

L'IDH mesure le niveau de développement d'un État.
Il varie de 0 (développement minimum) à 1 (développement maximum).

Source : PNUD, 2015.

Alaska
(É.-U.)

Gr
(D

CANADA

**AMÉRIQUE
DU NORD**

ÉTATS-UNIS

OCÉAN

ATLANTIQUE

occid

BAHAMAS

MEXIQUE   CUBA   HAÏTI   RÉPUBLIQUE
DOMINICAINE

OCÉAN   MAURIT

BELIZE   Porto Rico (É.-U.)

GUATEMALA   HONDURAS   JAMAÏQUE   Guadeloupe et   SÉN
Martinique (F.)   GAME

SALVADOR   NICARAGUA   G.BISS

PACIFIQUE   COSTA RICA   GUI

TRINIDAD-ET-TOBAGO   SIERRA-

VENEZUELA   GUYANA

PANAMÁ   SURINAM

Guyane
(F.)

COLOMBIE

ÉQUATEUR

**AMÉRIQUE
DU SUD**   BRÉSIL

PÉROU

BOLIVIE

PARAGUAY

CHILI

URUGUAY

ARGENTINE

NORVÈGE

Mer   ESTONIE
Du Nord   SUÈDE   RUSSIE

LETTONIE

ROYAUME-   DANEMARK   Mer   LITUANIE
IRLANDE   UNI   Baltique
RUSSIE

OCÉAN   PAYS-BAS   BIÉLORUSSIE

BELGIQUE   ALLEMAGNE   POLOGNE

LUXEMBOURG   RÉP. TCHÈQUE   UKRAINE

ATLANTIQUE   FRANCE   LIECHTENSTEIN   SLOVAQUIE   MOLDAVIE
SUISSE   AUTRICHE
HONGRIE
SLOVÉNIE   Crimée¹

CROATIE   ROUMANIE
PORTUGAL   ITALIE   BOSNIE   Mer
ANDORRE   HERZÉGOVINE   SERBIE   Noire
MONACO   ST MARIN   BULGARIE
ESPAGNE   MONTÉNÉGRO   KOSOVO
VATICAN   MACÉDOINE
ALBANIE   TURQUIE

Mer   GRÈCE
0   500 km

MALTE   Méditerranée

1. Région ayant proclamé son rattachem
rattachement validé par la Russie mais n